JN246843

文藝市場
カーマシャストラ

第4巻

第４巻第３号（昭和３年２月）
第４巻第４号（昭和３年３月）

［監修］島村　輝

ゆまに書房

『カーマシヤストラ』第４巻第３号。

『カーマシャストラ』第４巻第4号。

『文藝市場』『カーマシヤストラ』復刻刊行にあたって

監修　島村　輝

『叢書エログロナンセンス』シリーズは、戦前ジャーナリズム界の異才・梅原北明を中心とした「珍書・奇書」類のうち、発刊当時の事情やその後の年月の経過によって閲覧・入手の困難となった書物、とりわけ多く「発売禁止」等の措置を受けた雑誌類を中心にして、復刻刊行しようとするものである。

そのスタートとして、大正・昭和エログロナンセンスを牽引した出版人、梅原北明の代表的な雑誌『グロテスク』（一九二八・一一～一九三一・八）を復刻刊行した。また永く幻と謳われ、僅かに城市郎の発禁本コレクションに、その書影を確認するに留まっていた第二巻第六号（一九二九・六）も、無事これを発見し収録することができたのは幸運であった。

梅原北明の出版活動での到達点を『グロテスク』とするならば、その引火点は、同書肆より復刻刊行した『変態・資料』（一九二六～二八）であり、そして導火線となったのが、今回復刻となる、北明個人の編集となってからの『文藝市場』（一九二七・六～一〇）、上海にて出版されたとされる『カーマシヤストラ』（一九二七・一〇～一九二八・五）である。『カーマシヤストラ』が、本当に上海で発行されたのか、それとも日本国内での刊行をカムフラージュするためのものだったのかは定かでないが、一九二八年に上海より帰国後、北明は出版法違反で市ヶ谷拘置所に長期拘置される。そして、仮釈放の後『グロテスク』刊行の内容見本制作に着手するのである。

今回の復刻により、『変態・資料』『文藝市場』『カーマシヤストラ』『グロテスク』という、梅原が編集に携わった雑誌が揃うこととなる。

サブカルチャーの領域から、近代をそして現代を照射する貴重資料であり、すべての文学・文化に関心を持つ人々が、この復刻を手許に置かれることを心から希望する。

凡　例

◇本シリーズは、『文藝市場』（一九二七〈昭和二〉年六月〜同年九月＊梅原北明個人編集時期）、『カーマシヤストラ』（一九二七〈昭和二〉年一〇月〜一九二八〈昭和三〉年四月）を復刻する。

◇本巻には、『カーマシヤストラ』No.3 第4巻第3号（一九二八〈昭和三〉年二月二五日印刷）、『カーマシヤストラ』No.4 第4巻第4号（一九二八〈昭和三〉年三月五日印刷）。

◇原本のサイズは、二〇〇ミリ×一三八ミリである。

◇各作品は無修正を原則としたが、表紙、図版などの寸法に関しては製作の都合上、適宜、縮小を行った場合がある。

◇本文中に見られる現在使用する事が好ましくない用語については、歴史的文献である事に鑑み原本のまま掲載した。

◇本巻作成にあたって原資料を監修者の島村輝氏よりご提供いただいた。記して深甚の謝意を表する。

目次

『カーマシヤストラ』No.3　第4巻第3号

Kama-Shastra

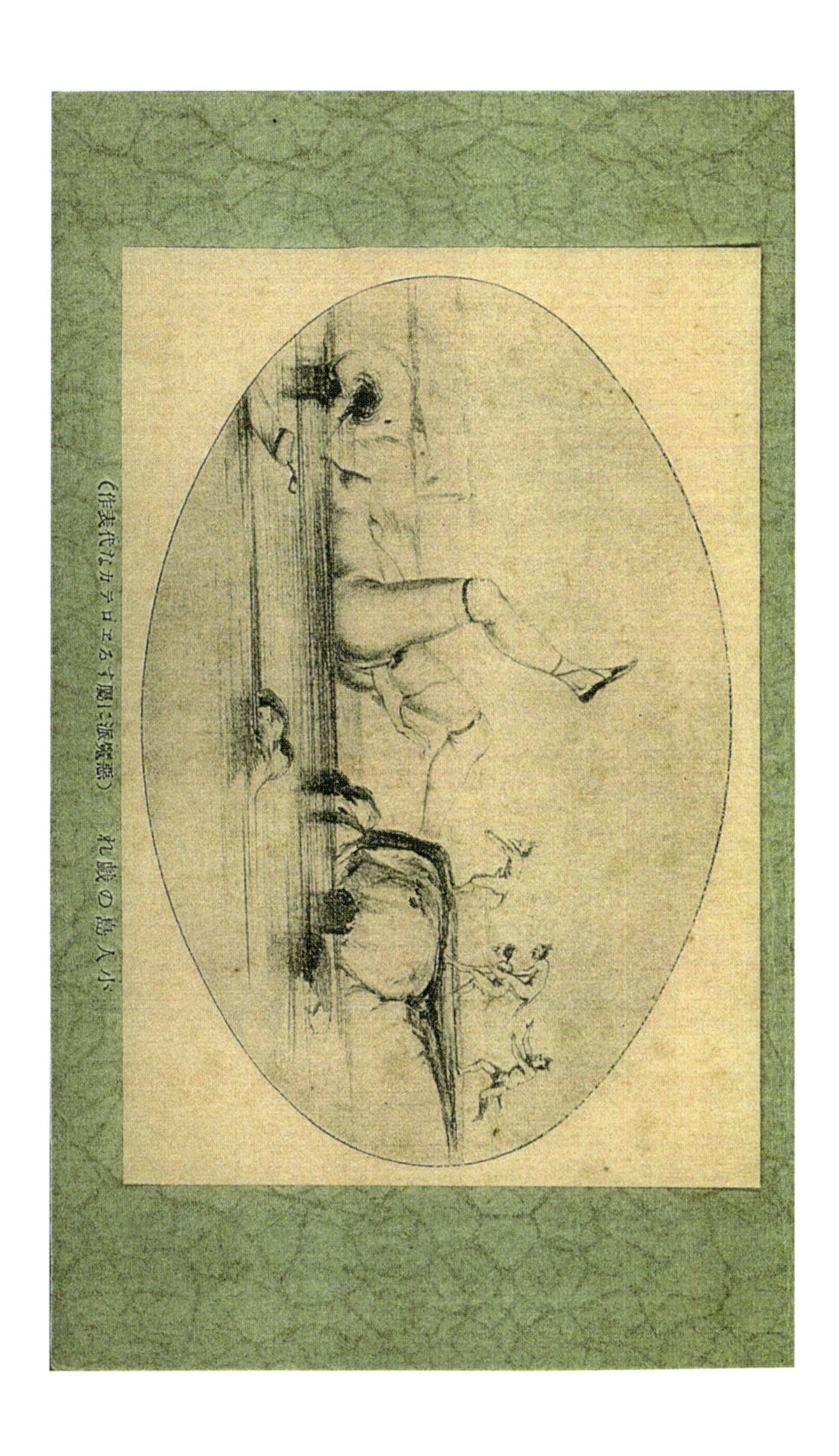

小人島の戯れ　（悪戯派に属するエロチカな代表作）

Socite de Kamashastra

No. 3

中華民國第十七年二月廿五日印刷（非賣品）
（日本昭和三年二月廿五日印刷）

編輯發行兼印刷人　張門慶
發行所　中華民國上海法界霞飛路
日本取次所　東京市牛込區赤城元町三四　國際民族學協會極東支部

2928.1

日本版總編輯責任監督者　梅原北明

日本版編輯兼發行代表者　サー・フレデリツク・ジョンス

本誌の原稿執筆者は吾が國際民族學會極東委員會にて決定せる委員自身の責任執筆並に委員會に於て依頼乃至採用したる原稿を以つて此れに充つるもの也

一九二八年一月

國際民族學協會極東委員會

カーマ・シヤストラ目次

―▷第四卷第三號◁―

編輯前記

×

紙數と期日との關係で、今月は、『男根崇拜（繪入）』と『えくせ・ほも』とを載せることの出來なかつたのは遺憾です。

×

次號の特別原稿としては、『世界性的見世物考』が呼びものです。今から御期待願ひます。

×

口繪も次號は相當這入ります。今度は日本ものを入れる豫定です。三月中旬までには本になります。

×

それから絶對に入手困難とされてゐた『ロツプスの性交畫集』や、ゲオグル・グロッス氏の『エクセ・ホモ』（堂々一百枚の大畫集）なども、愈々獨逸から手に入りさうです。ドン〳〵福音が舞ひ込むと同時に、本會も多端となります。これは何れ近々具體的に發表しますから、それまでお待ち下さい。

×

本號の『狂蝶新話』は、お持ちのかたも御座いませうが、一寸珍らしいものですから每月續稿することにしましたが、尚ほ次號には『艶語秘訣虎の卷』等の日本ものも載せ、うんと凄い所で煙にまかうと云ふ肚の黑い決心です。

クロディーヌ・ド・キュラムの調書

（常ニ雄犬ト性交セル獸姦罪ニ關スル）

一六〇一年十月十五日

一千六百〇一年九月九日火曜日

當地方検事ニヨツテ呈出サレタル、或ル汚レタル女子ト、褐色ノ斑犬トノ習慣的獸姦事件ニ關シ被告ヲシテ其ノ辯明ヲナサシメントセシモ、被告ハ出廷ヲ肯ンゼズ。故ニ判事**ベイリー・ド・ロニヨン**。**サン・リユバン・ド・クラヴン**ハ検事ノ告發ニヨツテ、本日被告ノ逮捕ヲ命ジタリ。

×　　×

一千六百〇一年九月十一日土曜日

我々**エステイエンヌ・ブリドン**。**シモン・ロジエ**。**ルニヨル・ガルボネ**及ビ騎馬巡査**フイリツプ・グデイエ**ハ被告ヲ見シ**ホテル**及ビ**プリユール・ルベルクール**氏ノ邸宅ニ行キ被告ヲ判事閣下ノ面前ヘ連レ來レリ。

×　　×

一六〇一年九月十一日土曜日

本職判事**ベイリー・ド・ロニヨン**及ビ**サン・リユバン・ド・クラヴン**ハ出廷セル被告ニ對シテ左ノ如ク尋問セリ。

問、被告ハ何歳ナリヤ？

答、十七歳ト十七日。

問、被告ノ姓名ハ？

答　**クロディーヌ・ド・キユラム**。

問、被告ノ職業ハ？

答、四年以來**プリユール・ド・ルベルクール**氏ノ下婢ヲナス。

問、被告ハ何故褐色ノ斑犬ト性交セシヤ？

答、（被告ハ本官ノ尋問ヲ否定スルノミナリ）

如此尋問ノ後、被告**クロデイーヌ・ド・キユラム**ノ拘留ヲ經續スルコトヲ命ズ。

×　　×

一六〇一年九月十三日月曜日

本職判事**ベイリー・ド・ロニヨン**及ビ**サン・リユバン・ド・クラヴン**ハ犬トノ獸多罪ニテ當牢獄ニ拘留サレ居ル被告**クロデイーヌ・ド・キユラム**ヲ呼ビ出シ、調書ヲ讀ミ聞セシニ、被告ハ頑强ニモ前言ヲ固執セリ。更ニ次ノ如キ新タナル尋問ヲナセリ。

問、被告ハ無實ノ罪ナリト云フガ、サラバ何故ニ九月九日火曜日ノ召喚ニ應ゼザリシヤ？

答、被告ノ罪ヲ告發サレシ日ニハ、被告ハ家ニアラズ、サル罪ヲ犯セシト推測サレシ場所ヨリ遠ク距リタリ場所ニ居タリ。

此ノ尋問ノ後本官ハ猶被告ヲ拘留スルコトヲ命ジタリ。

×　　×

一六〇一年九月十五日水曜日

本職**ベイリー・ド・ロニヨン**及ビ**サン・リユバン・ド・クラヴン**ハ證人ヲ召喚シ、眞實ノ申立ヲナス可キコトヲ宣誓セシメタリ。

第一證人姓名　**ダビツド・ボナミー**。旅館ノ主人。

八月二十五日　**サン・ルイス**祭ノ當日、證人ハ所用アリテ、**プリユール・ド・ルベルクール**氏宅ヲ訪問セシニ、同家ノ一室ヲ通過セシ際、被告ト白犬トガ性交シ居ル所ヲ發見セルモ其事ヲ被告ノ主人ニハ告ゲズ、庭師**クロード・ド・キユラム**ノ後家、即チ被告ノ母**ジヤンヌ・ジユーボア**ニ告ゲシニ、被告ノ母ハ、被告ガ賢クシテ無邪氣ナル故ヲ以テ、證人ノ言ヲ信ゼズ、ソハ何カノ間違ナル可シト思ヒ居レリ。

第二證人姓名　**マリー・ヌーフボア**蹄鐵工**マシユー・ル・グールダン**ノ妻。

證人ハ八月ノ末日被告ガ褐色ノ斑アル白犬ト戯レ居リシヲ確ニ目撃セリ。而シテ、其ノ事ヲ彼女ニ非難シタリ。

第三證人姓名　**ニコラス・ペローテル**。**ルベルクール**氏ノ下僕。

證人ハ本月一日主人ノ廣間ニ入リシ時、被告ガ寢椅子ニ横リ、褐色ノ斑アル白犬ハ被告ノ上ニ乘リカカリ、性交シツツアルヲ發見セリ。其ノ時被告ハ下袴ヲ下シテ、其ノ汚レタル犬ヲ隱サントトセシモ、犬ハ靜肅ニスルヲ肯ゼズ尾ヲ以テ被告ノ下袴ヲ持チ上ゲタリ。證人ハ遂ニ彼等ニ近ヅキ其ノ犬ノ足ヲ蹴飛スヤ、犬ハ悲鳴ヲ擧ゲテ吠エ立テタリ。然ルニ被告ハ證人ニ向ヒ「汝ハ何故ニ我ガ犬ヲ蹴リシヤ？　入ラヌ御世話ヲスルモノデナイ」ト云ヘリ。故ニ證人ハ、被告ガ下袴ヲ捲リシマヽニ在ル事及ビサル破廉恥ナル所行ヲ公衆ノ面前ニ曝ス事ノ不面目ナルコトヲ被告ニ告ゲタリ。

以上ノ證言終リテ證人ハ退廷ス。

×　　×

一六〇一年九月十七日金曜日

本職**ベイリー・ド・ロニヨン**及ビ**サン・リユバン・ド・クラヴン**ハ**ロゼイ**ノ住人、庭師**クロード・キユラム**ノ後家**ジヤンヌ・ジユーボア**ヲ召喚シ宣誓セシメシ後、彼女ノ娘**クローデイーヌ・キユラム**ニ關スル調書ヲ讀ミ聞カセ訊問ニ移リシニ、**ジヤンヌ・ジユーボア**ハ左ノ如ク明言セリ。

娘ハ非常ニ無邪氣ノ性質ニテ、決シテ罪ヲ犯スガ如キモノニアラズ、第三證人**ニコラス・ペローテル**ニツイテ云ヘバ、**ルベルクール**氏邸ノ誰ニテモ彼ガ娘ニ戀セシコトヲ知悉セリ。然ルニ娘ハ少シモ彼ノ言フ事ヲ取リ上ゲザリシ程、無邪氣、單純ナリシナリ。

而シテ彼女ノ證言ノ眞否ヲ確カムルタメ、本職ノ命令ニヨツテ、賢明ナル婦人達ヲシテ被告ヲ檢證セシメ、以テ正當ナル判決ヲ下サレンコトヲ本職ニ要求セリ。

× ×

本職神學士**ピエール・ブリユイモン**及ビ**ベイリー・ド・ロニヨン**及ビ**サン・リユバン・ド・クラヴン**ハ賢明ナル歸人**ジヤンヌ・ラ・ピカルド**（**トマス・ブレヲール**ノ寡婦）及ビ、**ジエネビエヴ・マルノア**（藥劑師**アンドレ・ジラルド**ノ妻）及ビ、**ギユイメツト・ボンタンプス**（外科醫**ミシエル・フランソワ・ル・ブラン**ノ妻）ニ被告ヲ檢證シ、被告ガ犬ト性交セシヤ否ヤヲ來ル九月二十日月曜日迄ニ報告ス可キコトヲ命ズ。

× ×

一六〇一年九月二十日月曜日

婦人陪審員**ジヤンヌ・ラ・ピカルド**及ビ**ジエネビエブ・マルノア**、及ビ**キユイメツト・ボンタンプス**ハ**ベイリー**閣下ノ面前ニ於テ其ノ命ニ從フコトヲ宣誓ス。

當日午前八時我々婦人陪審員ハ**ベイリー**判事ノ面前ニテ**クロデイーヌ・キユラム**ト褐色ノ斑アル白犬トノ獸姦事件ヲ檢證スルコトヲ誓ヒ、別室ニ退キ、被告ト犬トヲ呼ビ來ラシム。陪審員ハ**クロデイーヌ・キユラム**ヲ裸體ニナセシトキ汚レタル犬ハ被告ニ飛ビカカリ、交接ノ動作ヲ開始シ、若シ我々ガ防グルコトヲセザレバ、恐ラク性交ヲ實行セントスル狀態ヲ見テ、被告ガ常ニ汚レタル犬ト獸姦セルコトヲ確認セリ。然ル後被告ニ着衣セシメタリ、陪審員ハ事實及ビ良心ニ從ツテ右ノ事實ヲ證明ス。

× ×

一六〇一年九月二十二日水曜日

本職**ベリー・ド・ロニヨン**及ビ、**サン・リユバン・ド・クラヴン**ハ被告**クロデイーヌ・ド・キユラム**ニ對シ事件ノ調書及ビ、本職ノ命ニヨツテ呈出サレシ陪審員ノ證言ヲ讀ミ聞カセ、被告ノ答辯ヲ要求セシニ、被告ハ遂ニ本職ノ前ニ膝ヅキ、褐色ノ斑アル白犬ト交接セルコトヲ自白シ、罪ニ該當スルコトヲ承認セリ。サレド被告ハ姙娠三ケ月ナル故ヲ以テ、宣告ノ實行ヲ分娩後マデ延期サレンコトヲ嘆願セリ。本職ハ被告ヲ下獄セシメ、檢事ノ論告ヲ俟ツテ、宣告ヲ下サント思考ス。

一六〇一年九月二十五日土曜日

本職神學士**ピエール**、**ブルユイモン**、及ビ**ベイリー・ド・ロニヨン**及ビ**サン・リユバン・ド・クラブン**ハ被告ノ口頭ニヨル要求ニ對シテ、**ジヤンヌ・ラ・ピカルド**、及ビ、**ジネビエブ・マルノア**・及ビ**ギユイメツト・ボンタンプス**ニ命ジ被告ノ姙娠ノ眞否ヲ來ル九月二十七日月曜日迄ニ檢證セシム。

× ×

一六〇一年九月二十七日月曜日

婦人陪審員**ジヤンヌ・ラ・ピカルド**、及ビ、**ジネビエブ・マルノア**、及ビ、**ギユイメツト・ボンタンプス**ハ**ベイリー**閣下ノ面前ニ於テ、被告ヲ誠實ニ檢證シタルコトヲ宣誓ス。

午前九時我々ハ別室ニ退キ、被告ヲ連レ來ラシム。

而シテ被告ヲ裸體トナシ、乳及ビ腹、共ノ他ノ部分ヲ充分檢査セシモ何等姙娠ノ徵候ヲ認メズ、反ツテ姙娠セザル女子ノ證據歴然タルモノアリ。右良心ニ誓ツテ口頭ニテ證言ス。

× ×

一六〇一年十月四日月曜日

本職神學士**ピエール・ブリユイモン**、及ビ、**ベイリー・ド・ロニヨン**、及ビ、**サン・リユバン・ド・クラヴン**ハ**クロード・ド・キユラム**及ビ、**ジヤンヌ・ジユーボア**ノ女、被告**クロディーヌ・ド・キユラム**ノ天意ニ反シ、褐色ノ斑アル白犬ト交接セシ罪ヲ贖フ爲メ、**ロニヨン**廣場ニ於テ生キナガラノ火刑ニ處シ、其ノ灰ヲ風ニ飛ビ散ラサシメ、猶被告ニ屬スル全財産ヲ沒取シ、王ニ對シテ罰金拾**リーブル**ヲ納附セシム。

右宣告ス。

×　×

斯うして愈一千六百〇一年十月十五日に獸姦罪を犯した、**クロディーヌ・ド・キユラム**と斑の白犬とは**ロニヨン**廣場で火刑に處せられ其の屍の灰は風の中へまき散らされた。そして犠牲者の全財産を集めた三**リーブル**が王家へ納入された。

狂言痴語抄

「變態十二史」より、茅崎浪夫氏の「變態珍書序文集」が出るとて大いに期待して居た處、遂に中止となつたのは、殘念である。そこで、筆者の狹い見聞中より、いさゝか拾ひ集めたのが本篇である。是により人生のデカタン的裏面の一斑が窺はれると思ふ。順序の亂雜は見る人許し給ひ。本に就ては尾崎氏の「艶本目錄」參照を乞ふ。

『痿陰隱逸傳自叙』

風來六郎集

意謠ニ曰ク。如做出事來做得大則個。穿寧樂盧舍那佛屁眼則個。愉快ナル哉言也。可下以俾二慊慨之士一。中靈勃起上。若下夫女媧煉二五色之石一。而補二三百餘度等蛩一。漢高揮二三尺之勢而破中四百數年小戸上。可レ謂做得大矣。嗚呼吾然時有二先後一。勢有二小大一。故其所レ爲或異而其所レ志則一也。

勢之逸群。世無容之淫婦。數說如激戶蔽焉。易曰括囊无咎无譽。與其起而無所施。不如痿之愈故痿云爾。明和五年春三月風來山人題悟道軒

『痿陰隠逸傳跋』

痿陰先生既隠濃志古志山。歎曰。衆人皆起。吾獨痿。不義而開且穴。於我如浮雲。吾閲其勢。則大於見湯屋。雖痿乎。可謂大陰矣。惜哉其痿如弦。而其不起如木也。嗚呼勢骨之强。龜稜之高。不逢開與穴、則徒搔一本手弄已。與其起也。寧痿。痿陰之時承大量哉。唐之唐人曰。孔子不逢時。即於痿陰先生無云。旹和明和戊子春二月後學陳勃姑書于勢臭齊

『艶本雪の窓自序』

道ばたの木槿は馬に喰われけりと芭蕉が寢覺のすさみはても理り、爰に編める雪の窓ちふものは書肆が求めてなんにもあらず、書いて見たさが胸一ぱい元來才も文もなし名家の卷の餘情をかりて頭を黜らす瓦燈の下心得がほに筆をとり、それからどうしてこうしてと當て注文の新石灑落猪牙船の釉を抑し出すちからさへなくてあつかましい作者氣どり恥辱をかくのと御近い內おさげしみも覺悟の前委細の御詫はおげんのふしと突き出し作者が初仕舞の漂客へ送る禮文を船宿のあんにいが火繩筥に秘納かへりて書肆が店に投けおく事しか理。

文政十に餘る三つとらといへるとしの春この編をはじめて作る。

開好庵主人

『春情花朧夜』

東都　吾妻雄兎子著

（ヨミワ、中本三冊）

朧月叙

花は盛り、日も隈なきをのみ、看類ものかとも、能何に傳引出さるゝ兼好法師が妙言にて、實に道理と思ふものから、初代春水がことのをし粋書の如く男女の引張措に稍不怪氣なる界へ至り、如何なる夢をや結ぶらん、作者もいまだ知らざりけると其儘逃て除ときは、雲掛る月風戰じ花の、餘情はいとゞ深かんめられど、夫より一層ぶち出して、痒い所へ手を届かせ、アウンの息の却舍にぞ任勢、夫々幾世變りなき、其人情の根元を掩はず洩さず書て以て、一人至れり盡せり、と微笑の鼻をうごめかすは、噫我ながら嗚呼なりけなん。

吾妻雄兎子述

春情 花朧夜二編叙

前に初篇三卷をものし、花の朧夜と題號なし、最惜かあいの極意をそのまゝ、外山のかすみうち晴て、花もあらはに書つゞりしに、丹波の國の荒熊より、天の岩戸の木戸口が、どうでも賑はふ好兵衛心、その人情にかないてか、思ひの外に封切より、しはん官がたの御意にはまり、早く出しなよ熬たい、サアこの後をのおむづかりに、板元いきり顔、蓴菜ほどな筋を出し、瘤たつ二王の腕まくり、草菴へぬつと押こんで、鼻息あらき催促に、モウ〳〵此方もたまらぬ、と捻らす筆に出かした、二編ソレ〳〵遣るヨやりますヨ、と一人で美がるよまいごとを、この叙文の辭となしぬ。

亂淫窓下に　胡蝶の孳を看ながら

吾妻男兎子述

春情花朧夜第三編序

春の夜の寝心よさに、昨宵の酒の勢が、肱を枕の一眠、明るも更に知らざりしが、籔鶯に呼覺され、看れば日は早丈五に登れり、是は大變と反起て、嗽口食事もそこ〳〵に急ぎ几へ倚かゝる、折しも友人某なるもの、案內もなく入來り、例の處へ往やすから、推かけながら誘ひに來た、支度、支度とさきだゝれヲツト承知と言てへが、今日に逼りし此序文、吾妻雄兎子の新奇妙案、初編二編の大當り、つゞいて三遍三々九度目出たい幕の幕引に、たのまれ甲斐のねへのも殘念、すこしまつたと毫は執れど、一字一句も出ればこそ、考る事凡半時待くたぶれて友人は、どふだ〱と傍にある、鎚の軸にてカン〱と、硯を敲くに莞爾笑ひヲツト妙にその硯は、時に取ての無間の鐘、固より地獄はなき物なれば、落る憂ひのある理もなし、何は兎もあれ白紙取のべ些も早ふヲヽ左様だ、とこゝに三文字、かしこに五文字、拾ひがきして三百字、梅枝もどきに遣らかして、やたら滅たに書ちらしぬ。

京女郎半丁述

『通不通堪鹿軍談』

淫水亭開好

（中本黒摺十三篇）

第一編序

古人曰傾城買と灰吹は靑きを以て賞玩するとは實に實なる金言後世萬客の眼目なり粋中に有て自若の體を通人とこそ云ふべけれ精舎の大通知勝と云ふ人三千佛の其内にて我獨悟るまじ成佛を得まじとて願立をしたるこそ大なる悟と云はん又粋とや云はん是大通の元祖にして通は萬事に通

ずるなり粋は酔にて酔て不及亂水は器に隨ふ所謂翠は翠の全盛なる次は皷吹なすものにて貝鐘太皷二挺づゝ美叙破急の調子を合す見番の美妓帥は元帥大將にて士手馬に鞭は當てねど猪の牙に乘てのつきりの身の捻り射術とは藝者を轉すの手管に妙を得る事也柔術とは手取の遊君の床の內負ずおとらず組敷て磨すました反身の一物ひき合をかき上てずぶりと突込龜頭八淺九深六韜三略の軍慮をめぐらすれ又取はづす淫水の水吸は吸付吸にして又口吸の吸なりと唾は一睡の夢心地に垂は則垂はなし粋は推にて廓の諸譯御推もじの諸君子に推興らしく粋の講釋嗚呼我ながら不粋々々。

周の世の天正月

（安政三年）

干時吉辰の冬籠あたると云は勝利の吉瑞

やぐらのちにおやかして
はらだいこをうちながら

淫水亭開好誌

『春情心の多氣』　東都　女好庵主人著

（ヨミワ、中本三冊）

初篇序

美女は身の仇といへども、人毎に是を愛す、酒は腸胃を破るの毒たりといへども、人毎にこれを嗜む、都で世人の體を窺ふに、身の德となる事を忌み、身の害となる事を好む、嗚呼人情の相同じき、千載の下といふとも差はじな、されば子曰は良藥也といへども、苦味を恐れ、稗史艶語は甘くして、蜜に似たるを歡ぶ、因てその蜜に似たるを悦ぶものゝために、一部の戲談を頓作して蜜々に視さしむといへども、猶卷中に善惡あり、將邪正あり貞あり忠あり、これをよく味はふ時は、かの五味子にあらねども、酸　甘　辛　苦　鹹して、偏よらずかたよらず、その中を說ものといふべし

日々千里流行の駿足に象る

（安政五年）

午の年の永き春の日

女好庵主人題

二編叙

女有り車を同うす、顔舜花の如しとは孔子さんよりずんと古き唐虞の爺父が姪奔を刺れる文と聞たるが、古來今往男女の道ほど志厚く、情深きはなし、いかなる名將勇士といふとも是に勝こと難かるべし、されば世の人の好む處この一事をもて冠たりとす、余戲れに情態の至り盡せし所を穿ち、筆をとれば物かゝれし、鏡に向へば容り、盃を持ば酒を思ふ心は動き易きの理を解き、心の多氣と號つゝ既に二編を接穗の梅の室の早咲、それがほんに色じや、一二三四いつも替らぬ仇口はにも新奇あり且妙案の趣向もあれば、其賣出しのその日より其處でも此所でも御覽のほどを飛とく斗ねがひたてまつるとまうす

南枝北枝開落既に異なる
庭の梅に鶯の初音聞て

女好庵みつから
しるす

三編叙

世間はまゝならぬで持たもの、若まゝならば今日の海は明日畠と變じ、鯨といつたも芋や茄子(なすび)を植るやうでは物事に自由すぎて治まらず、男女の中も是に類して、いとしと思へど配(そは)れぬ義理、可愛とおもへど逢はれぬ義理、其處で人情賢不肖實と情の二道を冊子に書てもおもしろく、不便と袖を濡すもあれば、悄いといふて畫た面(かほ)を火箸で突(つゝつ)くこともあり、これその物事まゝならぬところに仍て斯のごとし、そのまゝならぬ世界なれば萬事みなよく堪忍して、まゝならぬを憾むることなく、アヽまゝよとするときはまゝならざる事なしといはんか

世の中をまゝのかはとはおもへども
身まゝ氣まゝにならざるぞうき

憂喜皆心火　榮枯是眼塵(まなこのちり)

地潤東風
暖の日

女好庵主人題

「美玉名句 百人一首」序

爰に和印の問丸美玉堂の主人來まして曰く、昔清少納言は枕の草紙を綴られたり、夫れは品よき物語、見れば賤しき枕草紙、小倉百首に基きて、小暗かへたる百人一交、それを編めよと勸めに任せ、ぐつと呑込み机に向ひ、氣をば揉み〳〵書事爾り

よだれも長き丑の春　　飯　盛述

『逸著聞集』序　　山岡明阿彌著（寫本）

さみだれそほふるゆふへ門たゝく音ありしひなにやしはしためらふほとにしはふく聲なんしけれはたそとゝへは難波の古川ぬしなり。とみにゐていりて物かたらひするにこゝにいとめつらしきふみをなんみ侍る。これみよとてなけいたすを見れはあし火たくやのすゝにそみてふりにふりたり。つら〳〵よむにくたれる世の人の筆にはあらず。むしはめる所もすくなからねとこゝはか

へらんかしこはさあらんと思ふ〳〵よるはすからに物かたりあせて只これをなん見る。やつかれおとこ山さかゆく時はもうこしのふみをのみ好みはへりしにや丶むそちはかりのころより此國のふみともあしたゆふへに見侍れはまたなくあはれになんおほへ侍りて物かたりのたくひは殘るくまなく見侍りしをか丶るものは聞もおよひ侍らさりし。あまりによろこほしくてはしつかたにかいつけ侍りぬ

さつきもちの夜　　　　　　　　津のくにの　久太郎よし文

「姫美談語」

寫本

はしがき

姦語のまくらといふものをある人よりかり得てひるねしけるがしばしの夢の間にさま〴〵のおかしきこと丶もを見て目ざめたるのちみづから筆とりて共あらましをかいしるしかの枕中記のふることを採りていまた熟さぬ姫美談語と名づくるになむ

庚戌多神無月

餅ずきの翁

『清少納言、拾遺枕草紙花街抄』　春曙軒藏

（洒落本型一冊）

序

むかし清少納言といへる女房ひとりねの枕の友に夜な〳〵ふでずさめる書枕草子とてそこはかもなき風流感情を後の世につたへ侍らんとてやがて櫻木にせし時花柳の言葉は鄙んとて此一卷をはぶき去りし彼草紙にはのせざりけり是をおぼろに聞はへりたる人の言ならわせるにや今の代閨房に男女の裸を畫けるをは必ず枕草紙といへり清氏の心はその旨を書くにして其かたちにかゝわらず今の畫はそのかたちを重として其むねにあづからずついにはぶき去りたる言葉を知る人なしされば往昔つたなからぬ人も世のうきにつき一たび花街のつとめに身をしづめてはかれにふれこゝに習ひてやがてつたなき心もきざし侍らん事を言せく思ひまたはもとよりかたくなる女郎たちのいけん草にもとかの一卷をかきつゞり拾遺枕草子とはなづけぬ

『美人角力』

桃の林蝶麿

（半紙本五冊）

序

市川が荒氣公平（きんぴら）、中村が奴僕（やっこ）朝比奈、十目に明廉（いきぎょく）、谷島が窈窕（みやび）は當時（いまやう）の貴妃、萩野が寂媚さ（なまめき）現在（まのまへ）の小町と、老若浮傈（うかりひょん）として、男にほるゝ男の心、涙雫て堀貫のお井（いど）に、井と入る（はま）濡の世界、ひょっくと生れて色惡忌（いやがる）は、可盃（べくさかづき）の干犯（ひゞわれ）し氣味と、冷笑（にがわらひ）したる酒友達、袂（そでくち）より此文章（ふみ）を披顯（ひけら）かす、曲（ひとつ／＼）に下へ上（ひっくりかへせ）ば、四十八體（て）の早業夫（をのこ）、あつぱれ濡の闘取と、予が禿筆に行事（ぎょうじ）させて、十番打の品定して、美人角力と名乘侍る（はんべ）

桃の林序

『春さめ日記』

作者不詳、玉廼門畫

（半紙本三冊彩色）

序

雨降地上濕、春無三日晴、とは野暮な聯句にして、春雨、晴間に出る、佐保姫の笑顔も、霞に包といへども、泡雪の解易きほころび、歸雁の高き紫の筑波は、如木〳〵こゝと、生立春の、御降に禮者もけふはこぬか雨、軒のひじ笠しのぶ夜の、雨のふり袖しつぼりと、濡色見いる常盤木の、門に松とは白梅の、薫ゆかしき閨のうち、い風子の日の千代八千代、たゑて呑込む玉椿、いくよの曹を見よのはる、乘心地よき寶船、からみ付たる糸遊の、解て嬉しき種卸、苗代水をとく〳〵と結神の二ばしら、喜哉との給ひし、そのふる事を題して、春雨日記と號しものは、獨々山人述

『阿奈遠加志』

會津　木かくれのおきな戯著

序

女のはかなき筆して、なか〳〵にものかゝずばさてやみなむ。もししひてかゝむとならば、何がしの衞門の、國史になずらへて世繼の翁の物語をあらはしけん心おきてこそあらまほしけれ。されどそは世に數まへられ人にも人と思はれたらむうへのわざにこそあれ、かくいふがひいなく世にも人にもふるされはてゝ、朝夕のけぶりをだにたてわびたるものぐるひなどが千々におもふと

も、たはやすくまねびうるきはならめや。これをものにたとへむに、梧桐といふ木の、琴瑟にきられたらむは鬼神をもなかせつべく、火桶につくられて三伏の暑さにさへあへらんは何ばかりの聲をもえたつまじきにひとし。さはいへ、とほく身のむかしをかへりみれば、何がしの院のすゞめめきて、詞の林にも立ちまじらひ、から聲をさへづりて人ぎゝをわづらはしゝためしなきにしもあらず。かばかりの今すら、猶折にふれては筆とらまほしきことのみおほかるをはたいかにせむ。よしやつく〴〵おもふに、今の世とても世にかずまへられ人にも人とおもはれむ人は、何がしのふみくれがしのつたへなどいひて、むね〴〵しくよくありげなる冊子どもつゞりいでゝ色、をも香をもしられたらん人に、いよゝます〳〵よしとおもはれむことといみじきわざなるべく、はたかくいふがひなく物にくるひて、をかしきことかたれざれうたくちばしれと、あなづりもてあそばるゝえせをうなどが筆のすさびにとならば、またはたほど〳〵につけて似つかはしきふみもこそはと、猶まけじたましひにおもひおこして、此まさなごとをしもかいはじめつるはいつばかりにかありけむ、月をも日をもわすれつ、年の名はもとよりしらず。たゞかくいふは、もとの花ぞのの狂女、わらはべのゆびさして、あなをかしとよぶものぞとよ。

『眞情春雨衣』

吾妻男作

（ヨミワ、中本三冊）

初篇序

凧空に舞ひ、鶯軒に唄ふ、春の日の麗らなる、東吹く風にそゝのかされて、春心頻に萌すといへども、腹に黄金の色なければ、妓樓に棒を揮ること能はず、頭に銅壺の光を放てば、地女も精を抜くことを赦さず、かゝる時には書くこそよけれと、日向の窓の机に倚り、毛は多けれど椎の實と、號けし筆の鞘をむき、月下老人の贔負にて、浮世が儘になるならば、彼様いふ風にして見たいと、心に思ふ情合を、其儘ごし〳〵當書に書きつけたれば澤山な、水も早晩つい耗りて、乾く硯の虎石を、今は黄色に見るばかり、精水にあらぬ涕に、潤ほしたる塵紙三帖捨てるのも惜しいものと、人には云はねど自分で慾張り、おつたて仲間の板元を、口說きかければ是もまた、いなにはあらぬ稲舟の、棹の雫の氣を持つたか、直ぐに二編の後釜まで、彫る了簡を僥倖に、春雨衣と題しつゝ、しつぼり濡るゝ濡物の一幕、チョンチョン〳〵と氣を入れて、御伽双紙となすものなり

月も見し梅もよし春もやゝ

景色とゝのふといふ夜

吾 妻 男 一 丁 述

二編序

黒羽玉の闇に薫を覆す吾妻男は、不佞の莫逆、韓雲孟龍の島屋連なるが、嚮に春雨衣と題する、戯書を著編しゝを披閲るに、彼の道灌が秀逸なるてふ、いそがずばぬれざらましとは裏表にて、濡れて嬉しき玉櫛笥、箱根の温泉の奇遇の一幕は、其情夜半の春雨より微細にして、軒の玉水なりねども、傳ふ涎の音立つるまで、已れ徒らに春心を發し、瞼をさげ適快乎と肢體に汗して、美快の味を渇望みつゝ、恍惚たる折節、茅舎を訪らふ者あり。胡亂堪へて摸攪らせし雜書を傍に搔遣り、誰人と視れば是別客ならず、城北の好男子一丁主人にて、懐より春雨衣二番目の稿を出し予に舒詞をよと託するに、否みもやらず尾花眞闇暗に是を引請けて、曩時の淫水を硯にたらし、椎の實の龜頭を嘗め、出放題にかきちらす、是ぞ所謂紙費之の嬶故ならんかしと云ふ

（安政五年）

錢湯で視たより大莖午の春

玉陰見て太平の腹器皷を打ちつゝ

婦多川の淫士志亭淫賀述べつる

三編序

春眠曉を覺えずと、況や初夏の短夜をや、杜宇の初聲は白川夜舟の夢にすぎ、老を啼く鶯は窓近さ葉櫻へ來てモウ〳〵起きろの惡世話に、漸々と眠をさまし、伸欠して枕搔いやり、また匍匐ひつむづ〳〵と、頭を上げて回邊を見るに、灯煙に煤けし行燈は、吹殼に埋まる煙草盆と、左右に立ちならんで、富士淺間の思ひをなし、買喰ひの竹の皮は、彼方此方に散亂して、安達原の昔を忍ぶ、嗚呼我ながらむさしと呟き、まづ一服聞し召さんと、手を伸して搔探るに、煙草入は採らずして物の本を摑んだり、引よせて是を看るに、序書をよと頼まれつ、夜邊讀みさして、置きたり春雨衣の三編に、これ忘れたり忘れしと、思ふ折から庵の戶を開け、ハイ一丁で御座えやす、お約束の序文はと、催促されて拔からぬ顏に、昨夜拵えて置きやしたと、寢惚けた眼をして筆をとり、有りのまんまを書きちらし、當座の責をちやらまかしぬ。

狂訓亭爲永誌

『春情妓談水揚帳』

柳亭種彦作

（判紙本三冊彩色）

序

昔花川の渡とかよびたる竹野のほとりに色好みなる男ありけり、商賣の杉丸太がたちつゞけといひたるは丈八が金言なりと甘んじ、見る花を詠てはあれもうどうもと耳珠(みゝたぶ)のあからむ色を思ひ出し夕に紅葉を愛るときは裔(もよそ)にひらめく二布(したもの)の紅なるに比べつ盃をあぐるにも劍菱のこはぐ＼しき名を忌ひ妹か小袖に染なせる花筏こそよけれとつぶやき赤貝の形のをかしげなる蓴菜(じゆんさい)の滑らかなるに舌うちして閨房藥(とこぐすり)のみ募しゝが好こそ物の上手なれと諺にもいふければいでやかの興ある冊子を作らんとさまぐ＼に案ずれども今は鵲鴿のをしへをもまたず茶臼を見ては逆床をはじめ指鯖(さしさは)にならひては背取(うしろどり)をたくみ四十八手はさて置き百手千手の秘術を盡したるなれば更にいはん事をしも知らず只近きあたりにて近曾(ちかごろ)人の物語を水揚帳の反古(ほご)の裏へひろへがきして書名をも水揚帳とよびなすはかゝる双紙を作りいづる初事(ういごと)といふ意なるべし

次は新らしいものを一つ

『痴狂題』（一名「袖と袖」又「黄菊白菊」）

はしがき

美しい妙齢の女の程よく肥つてこの白いのが男に身を擦り寄せて……

然うですな。處は何麼場所が好からうか？　夏ならば風の透す涼しい二階！　冬ならば煖爐の溫暖に燃へた、壯麗な西洋風の寢室も好からう？

此處へは決して他人が來ないと定まつて居なくては少々都合が惡い。

柔らかい手で男の手を握るの……。

秋波に嫣笑の……。

鼻聲で身を振るはせの……。

ぐつと抱き付くの……。

男の帶へ手をかけて、小聲になつて
『お解きなさい』の……

もう一遍嬌笑して、すらりと立つたと思ひ給へ。

手早に帶止を脫つて、帶を解いてくるくると除つてしまふと、紅の細い紐を解いて、桃色の友禪の巾帶を除けてさらりと上の着物を脫ぐ、長襦袢めいたのも肌着と一件に肩から後へ滑らすともう、腰卷ばかり。それをも手早に脫つてしまつた剝玉子。

そこで又嬌笑？

男に寄つて、着物一切褌までも脫つて呉れし、婀娜に靠れかゝる。股の肉が股に觸れて溫かい。

男も女も赤裸さ。

女が好いのに身化粧が届いてゐるので肌からぷんと云ひやうもない芳い香が來る。色の白い乳がむつちりとして雪のやう。それに柔い血が通つて、
股の肉付が豐に肥えて、滑らかな艶々しさ、それが股のところでふつくらして下の方へ小山のやうに、毛も程に生へて房々して居る。

申すまでもないが年はまだ十八九で男の側へは今日が初めて、一體なら差恥しくつて斯樣眞似は出來ないのだが、そこが抑へようにも抑へられない戀の弱身男の體へ絡みつく。

溫暖で男の體は熔けさうになる。
新開の上物、やんわりとして潤ひあるのを、股に磨り付られたが……。此時に平然として居られるような土偶の坊は、人間とは呼ばせない。
世界散人なら無論のこと、此場に及んで組打ちをせぬ樣なものは御話にならぬ。其麽奴は此小説を讀む資格が無いのだ。
『さても此時か妙になり、女をぐつと抱き寄せる……』
と云ふ男なら賴もしい、此一冊を讀んで呉れ玉へ。女でも同樣なり、
業平の再現かとも思はれる樣な好男子に可愛がれて
『一夜の旅の假枕』とでもいふやうな異な晩しんみりと抱きしめられて、
肌と肌とが隙間もなく重なりあつて
まだ男の味は知らないのに、話しに聞いた見た事のない大きいのを握らせられてそれで胸に動悸が高まらないやうな無血虫は此小説一枚たりとも目は通うさせぬ
學校の往來にも心を止めて男をさがし

『つい公園の木蔭の緣（えにし）』嬉しい戀人も拵らへて、無理な首尾も仕盡す位な度胸が無くては立派な女とは申されぬ。女でもその位の希望のある末始終賴もしい人にはこの一冊を切に進めるのであるが

此の序に目を通して、中の小說が讀んで見たくならない人は決して讀んで見るな

序を讀んで中が讀みたくなり、中を讀んではじつとして居られなくなる樣でなくては、男でもない、女でもない序言一草、この小說を讀む資格の試驗として合格者に讀み後の資格を切望申す。

「艶史 滿倉妃男（ひな）形」

武陽　嬌訓亭主人輯錄

淫齋主人白水畫圖

序

恭惟古昔神君省ニ悟於鶺鴒ニ織女自ニ期於七夕ニ謂ニ之御交之始ニ若夫虎且
交ニ於狐ニ而生レ猫豬猶陷ニ於溝ニ而爲レ鰻皆是談レ偶也然況於ニ此人間ニ乎蓋邈

爲大古〇之事漢武者戀慕季氏於嚀楚〇〇〇相神女夢爾宜哉美人難得〇〇〇〇嚀興助平所不厭也我先〇〇〇〇氣也春之弄花夏之納涼或日暮〇之盛朝行暮通固皆有標者上自樓下至蘆簀未嘗不偏游歩而成固寓也余之性非酒肆則不能飲非娼店則不能遊也故醉則往醒通是以不自覺而至色道妙境嘗著書一篇藏之文庫當而未敢渫覧於人近書賈大陽堂來謂余曰戯唯少能知之已如此實風雨之濫輿色道龜鑒也可謂天下珍寶也君其曝之江都中露店以强賓之好色同志之先生可以施之不朽也因遂壽於梓而已

嬌訓亭主人

夢覺巫坐夜已分　羅幃深處暖如春

白水書

『逸題』（會本お笑ひ草?）

歌麿 風

（判紙本三冊、色刷及墨刷あり）

序

東西〳〵。高ふは御座りますれど、是より口上の男根(へのこ)を以て。申上ます。此所道行濡事よがり始り。上瑠璃穴なら入大夫。三味線𡱖(つび)澤吾八。相勤ます。氣もゆき呉竹の。夜ごと〳〵二番も三番も幕なし大道具とやらかし。まだ氣もやらぬ其時は。是こそ開を大しかけ。先は指人形の手業(わざ)もて御覧に入ます。随分氣ながにつをのみ込 胯(またくら)に。青くさき汗を流して。御見物の下。御歸りの上にゑへア、〳〵いく。あ〳〵いく。どをも〳〵と。感通の。よがり聲を發(いだ)して。御評判。下ますなら。惣座中は申すに及ばず御宿元にも御新造達方。夜分お樂しみの。手本になり下女のおさん殿。お飯炊(まんまたき)の八兵衛どの。物置木部屋にて出會の種にもとまづは初ります。

ア、〳〵いく　口上左様カチ〳〵〳〵

はつ春

（會本枕地氣志）　歌麿風

（判紙本三冊墨刷）

序

京極の黄門小倉の山莊に在て。百人一首の哥を撰給ひ。西川祐信が百人女﨟品定は。頗畫の筆勢
僻をおやかす。今樣春畫のたつぴつまら。何某が筆の意氣勢ひつぱり。上雲上のウンスウより中
年娼。新開。宿陰門。町と館の地色を分ち。亦賣色に至ては。名妓の試花から。陰水ぬらつく烏
羽玉の。夜鷹の塒まで搔さがし。搜求し畫工の妙筆。枕敷紙と題し。ふく帋の費を厭はず序の一
丁とほすと云爾

腎澤山人

サッド侯爵評傳

世に虐待性淫亂症のことをサディスムスと云ふのは本篇に揭げたサッド侯爵が女達に加へた虐待性な淫亂が語原をなすもので、茲には彼の人となりを簡單に紹介して見たまでです。虐待性淫亂症の小說として當時の全世界を震がいさせた彼の作品集については、何れ一册の單行本として邦譯出版されることですから、凡ての興味は、その方に讓りますが、茲では單に彼の人となりをシカツメらしく論文的に述べたに過ぎない……謂はば哲學的なコケオドシなんです。だから、この評傳を讀んで少しもサッドに對する興味の湧かない人でも、一度び彼の作品に觸れるならば、必ずや諸君の彼に對する興味は急轉して成程世界に於ける名著述の一つであるさうなづかるることは茲に誓って置きます。（編輯者註）

心理的及醫士的の立脚點から尤も注意すべき精神生殖の現象として、實に生殖知覺の病的の錯誤及變性が屬する、之は佛國の專門文獻に於て「サディスムース」の集合名稱の下に總括せる處のものにして、一方には吾々には「クラフト、エービング」に由りて此語は多く狹義にして甚だしく書き改めたる範圍に於て文學上には精神生殖の異常の表明法として用ゐらるゝ。吾々は此「サヂイスムス」の表明を狹義或は廣義に於て用ゆ、夫れは之を以て此名稱の本原を顧慮するの正當なるが故なり。之に依りて吾々の注意は此表明が印象せられてある處の有名なる侯爵の上に惹起さるゝ、侯爵の人格並に精神上の發現は心理的、醫士的の觀察に價値あり、又ある意義に於ては恐くは特有の精神病理學の問題を呈するものならん。私は此場合に勿論其怖ろしき壓迫の刺戟に付きては之を別になします、其の刺戟とは既に只不道德であるのみならず、又直接の反道德（惡事）の充分なる具體にして、又惡魔的（之は熟練せる藝術の印象に於て殆ど Richard des Dritten, Jago, Franz Moor, Cenci 等の舞臺姿に於て出遭ひます處の）感動せる心情驚怖に出りて熱したる空想にて好みて行ふ處のものであります。科學上よりの考に付きては爰には只其認識すべき物件と其問題とがあります。私は思ひます、爰に心理學者であり同時に又醫士であるならば此事實は排斥し難く或る意義に於ては誘惑的の問題として表示し、又此の如き精神の底部を明瞭になし而して平均せられたる其腦髓の思想界に侵入すべく或は少くとも其侵入を試むべき問題として表示し得ることを思ひます、（"desequilibre" 平均脫失は適當なる佛語の表明であります）。

夫に付きては Justine 及 Juliette の有名なる著者は無限に廣くして多辯なる嗜好にて取扱ひたる教訓的の附錄を提供して居ります、此附錄は全拾卷の主作の殆ど半分を取り入れ而して著者の精神上の叙述は無邪氣なる自負に於て各方面から反映して居ります、而して他に比較すべきものなく共種類に於ても他に凌駕すべきものなく、ある意味に於て殆ど「ルツソー」の懺悔と並列すべき材料であります。

修辭學の數多の辭句を以て完全なる想像を教授的に述べたる凡べて此原理の推理は實に尤も一樣にして絶へず同樣なる勞力の見ゆる單一なる音調となります。吾々には狂氣或は兇惡として現はるゝ殘忍にして恕し難き、人の程度を越へて起りたる、絶對的と云はるゝ、其利己主義は爰には其怖ろしさを刺戟する騷暴を讃美して居ります。全く特に彼の「自已」は單獨に存在すべく與權されしは眞實にして、凡べて共他の者は「自已」の底部に取られて、自己の視界に於ては遙に下方に落ちて、只快樂の前提として利已主義の奬勵と快樂の滿足とに用ゐられ、夫に對する犧牲として苦しみたるは自然的に豫定せられて居るが如く見へます。若も Kant の倫理に基き絶對理想的とする Fichte の立場の上から既知の如く、世界は「吾々の義務の感覺的質料」であるならば、爰に尤も甚だしき倫理の對極の上に、世界は只固有の獸行享樂慾の尤も感覺的の質料として現はれます。Max Stirner の「唯一」及 Nietzsche の「超人」は爰には先鞭を附けたものではありません、却つて甚だ怪奇なる沙特（サディ）の發達の結果は尙怖ろしく遙に優りて見えます、人は沙特の擬詩的の誇りに於て之を信じます。然しながら誤解せる而して別義に考へられたる Darwinismus から最近にあちらこちらに引用せられたる、原力の結果は沙特にも永く豫知せられて述べられてあります、丁度此見解にての沙特の研究は則ち强者の簡單なる勢力權は宣言せられ、各々利他的の衝動は、恰も打勝ちたる精神的小兒病の復歸の如く、嘲弄せられたる吾々の最近の多くの精神發現の上に明に閃動せる光をします。

若しも私が當該の專門文學に於て甚だ屢々沙特に付きて及沙特の記載に付きての辯明、夫に付きて人の讀むべく聞くべき凡べてを取扱へる其の質料の尤も無學なることの證據を示せること、等に注意せざりしならば、例へ私は神經醫家の領域と密接したる情的病理の問題の追跡に於て年來沙特の人格と其著作とに穿鑿の研究を捧げたりと雖ども、夫に付きて公然に其語義を補ふることは僅少なる誘起をなしたらん「實際に人は云ふて居ります、作有の經歷、性格、並に彼の著作の形狀及內容は尤も無智の者に屬し而して夫に付きて屢々當惑せるの餘り、舌の巧妙と筆の巧妙を以て之れを擴張したる者は甚だ不可思議なる者であると。然れども全く左樣なる狀態はありません。吾々は夫れを沙特に付きて通常の品種に於ける最初の最良の淫靡の作者とはなしません、却つて全く非常なる人格的文學的の現象に關係せることは誤認しません、私は云ふことが出來ます、其現象は直接に害惡の本原から創造したる反道德的の力に關係せることは誤認せられません、一方には吾々の時代に於ける同性質の方向と哲學及文學の動搖に由れる種々なる關係は異議に於て置かれません。若も又深遠なる知識を以てしても吾々の人道の關與が何者をも獲ざるときは、其病的の單獨の現象に向ひたる科學上の吾々の關係は之に侵入して之を分析し其糸の露出に由りて充分に滿足を得べきものです、糸とは其時代の人と物と其環境とを相連結せるものです。

生活

佛國の Alphons の教授、沙特侯爵は最高貴にして尤も古き Provenç の貴族の子孫として一七四〇年七月二日に巴里にて誕生しました。彼の永き祖先に於ては Hugo de Sade と結婚せる

Laura v. Noves が屬します、此の Petrarca は耶蘇命日節に於て、一三二七年四月六日に Avignon の Santa Chiara 寺院に於て沙特と初めて會見しました。

彼女の姿は丁度詩化されたる者でありました、夫は此沙特侯爵の伯父にして教育者にして學者なる Abbe de Sade（1778)に死せり）をして、彼の曾て尊敬せる "Memoires Sur la vie de Petrarpue"（三卷 1764—1767） に於て感激しました程です。文學上の殘忍なる鬼才は無我にして殆ど世外の愛の熱望の客觀と、未聞の戀愛的の放逸誤解の文學上の主代表者と同種族をなして充分なる對比の効力に一致を致します。沙特侯爵の父は外交官にして母は Conde の皇女の貴婦人であります、其家にて若き沙特は生れました。彼の最初の教育は、かの學者の伯父が Ebrenie（ヘブリヤ）の寺院に於て與へました、此所より小兒は巴里にある Louis le Grand 學校へ行きました、其時代の習俗に由りて彼は既に十四歲にして輕裝騎兵となりました、夫れから少尉、中尉種々なる騎兵の聯隊長を經過しました、此資格を以て彼は又七年戰彼に加入すべき機會を持ちました、然しながら彼の佛國軍隊に於ける特殊なる名譽の稱號は知られて居りません。巴里に歸りて後彼は二十三歲を以て大統領 Montreuil の娘と結婚しました。

彼女は人心を迷はする外貌と柔和なる性格の持主でなければなりません。然しながら明らかに僅に其良人を束縛することを知つて居ります、左様にして良人は既に結婚の年から放逸なる生活に陥り初めました。良人は同じ年に於て無數に頻繁なる妓樓通ひのために遂には Vincennes と云ふ處へ幽閉されました、然れども直ちに再び放免されました。其後彼れは彼の妻のために設けたる女優の會塲としての Contat 城に生活しました。一七六七に彼の父は死去し、沙特は Bresse Buzey. 及 Valromez の陸軍中將を承繼しました、然しながら彼は嚴格なる生活標準及義務履行に對して必要なる能力を要するためには、餘り甚だしく肉慾の放逸の渦卷の中に沈沒してしまひました。次ぎの年に於て彼は暴動事件を指揮したために、遂に裁判上の干渉を受くる様になりました、此干渉に原因して自己に於ける一般の注意と、其生活と、其後の文學上の成果に付きて尙期待せらるゝ處の其れの試みとなりました。彼は一七六八年四月三日に彼の侍從（侯爵の放逸を熟知せるもの）に由りて二人の賣笑婦を Arcueil にある侍從の家へ導かしめ而して其他に一人の女（彼が偶然に出會ひたる）Roza Keller（肉饅頭燒屋の寡婦）を又其所に誘惑して幽閉し而して面前に差し付けたる短銃を以て强迫し全く赤裸になして彼の兩手を縛し、彼の出血するほど之を强打したり、其後侯爵は彼女を此狀態にて捨置き、二人の賣笑婦の處へ出かけ彼等と夜を噪宴に於て費したり。翌朝に至り彼女は彼の繩目から免かれ窓を破りて飛び出せり、爰に大なる騷動となりて、人々は其家に侵入したるに侯爵と其他の快樂の仲間は前後不覺に酩酊せるを見たり。沙特は禁錮せられ、侯爵の Tournell の室は捜索せられ、王の命令にて直ちに破壞されたり、之れ「ルードウヒ」第十五世の時代にして、丁度 Dubarry の星の輝ける頃でありました、侯爵は彼の犧牲たる Roza Keller 女に一〇〇 Louisdor の慰藉料を與へ夫れを以て其罪を贖ひました。

此事件に於て明瞭に知らるゝ如く、彼の情欲と慘酷と結合したる性情は蓋し固有せるものにして、之に對して人は Sadismus の言葉を狹義に於て印象することは、誠に不似合なる狀態でありますﾞ、彼の慘酷なる行爲の計畫は其際に自已の目的としてではなく、却つて明に準備的の行動として尙情欲滿足の刺戟として用ゐられて居ります、何となれば Roza Keller の毆打は沙特が兩女との交際の上に其氣嫌を取るべき目的にて行ひたるが如き凡ての樣子を示せしが故です。其他沙特の生活の事情に於ては明瞭なる變化はあらず。彼は性質の一致したる彼の妻の妹と關係を結びたると見えて其妹と同伴して伊太利へ長き旅行をなしました。吾々は彼の著作中にある二人の異なれる姉妹の Justine と Juliette の、モデルを爰に見ます。夫は同著作中の第三卷の終りから第六卷に至る迄に Juliette の伊太利への旅行を勿論空想的の修飾を以て多分に利用して居ります。沙特は歸旅のときに「マルセヰル」にて（一七七二年六月）新しき汚辱事件にて又官廳の干渉を受けました、夫れは彼に準備せられたる一宴會に於て其時召換したる賣笑婦に多量の「カンタリス」（ゲン菁）を含みたる菓子の錠劑を與へ、夫れがために其二人は食後に死亡したり、此度は加之「アイキス」の議會から沙特及其侍從に對して缺席裁判の判決は下された、彼等は初めには「ゲンフ」の方へ行き其所から「サボヰ」の國境を越へて「シヤンベルヒ」の方へ逃れました、而して兩人は鷄姦と毒殺とのために死刑を宣告されました、然しながら此判決は六年の後に至り其犯罪の大部分は外國に於て行はれたるが故に破毀せられて「マイセイル」から三年間の追放と罪金五〇「リバー」に處せられました。沙特は以前に幽閉されたる「ヴインセンネス」からは彼の妻の助けを以て一七七八年の八月に逃れることができた。夫れから間もなく一層大なる新しき騷動は巴里は於て起りました、騷動の中の一は之迄とは異なりたる方法にて起りました。夫は貴族社會の團體の宴會に招待されたる舞踏會の客人に關係したる「カンタリス」中毒の怖ろしき事件であります。侯爵と其妹（爰に其儘之は著作中の Juliette として現はれます）とは、此怖ろしき事件の突發して數多の貴婦人が生命を失ひたる光景の際に乘じて迅速に逃走せねばなりません。爰に有名なる佛國の精神病醫の Brierre de Boismont が「メヂカール、ガゼット」誌第二十九號（一八四九年）に記述せる處に據れば、此中毒事件と同夜に於て（但し此不幸なる舞踏會晩餐の前なるか後なるかは判然せず）巴里から遙に隔りたる街路の或る家に於て強く失神したる若き女を見たり、其女の身體は至る處に刺絡せられ且つ刺絡刀を以て無數に切斷せられて居る、而して彼女の生命を呼び戻すべくために勞力して之を其家に誘ひたる侯爵は其他の人々と共に此犯罪の首謀者として告發せられたり。夫れは實際に見ゆる如く、爰に侯爵の命令にて眼前に實行されたる流血は侯をして情慾刺戟を來たし元來の情的滿足の準備行動として見らるべきが故なり。其他侯の冒險に付きては著作 Justine 及 Juliette 中の（Justine 第三卷及第四卷に於て）「ゲルナンド」伯爵の說述に由れば、侯に於ける刺絡と切斷との彼れの偏執狂は其の血を貪るの性情として既に六人の女は犠牲に陥りてある。今然らば以上の兩事件を以て侯との連絡を見るときは果して如何に夫れかあるべきか。沙特は之れがために拘禁せられ初めは「ヴキンセンヌス」の方へ、其後一七八九年に「バスチレ」の方へ送られたり、此に彼は革命惑溺者の意義を以ての最終の住人則ち不幸の犠牲として彼は自已を省みた。然る時に有名なる「バスチレン」の暴動は蜂起したり、其少し以前に於て沙特は時の總督「デラウナヰ」(國民憤怒を惹起したる其後の犧牲者)の協議の結果として、「カレントン」の精神病療養院へ送致された、此時かの暴動の民衆は一七八九年七月十四日の流血を經て後自由を得たり、則ち事件後九ケ月にして自由を得たり、一七九〇年の三月十七日に制定會議の議決に由りて即時に凡べての拘禁者の解放は秘密文書を以て命ぜられたり。

恩命に浴したる侯爵は然る中に又熱心を以て革命の動搖の渦中に投じたり、彼は此方面にて數多の好意上の芝居をなさしめ而して其後槍人倶樂部(Societe Populaire de la Section des Piques)に加入して、其れの秘書官となれり、彼は一七九三年九月二十九日に演說をなせり。彼の演說は先づ貴き勇士の Marat と Lepelletier との靈魂を祭り而して全然かの日の民衆煽動は事實無根なりとなせり、然れども沙特は其煽動の明に巧妙なりしことは知れり。又沙特が其時著作し秘密に出版せし處の Juliette に於ては、暴君に對する流血の長き論說と而して王國及君主政體の制度に對する急進革命派の惑溺よりの怨恨殊に宗教及寺院に對する怨恨に關して說述せるものなり。其際に沙特は革命の主權者に對して不信用を來たせることあり、夫は實際に見ゆる如く彼の養父の「モントロキル」の救助に關して企てたる二三のために、彼は疑はれて告發せられ、一七九三年十二月に拘禁を受け而して「ローベスピール」の沒落の後に再び自由となることを得たり（一七九四年十月）。侯に對して良き時代と云ふべきは、「バルラス」の如き放蕩家にして暴飲者が指揮者として其同志と共に佛國の整頓をなし而して共和政治の看板の下にかの羅馬後期の如き滅亡の風俗狀態を引き起したる時なり。其時に沙特は一七九六年に終了したる Juliette と又一七九七年に彼の全集十卷の傑作と同時に銅版の彫刻を入れたる Justine の新版を出すべく而して此著作を統督府の五人の同僚に試驗刷りの犢皮紙の見本を送らんと試みたり。然しながら好事は魔多く。直ちに「ボナパルト」は軍刀聯隊（領事職）として來つた、沙特は此第一の領事に彼の二つの著作と今新しく出版したる全集版を寄送せんと試みたるときに、全く惡るき都合となつた。「ボナパルト」は只數行を讀みたりし後に其書籍の立派なる製本にも係はらず之を火中に投じたり。彼は遂に一八〇一年に於て全出版を沒收し、著者を同年に於て拘禁せり初めは「セント、ペラギー」の方に送り、其後一八〇三年には「カレントン」の方へ送致したり、其所には彼は不治にして危險なる精神病者として終世束縛せられたり。全く沙特に對して見らるべき嚴格は、沙特が Josephine と其女朋友に宛てたる誹謗文（Zoloe et ses Deux acolytes の名にて（Turin 1800））の回章にて其狀態は知らるべきなり。侯爵の晩年に付きては彼の「カレントン」に滯在の時に於ける見證人から出でたる確實なる、種々なる記述を所有せり。其れの一に由れば沙特は年齡の衰弱を知らざる壯健なる老人にして、美しき白髮、品格ある外見、愛すべく甚だ丁寧なる擧動を有す、然しながら人と對話せるときには柔和なる音聲にて醜き言葉を吐き出し而して散步のときには庭に於て淫猥なる圖畫を砂の中に描きたりと云ふ。彼は又同樣なる內容の記事の勉强をなした而して此所の瘋癲院に舞臺を造り自作の脚本を實演せしめた、其後彼は甚だ寬大なる同所の支配人（長老「クルミール」）の許可を得て舞踏及演奏會を整理した、然しながら此際に餘り濫用せしために大臣の命令にて一八一三年五月六日に之は禁止されたり。爰に不思議なることは優れたる精神病醫「（カレントン」の醫長）「ローヱル、コラード」は尤も緊急に此瘋癲院から沙特の退去すべきことを請求した、何となれば彼は沙特を精神病者となさず、夫故に實際の精神病者の上に甚だしく有害の影響あることを反復して請願したるを以てなり、一方には之に反して數多の貴婦人等は多く沙特に親しみ而して此「カレントン」に滯在することを警察大臣の「フヲウヘー」に願ひ而して之に成功をなした。其後沙特は七十四歳を以て一八一四年十二月二日に死去せり、彼は那翁の沒落及回復時代を經驗したりし後に、「アミール」に於て殆ど十二年以來住居をなしたり。彼と同時代の仲間からは殊に、Retif de la Bretonne (Nuits de Paris に於ける及前後に述ぶべき Auti-Justine に於ける）並に Charles Nodier は彼の Souvenirs（記憶）(夫は彼に領事の職と帝國の不幸なる專橫の犧牲とを見たる）に由りて文學上の注意を與へた。其後に Jules Janin は一八三五年の初めに Revue de Paris 誌上に出だし次ぎに Catacombe（墓洞）の再版のときの文章中に於て沙特の生活と其著作に付きて說述をなした、然れども此文章には種々なる誤解を混入して記載せり其他の一部の匿名の書、沙特侯（Brussel, Gaz u. Douce 1881）は價値ある傳記の雜集なり。侯夫人と侯との書狀交換の一部を P. Ginisty (grande revue 1. 1899) は最近出版したり。

著作

沙特の不滅的の原因にして其源泉たる彼の大なる主作は原來は別々に出版せられたるものなれ

ども交互に相接續したる二部より成れり。其第一部の Justine は一七九一年の初めに匿名を以て出版せられ、其次篇の Juliette は同樣に一七九六年に匿名を以て出版せられたり、全部十卷にして一七九七年に「ホルランド」から出版せり。此總出版は初めの四卷には次の表題あり、Histire de Justine ou les malheurs de la Vertu par le marquis de Sade (en Hollande 1797)、而して夫れの「モットー」は On n'est point criminel Pour faire la peinture des bizarre penchants quiinspire la nature なり。「次ぎの六卷の表題は Histoire de Juliette ou les psosperites du vice par le Marquis de Sade なり。此印刷廣告と「モットー」とは前者と同樣なり。表題頁「トビラ」の上には Justine に屬する四十四の金屬版あり、Juliette には六〇の金屬版あり、夫故に全體にて一〇四の金屬版のあることは特殊のものなりとす、他には事實的に只一〇〇の金屬版は各冊每に一〇あるに過ぎず、此出版に於ける有要なることは附錄版の冊數と其頁數とにあり。其他に繪畫に於ける藝術上の價値は、其說明の恐怖を生ぜしむることは別にして甚だ僅少なるものなり。則ち製圖の大なる缺點、繪畫の個體となすことに全然缺乏せること、背景の貧弱にして殆ど見すぼらしき捕捉は多數の繪畫に於て驚くべきものあり、之れ折角精々組立てたる誠實を其「テキスト」

を複雜にして多數に記載せるを以て之れより絕へず疑はしき功績を生ずるに至れるなり。若も解放せられて何者にも退却せざる底の幻想をなす處の、如斯ことが特に試みらるべきものならば、夫れを以て佛の「ドール」は「ダンテ」の地獄の有様を模作すべきことを知りたるなるべし。

該の書籍の內容則ち多くは其全體を支配する意向は此表題 Les malheurs de la vertu. les Prosperites du vice,（德義の不幸及惡德の繁榮）に依りて充分に知られてある。尤も强靭なる堅忍を以て凡べての拾卷を通じて其主旨は再三再四變化をなせり、則ち其德義は極めて甚だしく不幸を來たし而して惡德は同樣に極めて繁榮をなし而して向上せねばならぬ。反對の道德の極端の代表者は二人の姉妹 Justine と Juliette である。著作中にある二人は初めは尙甚だ若き年齡にして其後孤兒となり、彼等の父の破產によりて益々不幸の境遇に陷れり、Justine は是非共道義的にあらんと堅く決心し、而して姉の Juliette は輝ける經路を約束せられたる惡德に於て依賴すべく同樣に又決心した。左樣にして二人の踏むべき道は二つに別たれた。吾々は今著作の四卷に由りて道義的の Justine は漂泊の上に行くを見る、其際彼は益々不幸となり彼の信用は益々失望に至り、彼の善心は價値なくして兇惡となり、彼の善行は却つて自己の損傷となるに至れり、然れども彼の魯鈍と云ふべき境域の認識には侵入することなし（之は著者の立場として）而して彼の明瞭なる對手則ち自然の常識の大審判官は充分なる權利を以て彼に對して之を憤怒したり。結局遂に彼は誤りて書き込まれたる放火事件のために死刑を宣告せられたり、然れども牢獄から逃れ而して偶然に彼の姉の住へる城中に達せり、姉は高級及下級の臣僚を有する伯爵夫人となれるものなり。爰に彼女は姉の Juliette に之れ迄の經歴を物語れり、夫は聞く者の注意を次の如く惹起せし voila bien ici les malheurs de la vertu, 而して目前の Juliette に示して云ふ La, mes amis, les presperites du vice. 其間に大なる富と「ロールザング」伯爵夫人となりし處の Juliette は同時に盛大なる結果を來たしたる其經歴を物語れり。彼女は曰く、自分は特異の方法によりて僧院に於て初目見得をなした、其後介淫者の處に至り遂に才能ある大臣の「セント、フォンド」の愛妾となり而して大臣の秘密の宴樂に際しては數多の仕事の準備及び指揮をなせり。此に於て彼女に於ける德義の減退又は餘り疑ひ深き考慮のために遂に此位置の損失を惹き起し而して逃亡を餘儀なくせしめたり。伯爵「Lorsang」（ロールザング）は卓越せるものなるが彼女を救ひ而して之と結婚をなせり、然しながら伯爵に於ける煩はしき僞善のために遂に彼女から嫌厭せられて直ちに毒殺せられたり、其後彼女は其情人と同伴して多くの冒險旅行を伊太利に試みたり。著作中には此旅行に於ける各驛路の宿泊の模樣を精細に記載せり、殊に「トスカナ」の大公爵邸に於ける滯在の模樣(大公爵は其後「レォポルド」第二世帝となれるものなり、)羅馬法王の邸、「ラツアロニー」王、「フェルヂナンド、ネアペル」の邸、「トリバード」の女王「カロリーネ」(マリー、アントイネット」の姉妹)の邸、尙共和國「ヴエネディイヒ」に於ける滯在等の模樣なり。爰に彼女は流行の「スタイル」に於て娼婦として生活をなせり、結局彼女は其娼婦仲間の運命に於て引き入れらるゝ、此娼婦等は例へば小にしては調毒を實業的に行ふものなれども、大にしては公明的に命ぜられたる調毒の場合には却つて退却をなせるものなり、(此に於て話手は謝罪して云へり、之は娼婦等の良心につきてよりも多くは其勇氣の缺乏せることを示すものなりと、)其後彼女は佛國に歸つた、佛國に於ける彼女との關係は其期間に尤も都合良く彼女に對して平和になれり。彼女の此の長き物語の終はりの言葉は惡德と犯罪との勝利に付きての辯解なり、其惡德と犯罪に由りて彼女は左樣に成効したるなり。Justine は改心せられず、何となれば Julietteは 斯くの如き僞德の姉妹と知りて之を家に滯在せしむるにとを拒みしが故に、彼女は暴風雨の際に天譴を得て直ちに電光から打たれたり。天は德義を斯くの如き方法を以て之に報ゆると云ふことを、喜悅を以て云ひし處の見物の人々の目前に於て彼女は殺されたり。

著作に於て取扱ひたる此裸々の骨組は、其範圍に於ては情慾の放逸と滴血の宴樂の繪畫に於ける雜多の充實にして、敎訓的としては僅に只其附錄の解說に於て獨自の形及對話の形に於て現はれて居るのみ、特に其第二部の半部に於て然り。此宴樂に出づる男女の勇士は自己等に於て及其犧牲に於て、各々の機會に彼等の行爲の必要と資格とを凡べて可能の修辭上にて現はし而して彼等の原則を現はすために狂信としての證明を宣傳して居る。著者の第一の計畫に依れば其著作は革命發生前の時代に遡る、何となれば「ルードウヒ」第十六世及「マリー、アントイネツト」の王位は異動あらずとして考へ而して革命以後に於ける狀態に付きては明白なる事變を示さざるを以てなり。其他に尙一の確證のなき說明に由れば其以後の時代に付きては其れの修正を要すべき者の現存すべきことは知られて居る。沙特の其他の著作に付きては私は簡單に之を說明せんとす、何となれば彼の前記の著作に其他の著作を附屬せしむるは確實に不適當なるを以てなり、則ち彼の著作の才能と其精神上の特質を別の方面及び良風俗の方面に於て知らしむるは不適當なるを以てなり。數多の沙特の著作の中にてLa philosaphie dans le boudoir（化粧室の哲學）は價値を有す、私の所有せる版に於ては次の名稱を有す、"ouvrage posthume par l'auteur de Justine." Loudres aux depenses de la compngnin 1805 全貳卷（Justine の作に對する死後の著述）。沙特は此書の印刷の時には尙生活せるを以て爰に死後と云ふ言葉は無智か或は故意の誤解から生ぜしものなり。此書に於ける Justine 及 Juliette の記載は未だ經驗なき若き處女の教訓に用ゆべきは餘り無味にして且無智なる出版である、夫れを以て其質に於ては奇異怪奇にして其他も全く不幸にして無智なる Education de Laure（埋沒せる教育）に近接せり、實に又驚嘆すべき革命に於ける勇士其他の文學上の青年の罪惡の如き、又沙特の精神たる Ma Couversion（私の變轉）及 Erotica biblion（情慾の文庫）の如きに至りては甚だ强き呼吸を感せしむ。又各々の社交界に於ける沙特の書面に至りては沙特を以て憤怒し又反抗をなせり而して社交界にして沙特と關係すべき場合には此作者を棒打を以て脅迫する處の怪奇なるに至りては、他の革命時代の人々（私は只だ「セント、ユースト」及「マラート」とを考ふるのみ）と同樣に、一定の精神社會の疑念を全然免かるゝこと能はず。

Aline et Valcour, ou le roman Philosophique.　該の書は沙特が革命以前に「バスチレ」に滯在せしときに書きて一七九五年に印刷したるものにして、稍や些瑣なる「ローマン」である、而して此書は Les crimee de l'amour の名稱の下に總括したる短篇小說である、之に付きては私には全く只元來の解義の一が知られて居る、則ち Juliette et Raunal, cu la Conspiration d'Amboise, neuvelle historique. 其他には一八八一年に「ブリュッセル」に於ける「ガキ」及「ドウス」にて匿名にて出でたる著作の「沙特侯」を見出だせり、尚又之れに連接したる「ローマン」に就きての硏究 Idee sur les romans がある、而して嫉妬せる批評家「ヴイレテルクー」に宛てたる誹謗文L'auteur Des crimes de l'amour a villeterque folliculaire 並に既に述べたる怨恨者の解剖に於て「マラート」及「レペンチール」の葬儀の時に爲したる演說を書きたる者等を發見せり。凡べて之等の著作より沙特を觀察するときは、彼は中等の作者にして其作を冗長に書くべき才能を有し之を以て甚だしく極度に處置せしこと、又沙特は Justine の作者としての位置を頑固に拒否せしことは彼が Roman の Idee を書きたるときに之は能く適當してありしことを示して居る。彼は此場合に明白に古來よりの虛僞の群集の中にはあらざると云ふことは、吾々には全く其人の特性より推断して疑念を存するものなり。

精神及道德上の水準と他の時代の方向との關係

沙特の道德上の立場（之は古代の道德學者の意義に於て如斯云ふことか出來るならば）は一種の反道德（惡魔の道德）である、之は彼の大なる二著作の內容と傾向とに於て用ゐ盡されて表現せられ既に其表題の記稱は殆ど其序曲として示されて居る、彼は自然の必要上德義を艱ますへざる不幸、同樣に又自然的に惡德の繁榮せる幸福は實に其主たる題目である（此題目は全十卷を通じて凡べて想像せらるべき變化をなす）又其所作は轉換して冗長なる注釋を以て導かれたる總作曲の主旋である。德義及惡德の定義は其際には全く古き方言の意義に於て受け取らるゝ、然れども夫は一種の止むを得ざる自嘲より起れるものなりと、人は云ふことが出來る、何となれば夫は彼の前記の機械的の世界觀の脚點の上に（夫は沙特が認むると主張せし處の）原因するが故に爰には德義も惡德もあらず、又善と惡との道德上の定義は簡單にあらず、何となれば之等は機械的に約定されたる自然的事情の凡べてに包含せられたる定義に於て出沒するが故に。夫に付きて然しながら沙特が此の意義に於てかの怪物に對して戰へることは、著者がかの反道德的の迷信に於ては僅に注意せるを以て、例へば自惚れて誇りて神に對する憎惡と敵意とは不合理の如く左樣に僅に注意をなせり、彼の步一步每に嚴肅にして抗し難き教理として示されたる實物主義の無神論と共に著者は又迷信に於て僅に注意をなせるものなり。著者は又非常なる熱心を以て各所に於て所謂惡は決して排斥せられざることを推斷して居る、何となれば之は自然に反してでなく全く其目的に適合せりとなせり、然れども吾々は其反對に若も吾々が自然の此の目的に反抗するときには高々排斥せらるべしとなせり、其代はりに吾々の外見上に犯罪的の邪慾として現はるゝ者に在りては妄りに反抗することなく之に服從すべきことを推斷して居る。爰に利他的の考慮は此場合には尤も僅少に障害をなすべし。愚人は考ふ、人情とは只恐怖と利己主義より出でたる弱點なりとせり、此のことは沙特の著作 Philosophie dans le boudoir（化粧室のダンスの哲學）第二卷一七八頁に於て述べてある、而して夫所には殊に犯罪のあらぬこと、吾々に只犯罪には盲目なる機具の如くにして自然的に靈感するものとなせり、Nous dicta-t-elle d'embraser luiiyers? Le seul crime serait d'y resister et tous les scelerats de la terre ne sont que les agents de ses caprices.

而して全く此の觀念に應じて又 Julietteは彼の冒險と勝利多き結果に付きての長物語を實に下界の信仰を告白せる言葉を以て終りて居る、(Juliette 第六卷343頁344頁 Tant pis pour les victimes, il en faut,tout se detruirait dans l'univers, sans les lois profondes de l'equilibre; ce n'est que par des forfaits que la nature se maintient et reconquit les droits que lui enleve la vertu. Nous lui obeissons donc en ndus livrant au ual; notre resistance est le seul crime, qu'elle ne doive jamais nous pardonner, Oh! mes amis, convainquons-nous de ces principes! Dans leur exercise se trouvent toutes les souses du bouheur de l'homme.

私は信ずる、斯くの如き沙特の道德の立脚點を一種の反道德或は惡魔の道德と認むべき權利を有することを、而して夫に付きて此道德の改良すべき際には又全く之と類似したる矛盾の生ずることの注意をなしたい、正しく云へば、通常の自然神教の道德に於けるが如き不充分なる事實の生ずることを注意したい。此沙特の道德にして其惡の本原を論破すべき方法の證明せうれざる間は、又沙特の立脚點からは善の本原を明瞭に説明することは不可能に見ゆる、(此善とは凡べての者にあり又世界にも在る者にして而して其犧牲に定まりたる代表者に於て加之又廣き範圍に於て之を取る處の者とする）。夫に付きての試みは未だ全く一度もなされず、誰か又自己批評と、必要なる場合に於ける斷念とを、旣に以前に確定せる前提の下は於て精神上には目隱したる專念及一の思考と凡ての思考より得たる快樂の專念とを期待せんと思ふか。

然る時に惡に於ける多數の男女の代表者、（爰には吾々に Justine と Juliette とか知られて居る）は彼等の事件の勝利に於て堅固なる信仰を立證して居る、此信仰は吾々の目前の事件に於ける全體の鎻にして決して誤解せられざるものなり。尤も疑はしき位置則ち其事變がおちら、こちらに置換へらるゝ位置に於てお々も（Juliette 第貳卷及第五卷）此信仰は除かれず而して善の代表者（此代表者は實際に一回卽ち一時的に其場所に現出す）に對しては尤も自負の傲慢を取り去り而して其れの卽時に沒落することを豫言して居る。又共同の障碍として知られたる德義の壓服と撲滅とは幾分か惡德の使命、羨務、任務とせちる、之は只に孤獨生活に於てのみならず又國家社交の生活に於ても大なる關係を有せり、其組織に付きては同じ原則にて Juliette の種々なる場所に於て注意せらるゝ、之は又斷片的にも思考せらるべきなり。

×　　×

吾人は前章に於て沙特の情的病理の動機から全く離れて彼の文學上の輪廓に於て殊に著明に現はれたる種々なる二個の狀態を說述したり、然れども其他は彼の精神的の統一に結合せしめたり之は沙特の特種なる無神論にして彼の政治的急進主義である。

沙特の無神論は既述の如く矛盾の方法を以て同時に狂信的の嫌有神論として終始せり、之れは既知の言葉 Si Dieu n'existait pas, il faudrait l'inventer, より應用せられたるを見る而して自己に於て發見したる此神を侮慢し而して之を嘲罵するにあり。該の空論的の無神論は勿論普通の如き小兒らしき迷信の神秘教の傾向あるは免かれず、夫に付きては吾々は尤も驚くべき、尤も怖るべき而して尤も笑ふべき一例を知る、之は甚だ延長したる秘密に富める高慢を以て取扱ひたる「セイント、フォンド」の形式に於て之を見る、此形式に於ては死的の犧牲を以て規則的に包含せられ、其犧牲には心臟の近部から取り出したる自己の血液を以て一の紙片と記名せしむ、而して夫に於て此犧牲は其精神を惡魔のために記して其紙片を再び返らざる連續せる道路に携へねばならぬ又然れども尙且注意して別の世界に於て之を携へねばならぬ (Juliette 第二卷 286 頁)。一方には又此無神論は再び自然に於ける擬人說の意見を以て全變する、只惡の代表女として擬人せる此自然は柔和なる神の容貌の代はりに悪魔の歪みたる容貌を現はせり、而して破壊せられたる其神を崇拝することは怖ろしき嘲笑を以て華美に代表せられてある。

沙特の政治的の急進主義は其一部に在りての例へば怖るべき表面的近視の素人藝の種類に屬するものにして、之は毀損せられたる佛國の貴族社會に於て丁度かの革命の發生前の時代に於て屢々遭遇する處のものなり。其注意すべき特徴としては、既述の無神論の變性に於けるが如く、王領と寺院とに對し而して凡べて夫れと關係を有する社會の制度に對して狂信的の怨恨を主とする非君主政體の意義を有せり。人は又斯くの如く云ふことを得べし、則ち主權的に行ひたる自然主義的の批評より出でたる個人的の虛無主義と無政府主義との精神を現はすものなりと。沙特の此思想法は其他に於て又かの空想的の急進主義をして空虛に且無價値ならしめ又は其れが前驅とならしむ、之に對しては理論と實際との無政府主義者の現今の行動と及再生したる現今の「スチルネル」崇拝者との數多の喜ばれざる連絡を見る。

沙特に於ける如斯現象の精神上の根幹を尙一層大なる深部に於て露出すべくために、吾人は實に國民精神及時代精神に屬したる他の原因を廣き範圍に於て出來得る丈け注意せねばならぬ。此場合にかの佛國の國民性格の特徵を有する「ガロケル」民族の原質を數へねばならぬ、此民族の性格は輕浮にして戀愛的の言葉と共に又惡德殘忍なる其狀態は古來より所有する處にして、此國民性格に對して尤も適切せる Tigeraffen（虎猿）としての「ヴォルタイル」氏の名稱は、其後大なる革命に遭遇したる社會の狀態に於て益々其强烈を現出せり。其他に風俗壞亂と惡化して衰弱せる佛國の貴族階級の特種なる精神の上に於て又此性格は關係を有するものならん、此場合に空虛なる位階の傲慢に輕浮なる懷疑說及僞急進主義と共に致命的に結合し、凡べての者は自己現存の基礎を否定し而して分離せらるゝ懷疑說及僞急進主義と共に致命的に結合せり（人は只「フヰリツプ、エガリート」の發現を考ふ）。終はりに殊に同時代の通俗哲學に於ける一定の原質との關係を數へねばならぬ、殊に百科全書の著者と其淺薄なる從屬者に由りて代表せらるゝ唯物論無神論の方面との關係を數へねばならぬ。其の結果に於て沙特一人のみに疑はしく相接近せる此の說明哲學の一代表者としては只不評判なる Histoire naturelle de l'ame 及 Homme-machine の著者たる「ラメツトリー」のみが有名なり、此書に付きては只「フリードリツヒ」大學の稱讚と「ボイス、レイモンド」の少しく嘲笑を加へたる名譽の辯護とに於て吾々に僅に知らるゝ。宗教上及倫理上の問題に對する說明の立脚點は百科全書著者の唯物主義の無神論によりて只一回之を示されてあるのみ。

沙特は只 Diderot よりも躊躇なく又 Lamettrie よりも躊躇なく理論上の唯物主義及勿論又實際の唯物主義の極端の斷案を自己の方法にて選んだ。沙特は其場合に彼の同時代の人に於けるが如く物質に於ける古代民主政體に懸りたる小體球の理論に由れり、小體球は廣く分たれ至る處に同種類の小分（分子）を有せり、其れの運動と接觸とに由りて身體上及精神上の生活の現象は彼の見る處と同じ者に對して全く滿足せる方法を以て說明することが出來る、而して此分子に於ける惡心は沙特の反道德の說明に於て抽んでたる役目をなす。

斯くの如く悲しむべき荒寥たる彼の世界觀は只彼の殘忍なる自已確信によりて之を報告し而して必要なる一の證明を示さず常に掛直をなして居るに過ぎず。

一方には又沙特の思想連結の絲條を引く者にして心理學の分解方面に於ける同時代の代表者となれる處の者は之を知ることを得ず。此代表者としての「マツクス、デツソイル」は新しき獨逸の心理學の其優れたる歷史に於て主觀的の分解論者として總括せられて居る。又精神活動の主觀的分解に歸する處の心理小說に對しては既知の如く「ルーソー」が其短篇小說「ヒロヰゼー」に於て之を示して居る、其「ルーソー」は彼の「懺悔」に於て道德行爲を表示し而して其際に自己直接表現的の露出を告知して居る。一人の沙特に反抗して大なる感動を與ふる其「ルーソー」の形姿よりも尙多く近接せる者はかの露國の「ルーソー」と云はるゝ Retif de la Bretonne を知る、彼に付きては「デッソイル」が之を判定して次の如く云へり、沙特は尤も激烈なる感覺より出でゝ自己の偶像禮拜によりて一種の表示主義に陷れり、夫故に沙特は「レチーフ」の如くに性愛の成立、沙特、微勢力等を分解して自己に直接に精練したる禮拜を與ふべきことを理解せず。爰に吾々は未だ幼芽たるべき文學上の沙特と薄弱にして受動的なる無血と云ふべき沙特を知れるのみ。「レチーフ」は多く自發的にして感激性に、僅に沈思的才能を有す而して若も彼が貧しき農夫の子息ならずして、高名なる侯爵の行爲と雰圍氣とを早くより備へてありしならば恐らくは彼は第二の沙特であるべく、著作家としては力に於て又敏感なる記述に於て他に勝りてありしならん「レチーフ」に於て賞讃すべき此の非常なる敏感(Sensibilite quelquefois delicieuse quelquefois cuisante, affreuse, dechirante) は凡べての音調から徒らに響かぬ、吾々は現代に於て彼を更に發見せしことを誇りとする而して吾々は Bonrqet, Huysman, Barre, maeterlinck, Garborg Strindberq, Gabriele d'Anunzio 等の作中に在りては「レチーフ」の作は最高級に出づるを知る、而して彼等は皆超人間的ならず、多くは下層の人々にして或は病氣に罹れるものあり、又は刺激性の虚弱なるより變じて情的神經衰弱の複雜に於て變じたるものなり。既に「レチーフ」に於ては此方面の分解的小說の創設者にして又開路者である。彼は他の同時代の人々よりも早く沙特の上に注意をなせり、而して彼が沙特を半ば嫉妬的の猜忌を以て見、半ば其作を嫌厭したり、爲に遂には彼をして反 Justine に於て刺激せしことは實に簡單なる出來事にはあらず。此 Justine の著作は沙特の自己にて終了せずして中途にて其一部分を破棄したり其第一部の半部を彼は只匿名（Linguet）を以て出版せんと試みたり。

沙特の病的の精神狀態

今は尙心理學者及醫家に關係を有する沙特の精神狀態の問題を解決することゝする。吾々は尙一度彼の著作に就きて述ぶべき必要あり、而して此場合に其著作の內容より受くる恐怖、憤怒、嫌厭等の感覺は此華美なる書冊の通讀の際に免かれ難き所なり然れども今爰には此點を別にする斯くの如き内容より出づる感覺のあるにも係はらず、彼の著作の單獨の範圍に於て、夫れより與へられたる精神上の作業及純粹の機械的の作業との程度は不隨意的に目立ちて活動をなせり。此非常に延長し而して數多に區分されたる著作の不可思議なる草稿と其形成の單獨に於ては、恰も混亂して解かれ難き糸を引けるが如く、其他交互に出現する無數の人物、漸次に增加する精練の實行、追想及後方の關係に於て決して背反せざる忠誠、等を示して居る、此凡ては少くとも著作の年に於ける非常なる著作力と持續したる作業の實行とを前提とする、而して之等の沙特の慣例的の思想を以て直ちに慢性の精神病(恐らくは先天的の痴鈍症)とは認むること能はず。若も沙特が彼の著作を暫らく一の地窖に於て手製にて印刷せしこと、及彼が又圖畫の草稿を自己にて製作せりと云ふことが實際なりとせば、吾々の外見上より認むる驚愕は只此關係に於てのみならん。

躁狂者に在りて實に斯くの如き行爲は決して不可能であらぬ。若も人あり、數多の患者に於て甚だしく書痙的の行爲を循環する精神病の躁狂期に於て之を見るときは以上の見解に於て絕對的に拒否せられざる立脚點を認むべし。

吾々は此問題を曾て純粋に法醫學上より次の方法を以つて研究せり、著者は一七九七年の第一の總出版に由りて、時の先驅たる「ハインツ」法の根據を以て（此場合には確に能く是認せられたる）訴訟せられたり、彼の辯護人は不充分なる引責能力の抗議をなせり、而し法廷は辯護人の申請を許可して醫士の鑑定人の立會を決定せり、此鑑定人は如何にして良く言明せしか、鑑定人は凡べての蓋然性に由りて如何に彼の意見を承認したであらうか。

沙特の鑑定人は推想的に如何に表明したであらうか、夫は吾々が既述の如く、著名なる精神病醫の「ローエル、コラード」の例が敎へて居る。（彼は「カレントン」の醫長なり）此醫士は沙特を殆ど十二年間も其療養院に於て見て居る而して其間に彼は反復せる訴願に於て政府に對して沙特の退去方を申立て而して其場所に繼續して滯在することを拒絶すべく盡力をなした。然しながら吾々の時代の精神病醫は私が信ずるが如く、沙特をして刑事裁判官の前に於て、精神病者となして其自由の意志決定を奪ふことは宜しく疑なき法律上の判決を以て否定すべしと云ふべき、其位置に在る者は僅少なり。

而してかの時代と現今の時代との間には又一の期間を有す、其期間に於て吾人は恐くは特殊なる精神上の障碍（之は Moral msanity 道德狂）の承認を以て直ちに速斷せるなるべし。

此言葉は一八三五年に「プリハード」から印象せられたるものにして（以前の名稱である Mania sine delirio（Pinell）無譫妄狂、及 Monomanie affective（Esquirol）感情性單獨躁狂は間もなく排斥せられた）精神障碍の影に應ぜねばならぬ、此障碍は全く病的の變化、自然的慣習の動機、感情の複雜等に由りて發作し、夫れより出でたる不道德の行爲に由りて特徴する處の精神障碍なり、然れども此場合に智力に於ける特殊の障碍はあらず。

之を以て吾人は今、（一）此意義に於ける道德上の狂氣は精神障碍の一部に純粹なる感情形を與へざること、（二）而して常に至る處に先天性の素因に歸する智力の衰弱にして只或場合には多く、或る場合には僅に著明なり、然れども全然決して缺くるにはあらず而して感覺障碍と共に現はるゝこと、（三）夫に由りて之は先天性の痴鈍と多くは變性の基礎の上に關係すること等を認む。

世人は之を以て斯くの如き狀態は又沙特に在りても現存せりとなせり、則ち彼に於ける情的生活の重き錯誤、虛言、外見上には其生活經路には缺點なき性情、著明なる結果に關する判斷の絕へず缺乏せること、蔽はれざる明かなる日中に於て行はるゝ汚辱事件（數回旣述せる如き）等は然れども其凡べての保護は結局自己に於て取らねばならぬ、尙數多の其他の事件は以上の方面より推斷し得べきなり。要するに沙特の傳記の材料は不充分なり、殊に以前の解說に於ては尙不充分たるを免かれず而して此說明より現はるゝが如く、凡べての疑を除きたる精神病學の意見に基つくためには其個々なる者にありては又抗議あるべきなり。

道德の感覺、夫れより出でたる行爲の異常に由りて特徵ある、先天性痴鈍の斯の如き形は經驗上には中斷なき流に於て或は全く同程度の絕へざる氾濫に於て全生涯を經過し、甚だ屢々比較的の安靜と表面上の恢復とに於ける兩時期は增加と再增惡との兩時期と交換して發生す、之れ困難なる狀態なりとす。

斯くの如き交換時期の說明に付きては、其材料の短くして且つ甚だしく限畫せらるゝを以て充分に表示すること能はず、而して此交換時期は又沙特の生活形に於て其二三は注意せらるゝ。之と共に精神病者の晩年に於て其老齡に固有なる形狀に於ての過渡形則ち腦の退行に歸因する痲痺狂の形は免かるゝこと能はず、之に付きては以前に報告したる觀察に於て示せり。

吾人は爰に此關係に於ける最後の判定を總括すべし。

次の二件は或は意見の相違と云ふ點から支配せらるべきものならん。

一、沙特は高齢に至る迄精神障碍の形狀に於て冒されたるや。

二、沙特は一般の意義に於ける精神病、又法律上及法醫學上の意義に於ける躁狂或は痴鈍、自已行爲の結果を考ふべき不能性、自已理性の使用を全然奪はれてありしや。

然しながら全く沙特は重き變性の素因を有する錯誤の傾向、殊に情的病理の傾向と衝動に從屬したる異常なる人格等を所有せり、而して之がために根絶し難き、恐らくは又週期的に上れる錯誤の傾向と衝動とに出りて著しき反社會の現象は存在せしならん。

第一領事の「ボナパルト」は、人の社會をしてかの不道德にして價値なき仲間に出りて、増殖せられたる混雜及荒廢を以て脅迫せらるゝ道德上の汚染の負擔者からは、其著作から全く疑もなく免かれしときに、實際なる正當に會合をなしたり。（終）

（附記）本稿は獨逸のアルベツト・ユレンブルグ教授の（Der marquis de Sade）を其儘譯して見たものです。北明生）

蚤十夜物語（第三夜）

（前號の別册のは第二夜の終りで、今回は第三夜です。第十夜の終りまで必ず毎號一夜づつ續けます）

至極古い、そして實に得難い、葡萄酒の數瓶が開栓されました。その効顯いちじるしく、ベラーさんの氣力は、次第に回復して參りました。

一時間程の內に、彼の三人の僧侶達は、ベラーさんが、彼等の淫らな氣分を樂しますのには、充分な迄に、回復したのを觀て取ると、再び彼女の肉體に依つて、今一層の享樂をむさぶらうといふ素振を見せかけました。

强烈なお酒よりも、彼女の淫亂な相手の樣子や接觸の方が、どれだけ彼女を興奮させた事だつたでせう、彼女は今時、その相手の僧服の裾を引いて、三人の一物の覆を取つてやらうとして居ります、彼等の愉快げな有樣は、今俺達はすべての束縛から開放されて居るのだぞといふ彼等の態度が、雄辯に之れを語つて居ります。

ほんの一寸の間に、ベラーさんは、三人の長いコハバッタ一物を、全部むきだしに致しました。彼女は最初それに接吻をしたり、戯れたりして居りましたが、やがて、一物から發散する、憔悴する様な馨香をかぎながら、淫婦の相好を完全に現はして、指端で、眞紅な莖を烈しく弄び出しました。

「どれ一番取組まうかナ」

と、僧院長は敬虔に叫出しました。此の時彼の倅はベラーさんの唇に含まれて居つたのです。

「アーメン」

と、アンブローズは唱へました。

三番目の僧は口をつぐんで何も申しません、だが、彼の巨陽は中空に威嚇して居ります。ベラーさんは、彼女の最初の攻撃者を此の新しい一團の中から、撰抜することになりました。彼女は先づ第一にアンブローズを選んだのでした、すると、僧院長も彼れに續いて立上りました。此間に、扉に鍵が掛けられました。三人の僧侶達は、落着き拂つて、各自裸になりました。斯くして花々しい勢揃をした連中は、若いベラーさんの凝視の的となつたのでした。

三人の元氣な選手は、皆青春の氣に滿々て居ります。彼等は各々岩疊な武器で、武裝して居ります。それは一倍、シャツキリと、その前に突立つて居ります、そして彼等が躰を動かす毎に、覺束ない搖めきを見せて居ります。

「オヤ、マア！　何といふ恐ろしい恰好なんでせう！」

と、娘さんは感嘆の聲を可愛らしい唇から洩しました。そして、少し耻らひ氣味に、彼等の恐ろしい軍器をかはる〴〵弄ぶりました。

それから彼等はベラーさんをテーブルの縁（へり）に腰掛けさせました、而して一人々々彼女の若々しい機器に口を寄せ、其の熱し切つた舌端をクルクル回轉させて、濕つた赤い裂目を吸唼摩擦しました、その場所は曾つて彼等がその情慾を鎭めた處なのです。ベラーさんは嬉んで彼等にその身をまかせて居ります、そして出來るだけ彼女はそのむつくり肥えた脚を左右にグツト開いて彼等に滿足を與へやうとしました。

「さて皆の衆、今度は此の娘子に、わし達のものをかはる〴〵吸つて貰わうでは御座らぬか？」

と、僧院長は叫びました。

「よろしからう」

と、師父クレメントはそれに同意しました、彼は紅毛で、素晴しい勃起を示して居る男です。

「だが、それだけで止めるのは不贊成ですぞ、何故かといふに、も一度彼女の腹の上に乘らんことにや、このわしの胸が治まらんからの！

と、彼は語を繼ぎました。

「いや、勿論ぢやよ、クレメント、お主はたつぷりと二度とほしなされ、で、まあ、最初にこの娘子の口中で一つ氣を遣つたがよからうと云つたまでの事ぢやよ」

と、僧院長は彼に答へました。

ベラーさんはクレメントの再度の攻撃に對して、その身を提供しやうといふ考へは微塵もありませんでしたから、手取早く彼のアブラッコイ一物を摑んで彼女の口中へ出來るだけ深く押し込みました。

藍色をした堅果を、彼女は濕つた柔かい唇で上下に擦りました、そしてちよい〳〵休んでは、それを出來るだけ奥深く己れの口中へ受け入れやうと努力しました。彼女のやさしい兩手は、長い、太やかな莖に纏ひつき、震へを見せながらシッカトそれを扼むで居ります、そして彼女は、そのヤンワリした接觸に刺戟されて、極度に腫れ上つた巨大な一物の上に目を落しました。

五分間も經つかたゝぬうちに、クレメントは人間の叫びといふよりも、むしろ野獸に近い哭聲を擧げて、忽ちドツとおびたゞしい淫水を、ベラーさんの咽喉へはぢき出しました。

ベラーさんは長い一物のうは皮をしごいて一滴もあまさず淫水を吸ひ取らうと致しました。

クレメントの淫水は練固まつた布海苔のやうで、その分量もヤケに澤山です。で、止め度もなく、後からピヨクピヨクと娘さんの口中へ流れ込んで行きます。

ベラーさんはそれを全部飲み下しました。

ベラーさんが、次にその柔かい唇を、僧院長の笑み割れるやうな一物に接した時、

「娘よ！　わしは今、斬新な見聞をそなたに敎へねばならぬ」

と僧院長は申しました。そして、言葉を繼ぎ、

「そなたは最初、氣味良いといふよりも、むしろ心持ち疼痛を感じることぢやろが、ヴイーナス風は一寸六ケ敷いからの、マア〳〵習つた上で追々と樂しみなされ。」

と云ひます。

「師父さま、妾はこの躰の全部を皆様に提供いたします、今時妾は自分のお勤を充分に了解することが出來ました、妾は神さまから選ばれた、師父さま達の要求を滿たすものゝ一人で御座います、どうぞ御自由になつて下さいませ」

と、娘さんは答へました。

「よいかな、娘、そなたが其のやうな心掛でわし達の望みに從つて——たとへそれが途方もない非行にもせよ——ほしいまゝに躰をまかさつしやるなら、今に天國へ昇つたやうな、すが〳〵しい好い氣持になれますぢや」

そう云ひながら僧院長は、娘さんを彼の頑丈な腕の中へ抱へ込みました、それから彼女の顏を俯向けにして、も一度寢臺の上に臥させました、それ故彼女の美しい臀部がむき出しに三人の目前に露はれました。

次に、彼は、ベラーさんの股間にその身を割り込み、たくましい一物の先端を、彼女のおゐどの割目にある小さな穴へ當てがひました、それから充分に濕りをくれた武器を、ゆるやかに押し進め、目新しい不自然な方法で彼女をとほし掛けました。

「アレ、マア！　あなた、そこは違ひます――痛ツ。アレ何卒――アレ！　ゆるして――アレサ！　助けて下さい。オヽ！　お放し下さいまし！　聖母さま！　妾、死にます！」

と、ベラーさんは痛みに堪えず泣き叫びます。

この最後の悲鳴を洩した時は、丁度、僧院長が力強い最後の一突を與へた折りでした、此時、彼の種馬のやうな一物は全部沒入して、僅に彼の下腹にふさ〳〵として居る隱毛を殘したのみでありました。――そこで、ベラーさんは、彼の一物が睪丸の處まで、自分の躰の中に突込まれたのだといふことを悟りました。

僧院長は頑丈な兩腕で、ベラーさんのお臀を抱へ込み、躰をピツタリと彼女の脊に密着けました。彼のデツプリとした下腹は、ベラーさんの臀部にヒタ〳〵と當ります。從つて、彼のコハバツタ一物は根元まで、餘す處なく彼女の直腸内に、その姿を沒して居ります、彼の全身の快味は一物に集注し、今にもはち切れそうになつて動悸を打つて居るのでも知れます。一方、ベラーさんは、ヂツと唇を咬んで、彼の身のこなしを待つて居ります、といふのは、そろ〳〵氣の遣きかゝつて居るのに、彼女が氣附いて居たからであります。

他の二人の僧達は、春心をいやが上にもそそられながら、うらやまし氣に之れを眺めて居りました。勿論、其間、大きな一物を各自にそろ〳〵と擦り立てて居つたのです。

僧院長は、此の新し味のある、うまい穴のシクリした締り加減に、逆上する程身を震はせ、ハア〳〵云ひながら一生懸命に腰を遣つて居りましたが、とう〳〵我慢が出來なくなり、一度にドツト煮湯のやうに熱い精汁を出し掛け、彼女のお鉢を滿しました。それから、おもむろに、ポツポツと湯氣の立つ、まだシヤチコバツテ居る一物を彼女の尻の割目から引拔きました、そして、新しい快樂法を發見したから試して見よと、アムブローズにすゝめした。

アムブローズの此時の感じはどうだつたでせうか、マア私が玆で禿筆を振ふよりも、皆さん方で御想像なさつて見て下さい、兎も角も、今の彼は溢るゝばかりの情慾に滿されて居るのです。

彼は同僚達が、うま〳〵樂しんで居るのを見て、少なからず春的興奮を感じて居たのでした、それ故急いでそれを鎭めたいと思つて居た處ですから、早速に

「御同意申す、わしはお言葉に從つてシドムの寺院の門をくゞりませうぞ、お主だちは、その間に不屈の番兵たちをヴィナスの殿堂に詣でさせたがよいぞや」

と申しました。

「正しい快樂とでも申さうかナ」

と、僧院長は歯をむき出して笑ひながら云ひました。そして

「マア、お主の云はつしやる通り、シツクリと締りの良い下ッ腹で、も一度味つて見ませうと附加へました。

ベラーさんは、未だ先きの通り俯臥になつて居ります。彼女の臀部は全部露出されて居ります

そして彼女は今しがた受けた殘忍な攻擊に、殆んど死人の如くなつて居ります。

たつた今注ぎ込まれた、洪水のやうな精汁は、一滴もその薄黒い幽所から流れ出して居ません、だが、その下の裂目からは僧侶達が遣つた淫液の混じたのがダラ〱走つて居ります。アムブローズは彼女を捉へました。

先づ彼女を僧院長の腿の上に逆に乘せました、ベラーさんは僧院長のまだなえやらぬ一物が、今彼女の桃色の裂目から覗いて居る柔唇を叩いて居るのに氣が附きました。彼女はその上に身を下しながら、徐々にそれを導きました。忽ちそれは中に入りました――彼女はとうとうそれを根

元まで入れてしまつたのです。

さて元氣な僧院長は、彼の兩手をベラーさんの腰に掛けて、彼女を引寄せ、後にそり返つて、大きやかな秀美な臀部を、アムブローズの怒れる武器の前に突出しました、するとアムブローズは直ちに小丘の間にある、濕り切つた孔の中へ一物を挿入しました。

一物を挿入し女を征服するまでには種々の困難が兩者の間に起りましたが、遂に狒々のやうなアムブローズは、シホラシイ犧牲者の躰内にその肉躰の一部を葬つたのでした。

やがてアムブローズはそろ〳〵とその一物を滑かな溝から拔差し致しました、牛のよだれのやうに長々と、快樂を絲の如く引延ばし、僧院長に抱えられて肩息になつて居る美しいベラーさんを間にはさんで、思ひツ切り樂しみました。

間もなく、深い溜息を洩して、僧院長は快樂の極點に達したことを示しました、と、同時に、ベラーさんは矢の如くするどく射出される騷水に依つて彼女の開中が、滿されて行くのを感じました、

彼女は、その心地好い刺戟に反抗することが出來ませんでした、で、彼女も攻擊者と一緒にし

たゝか氣を遣りしました。

アムブローズは、そのやりくりを一寸刳がれたやうな氣味でしたが、今度は、彼の前にある美しい娘さんをしつかりと抱へて、その棒材のやうな一物で彼女を突殺さんばかりに、腰を强めてすかり〳〵ととぼしました。

かういふ位置ではさすがのクレメントも彼の機會を捉へるのに困難でした、然し待つ間程無く、その時機が到來しました、僧院長が倅を拭つて居る隙を見て、彼は逸早くベラーさんの前面に近づきました、と同時に彼女の下腹部にその一物を突込みました、彼等の滑液で其處はスツカリ濡れしよびれて、まるで蛞蝓のやうになつて居ります。

いやもう實に威大な一物であります、が、ベラーさんは勢一ツぱいそのデリケートな股間を開いて、彼の紅毛の怪物を一ト呑みにしやうといたしました、暫く立つと何の音も聞えなくなりました、唯、爭鬪者の互ひに洩す深い溜息と、よがり聲が嵐のやうにざわめいて居る許りです。

追々と彼等の動作が激しくなつて參りました、その度毎にベラーさんは死ぬる樣な思ひを致します。巨大なアムブローズの一物は睾丸まで入るかと思はれる許りに深く〳〵ベラーさんの後門に挿込まれて居ります、また威大なクレメントの鐵挺魔羅は情け容赫もなく根元まで彼女の下腹に突込まれて居ります。

娘さんは二人の間にあつて中空に吊されて居るやうな鹽梅です、彼女の兩足は床を離れてブラりと垂れて居ります、一息毎に、彼女の躰は前に、後に、搖めきます、それは僧侶達が興奮した軍器で、各自受持の溝を突くからであります。

さうかうする内にベローさんは意識を失ひ掛けました、といふのは、已れの前の男の息遣ひがせはしくなると同時に、その抱擁が益々強く加はつて來たので、いよ〳〵氣の遣く時機が近づいたのだと知つたからであります、次の瞬間に堤が切れたやうに恐ろしい勢で威大な一物から熱つからまつた淫水を注ぎ込まれた感じが致しました。

「ア、！わしはいつた！」

と、クレメントは叫びました、そしておびたゞしい洪水を小さいベラーさんにはじき掛けて、彼女を狂喜させました。

「わしも、氣が遣きさうだ」

とアムブローズはよがり聲をあげました、そして、こゝを先導と許りに、たくましい一物を突差し、押し込み、同時に煮湯のやうな粘液をベラーさんのお鉢にはぢき込みました。

かうして二人はお互に引ツ切りもなく彼等の子種を優しい娘さんの躰内に注ぎ込みました、ベラーさんは兩方から押寄せ來る洪水の中に、身を浮べて喜悦に滿ちた游泳を試みることが出來ました。

誰れでも相當な智力を持つた蛩ならば、胸の悪くなるこの樣な出來事を公示することは難くないと想像なさることでせう、此の私もそれを公にすることを自分の義務だと心得て居ります。だが、ある友愛的な感じと若いベラーさんに對する憐憫の情から、私は彼女の躰から離れることに忍び難くなりましたので、まゝよ今少しの間だと尻を落着けることに致しました。

事件は私の豫期した如く展開して行きました、これから書く話に依つて、私の其後の活動を推測して頂きたいと存じます。

ほんの三日も經たないうちに、又々ベラーさんは約束に依り、同一の場所に姿を現はし、、三人の僧侶と會合いたしました。

此度は、ベラーさんは、彼女のお化粧に特別の注意を拂ひました、その結果、彼女は以前に數倍して蠱惑的になりました、美しい絹布の衣服を纒ひ、野羊皮のシックリした靴をうがち、キッチリ當篏つた奇麗な手袋をして居ります。

三人の僧侶達は大悦びでした、で、ベラーさんは此上もない歡待を受けましたので、彼女の若い血は煮くり返へるやうに沸上つて、その顏に情慾の面影をみなぎらしました。

入口の扉には直に鍵が掛けられました、師父達は各自下着をかなぐり棄てました、ベラーさんは三人に圍まれて、その混合した愛撫とみだらがましい接觸を受けて居ります、その前後に無遠慮にいきり立つ彼等の巨陽は、旣に彼女をしきりに威嚇して居ります。

僧院長が先づ最初に彼女と共に歡樂を盡さうといふ希望でした。

無遠慮に彼はきやしやな彼女の前面から近いて、荒々しい動作で、彼女をその兩腕の中に抱き締め、彼女の唇や顏に、熱い熱い接吻を何回も與へました。

ベラーさんの興奮も彼と同一程度迄に高潮しました。

彼等の希望に依り、ベラーさんは、ヅロースや、ペチコートを脫ぎました、そして、優美な衣服や、絹の靴下や、可愛らしい野羊皮の靴はそのまゝにして置きました、其上で彼女は嘆美とみだらがましい彼等の接觸に身をまかせました。

暫くして、師父は、凭れて居る彼女の上にうまさうにのし掛りました、それから彼女の若い愛嬌處に毛際ものこさず、一物を押込みました、そしてシツクリくはへ込まれて喜悅の情を顏に漲ぎらしました。

彼女を押したり、締付けたり、擦り立てたり、僧院長は秘曲を盡しました、その効著しく〳〵、彼自らとその相手の感情を充分にあほることが出來ました。彼の一物は、大きサを増し、益々硬直して其事實を證明いたします。

「押して、ネ！モツト強く押して頂戴」

と、ベラーさんはつぶやきました。

扨て、こちらではアムブローズとクレメントが、もう居ても立つて堪へられない程に、淫情を燃して居りました、そして何とかして、彼女の何れの部分かを假りて、その考慮にあづかりたいと氣をあせつて居ります。

クレメントはその巨大な一物を彼女の柔かい眞白な掌中に握らせました、と、アムブローズは何の躊躇も無く、寢臺の上に登つて、そのカサバツタ一物の先端を、彼女のデリケートな唇の處へ持つて行きました。

數分の後、僧院長はうまい立場からその身を退けました。

ベラーさんは寢臺の端に身を起しました。彼女の面前に三人の僧侶がヅラリ並んで居ります、彼等は各自その一物を露出して、その前にシヤツキリ立てゝ居ります、中にも、クレメントの威大な一物の頭は、彼の肥太つた下腹を叩かんばかりに、反返つて居ります。

ベラーさんの衣服は腰の上まで捲り上げられて居ります、彼女の兩脚と股間はまる見えです、その間に、うまさうな、桃色の裂目が今時、僧院長の一物の粗暴な拔差しに會つて、眞赤になつて腫れ上つて居ります。

「一寸またつしやれ」

と僧院長は口を切りました。

「わし達の遊興に順序を立てやうでは御座らぬか。此の美くしい娘子は、わし達三人を滿足させやうとして居りますぢや、それ故、吾々も享樂の方法を變更する必要がありますぢやろ、そして、彼女が吾々の攻擊に堪え得るやうにしてやらねばなり申すまい。わしは最初だろが二番目ぢやろがそんなことはかまわぬ、がアムブローズは、まるで驢馬のやうに氣をやるのでお主の後をいといとぼす者は、皆んな、お主の出した淫水を浴ることになり申すからの、先づわしが最初に取組むことにしませうぞ。勿論クレメントはよろこんで二番目乃至三番目を引受けなさるぢやろ、でないとお主の大きい一物では娘子の前を突裂く許でなく、わし達の感興をも削ぐからの」

と言葉を繼ぎました。

「わしや先刻三番目ぢやつた、何故わしはいつも一番しんがりを勤めなければならぬのか、わけが解らぬ、わしや今度二番目を申受け度い」

とクレメントが叫びました。

「ヨシ、それでは氣まゝにさつしやれ」

と僧院長は答へて、

「アムブローズ、お主は、滑らかな巢にとやを取つたがよいぢやろと申しました。

「否、わしや御免蒙る」

と、豫期して居つた僧の口から吐き出されました。

「若しお主がわしより先に最初にとぼし、次に怪物クレメントが娘子を御すなら、わしや尻を犯して、お供物に別の方面から甘露を注ぎ申さう」

とアムブローズは附足して申しました。

「どうにでもなさつて下さい、妾は皆さんの御自由になります。だが、師父さま、どうぞお早く遊ばしてくださいましネ」

とベラーさんが申しました。

今一度、僧院長は岩疊な武器を突込みました。ベラーさんは、コハバツタ一物を挿入されて歡喜しました。

彼女は僧院長にシガミ附きました、それから盛んに腰を遣ひました、そして彼のはぢき出す淫水に誘はれて、彼女もしたゝかに氣を遺りました。

今度はクレメントの番です、彼の威大な一物は既に若いベラーさんのむつくり肥えた股間にはさまつて居ります。その不釣合なことは見てもぞつとする程です、でも彼は强壯で淫亂此上もない男でしたから、雜多な猛襲と言語に絕した努力を以て、とう〳〵ベラーさんの下腹の中へ、彼の驢のやうな一物を全部詰込んで仕舞ひました。

此男のすばらしい一物が、どれ丈けベラーさんの淫心を搔き亂したか、それを申上げるに言葉もありません、兎も角、師父クレメントの古今稀なる一物の押入は、彼女をして殆んど絕え入る許りの快感を催ほさしたのでした。

十分間ばかり兩人は上になり下になり、互にからみ合て居ました、ベラーさんはドキ付一物が睾丸まで入てしまつたかと思れる感じが致ました、それは强く彼女のお尻を壓迫して居ります。

ベラーさんは左右の足を思ひ切りふみはだけ得手物を彼女の愛嬌處の中で自由に踊らせやうと心掛けました。

クレメントは一寸やそつとでは氣を遣らうといふ素振りを見せませんでした、マアおよそ小半時も經つたと思れる頃です、やうやく彼の快樂は絕頂を示し、二度續けざまにドク〳〵と氣を遣つてホツト息を吐きました。

ベラーさんは固唾を飲むで深い歡喜に浸りました、と同時に彼女もまた、子壺の中からヒク〳〵とおびたゞしいよがり水を出しかけて、淫亂な師父の伜の頭に浴せました。

クレメントが若いベラーさんの下ツ腹からその鐵槌のやうな一物を引拔くや否や、彼女は相手のふしくれ出つた腕から離れて、アムブローズの兩腕の中に抱き締められました。

彼の最初からの思ひ通りに、彼女は美くしいお尻の攻擊を受けることになりました、彼はでかばちもない大きな一物のドキ打つ頭を一突き荒く押して、彼女の尻の割目にある小ちんまりした孔の中に挿込まうと骨を折りました、

だがそれは一寸無理でした、胴中は愚か頭さへも入らないのです。だゝつ廣い彼の武器の先端は、一襲毎に擊退されます、そして彼が無我夢中になつて押込まふとすればする程その度はいよ〳〵增す許りでした。

然しアムブローズだとて、さう容易く敗北は致しません、何回もくり返へしてその襲擊を試みました、で遂にその努力の報ひられる時が來て、デリケートな孔の中にその武器の先端を臨ませ

る事が出來ました。

今時彼の天下は來たのです―一息強く腰を押しました、と彼の一物は一寸ばかりぬめり込みました、之に力を得た彼は腰を早めて、サツサツと突込み、拔き差し、暫時のうちに睪丸の處まで一物をヅツプリと押込んで仕舞ひました。

ベラーさんのむつちりとした美しいお尻の恰好は、いやが上にも助平な僧さんの魂を飛ばしました。彼の心は殆んど半狂亂になつて居ります、で、彼は夢中になつてサツサツと勢ひよく腰をつかひました。彼は、長い、太い一物を恍惚となつて、尻の奥へ突込みました。ベラーさんが痛に堪へやうかどうだらうか、そんなことは一切おかまひなしです、彼は今一生懸命になつて小さな孔の壓縮から受ける快感をむさぼつて居るのです。

ベラーさんは苦痛のうめき聲を洩しました。彼女は今將に、粗暴な强辱者のコハバツタ一物に刺し殺されんとして居ります。彼女は相手の動悸打つ肉片が、己の躰內で狂奔して居るのを感じました、彼女は氣違ひのやうになつて、その相手から逃れやうと、狂ひ出しました。

だが、逸早くアムブローズは、彼女のきやしやな腰に、兩手を延べてシツカリトおさへつけました、其間も、彼は彼女の動作に從つてその腰をあやつりました、そして震へおのゝく彼女の躰軀を抱き込んで、一物の拔差をおこたりませんでした。

斯様にして互ひにもみ合つて居るうちに、段々と、彼女はそのお尻を左右に振り始めました、兇暴なアンブローズは大人げなくも彼女の尻にはさまれながらフラ〳〵して居ります。

扨この淫猥な觀世物は側の見物人を滿足させるには少しく物足りないものでした。

やがて二人の僧侶の咽喉から、天井も破れんばかりの笑聲が洩れました、そして、彼等は同僚の壯鬪に拍手喝采を浴せました、彼等の容貌は上氣して、兩眼は怪しく輝きその情緒を十分に顔面に溢らして居ります。

何にしても此の光景は、彼等の淫心をそゝらずには置ませんでした、彼等の鼻息は忽ち荒くなつて、その一物はによつきり頭を持上げ、まだあれ丈けでは堪能出來ないと云つた鹽梅です。

ベラーさんは今度、僧院長に近づきました、彼は娘さんを兩腕で抱え込みました、アムブローズは、も一遍彼女のお尻を堀ることにしました、彼は一物をベラーさんのお鉢へ押込みました、と彼女の躰内のぬくみは此上もなく彼を恍惚とさせました。

今度定められた三人の位置に依つて、僧院長の口はベラーさんのおかいちよと水平になりました、そこで、彼は速刻その唇を着けて、濕ぽつたい彼女の裂目を吸ひました。

だが、彼の興奮はこれだけで滿足出來ず、彼は美くしい娘さんを引寄せ、その膝の上に跨がらせました、そして、はち切れさうな一物をあたふたと彼女の柔かい下腹に突込みました。

ベラーさんは、かうやつて二人の情火の中でとぼされて居ります、彼女のむつちりしたお尻に加へられる、ものすごい師父アムブローズの猛襲は、僧院長が反對の方向から與へる攻擊と混同して、倍加されます。

兩人は情悔の喜悅に浴して一様に恍惚となつて居ります、彼等はあらゆる歡樂を試み、その快感に自己を忘却して居ります、一方彼等の犧牲者は、彼等の腫れ上つた一物で、前後兩門を貫かれ、歡喜にうごめく彼等に依つて、輿に乘つたやうに中空に支へられて居ります。

玆に又、若いベラーさんの愛撫を待つて居る人物があります、外でもありませんそれは强壯なクレメントです、彼は同僚達が揃つてベラーさんをとぼし掛けた時、まて暫しもなく、燃るやうな情慾にそゝられて、いきなり僧院長の背後から、寢臺に飛び上りました、そして可憐なベラーさんの頭を捉へて、その紅唇に焼けたゞれたやうな一物を押着けました、それから力を込めて、その先端を口中へ入れ掛けました、せまい一物の先端の孔からは、先走りの水が既にぬめぬめと流れ出して居ります、それはベラーさんの可愛い口唇を濡しました、彼は娘さんに命じて、長いシヤチコバツタ一物の胴中を柔々とした彼女の唇で擦らせました。

兎角するうちに、アムブローズは、前門から押込んだ僧院長の一物が脈を打ち始めたのを觸覺しました、僧院長の方でも、後門でやりくりして居る同僚が、そろ〳〵氣の遣きかゝつて居る様子を見て取ると、玆に兩人相和してドク〻〻〻〻と今迄の溜淫水を前後から、ベラーさんの躰内へはぢき込みました。

三僧の中で、先づ誰れが最初に氣を遣つたかと申しますに、それはクレメントでした、彼は、アムブローズや僧院長に先立つて、逸早くドク〻〻と出してしまつたのです、その布海苔のやうな淫液はまるで驟雨のやうに、シユツシユツと音を立てゝベラーさんの咽喉へはぢき込まれました。

アムブローズはその次を承けて、彼女の脊にシガミ附くや否や、勢ひよく、ドク〳〵ツとお鉢の中へやつて仕舞つたのです、それと同時に、僧院長は、甘露を彼女の花心に降り注いだのであります。

斯く三人に取り卷かれながら、ベラーさんは、相手の混合した淫汁を其の身に歡受したのでした。

（第三夜終り）

續淺草裏譚（二）

石角春之助

（五）洗髮のお六

淺草女として變つた女は、隨分少なくないが、其の中でも洗髮のお六などは、可成り面白い女であつたらしい。

洗髮のお六は、天保年間仲見店二十軒茶屋の稻屋と言ふ家の茶汲女であつた。が、馬鹿にあざつぽく、當時の大衆共の精魂を宇宙天外に飛ばせたので、とても大した評判であつた。

殊に彼女が銀杏の影に、みすぼらしい葭簀の下に、丈なす黑髮をだらりと後に垂れ、女房姿でしんぼり立つてゐる時など、とても堪らない程美しかつたものだ。何故彼女の洗髮が美しかつたかと言ふに、彼女の顏が、くつきりと白く、而かも、歌麿などが書きそうな瓜核顏であつたからだ。全くお六は洗髮の儘ゐると、とてもあざつぽく、一層引き立つたものであつた、だから彼女は自分の特徵を知つて、よく洗髮の儘でゐることがあつた。

しかし、一說にはお六の髮が、衆人に優れて美しかつたので、洗髮のあざ名をつけられたものであると。しかし、彼女は多少變態的な性格を持つてゐたものゝように考へられるので、特にそうした變體的な手段を撰んだものではなからうか。少くとも彼女が、衆人に優れた美人であり、大酒飮みであり、奇拔なものを欲したことは事實であつた。

此の外にも茶汲女として、有名な者が澤山あつた。例へば明和年間の銀杏娘の如き、天保年間の武藏屋のお房の如きは其の代表的の美人であつた。

殊に銀杏娘の如きは、「なんぼ笠森お仙でも銀杏娘にやかなふまい」と唄はれた位ひな女であつたから、慥かに美人であつたに違いない。

兎に角、奧山の水茶屋女は、淺草女としては、先づ一番古い、そして、昔の淺草女を代表する美人であつたことは事實である。が、しかし、水野越前守の改革で水茶屋女は總て女房風に拵らへてゐたので、餘りぱつとしないものであつた。そして、後年の女茶屋は、多く商人その他の集會場となり、簡單な宴會場となつてゐた。最も葭簀を張つた腰掛茶屋は、參詣人相手の茶屋であつたことは言ふまでもないが、假小舍を構へたものは、女が極く内密に、人知れず稼ぐとか、又は集會塲とかであつた。

第一章　揚弓場と射的場の女

（一）　揚弓場の矢取女

奥山の水茶屋女が、稍々下火になり、だん〱と衰微して行くと、此度は揚弓店なるものが生れ、而かも、そこには矢取女と稱する艶かしい白首がゐて、妙な眼附きで、甘い男を盛んに呼び込むようになつた。そして、それは恰も大正時代に於ける千束町の魔窟のように、表面こそ揚弓塲であるが、その實本職の揚弓の方は、どうでも好いのであつた。だから事情を知らない者は、すつかり見當がはづれて了つたのであつた。言ひ換ふれば、そこの的は、黑星にあらずして赤星であつた。その赤星を射止める爲めに、當時の若衆は牛に似た口元をして、せつせと通つたものであつた。

偶々眞面目臭つた團藏が、黑星を射止めんものと、小つぼみな弓を張つて力むのであるが、すぐそばに、くつきりと白い鮮かな赤星が意味あり氣な表情で、時々睨みつけるので、黑星を睨ふ目玉が、何時の間にか赤星に替り、遂に見當を失ひ、とてつもない處を射止めるので、彼等が弓を張つてゐる時は、とてもおつかなくて寄り附けたものではなかつた。

殊に甚だしい矢取女になると、甘黨が一生懸命で弓を張つてゐる時、本當に赤星を見せるので體がしびれ手が慄え、それこそどこへ飛んで行くか知れたものではなかつた。

兎に角、揚弓場の女は、明治の中期頃から生れた新聞雜誌縱覽場の女や、銘酒屋女邊りと、同じ性質を有する密娼であつた。密娼と言つても今日と異なり、其の取り締りが、最も緩まんであつたので、明治七八年頃から、同三十五六年頃までは、五區の二十八軒と、六區の二十八軒とがあつた。

そして、矢取女と稱する者は、前掛けこそかけてゐたが、常にぞろりとした服裝で、偶に矢をとりに行く時があつたとすれば、眞つ赤な腰卷きをこれ見よがしに、ちらつかせ男の心を思ふ存分ひいてゐた。

それも其の筈である。彼女等は矢取女が專門でなく、他に世界的な學理の發見を賣り物にしてゐたからである。其の學理の發見を衆人に知らしめる爲めに、彼女等は表へ飛び出し若い、そして甘そうな男と見たら、いきなり首つ玉に噛ぢり附き「よう、寄つてらつしやいよ、旦那よう」と引きたぐつたものだ。だから鼻の下が二本に見える男など、力も勢も盡き果て「よせよ、よせつたら」と抑せどもへせども一向動かず、いかな甘黨もこれには閉口、本陣差してエッサ〳〵と乘り込んだものだ。

全く何年の世でも、弱き女の魅力の絶大なことには變りがない。二人力三人力を鼻にかけ、矢鱈喧嘩を吹かけるきび〳〵した江戸ッ兒のお哥兒さんが、十五や六の鼻垂れ娘に、二の句がつけないまでに、ぎゆう〳〵と、とつちめられることは、今も昔も變りがない。

とりわけ明治中期頃の淺草女には、可成り腕のさえた者が少なくなかつた。其の一つが揚弓場の矢取女、その二が新聞縱覽場の女、（銘酒屋女を含む）その三が大弓、室內射的、投扇、球戯場、吹矢場等の女であつた。

（一一）新聞雜誌縱覽場

新聞雜誌縱覽場と言へば、何んとなく高尚な、而かも、今日のミルクホールを思はせるが、其の實十二階下の魔窟と、內容實質を同ふし、變んてこな女が、襟足許りくつきりと、白く彩どり「チユー〳〵」とさへづつてゐたが、決して忠ではなかつた。大不忠者の集合所であつた。

此の種のものが、淺草に出來たのは、明治二十年頃のことで、所謂銘酒屋の一變形で、客を惹く一つの策略に過ぎなかつた。

だから常時は、隨分滑稽なことがあつた。ルビの振つてある新聞雜誌が、皆目讀めない客が飛び込み、一かど讀めそうな格好で、新聞を逆さに讀んだと言ふような、今日から見れば、寧ろ不思議な位な藝當を平氣でやつてゐた。

最も新聞などは、どうでもよかつたのである。それは客が平氣で這入れるまじないに過ぎなかつたのだ。逆さに讀まうと、橫に讀まうと、そうしたことは、一向頓着はなかつた。言ひ換ふれば、文字を解しなくとも十二分に用を達することが出來たのであつた。

かうした形式のものは、殆ど明治の末期まで殘つてゐたが、大正になるとこんな紛らはしいものは、一切廢止され大平らに、而かも、外まで出張して、無理矢鱈に引づり込んだものであつた。少しまご〳〵してゐようものなら、えつさよつさで、ほり込まれたものであつた。

兎に角、新聞縱覽場の光景は、今のミルクホールの裝置と、似通つてはゐたが、しかし、當時のことであるから、隨分不自然なものがあつた。一脚の卓を置き、それに變んてこな椅子を四五脚も並べ、卓の上に當時の新聞なり、雜誌なりを置いて、自由に縱覽に供することは、今日のミルクホールと同じだが、壁とか柱に熨斗進上の繪を澤山貼りつけてゐたことが、如何にも不釣合であつた。それから當時盛んに行はれた「シキ」のことであるが、これに付いては、何れ項を改めて述べることにする。要するに、新聞縱覽所は、新聞雜誌をエサに客を惹くのが手段であるから、若し間違へて這入つたとしても、それは過失として許して吳れなかつた。金がなければそれまでだが懷中物が、豐富と見たら腕力に訴へても中の間へ通させねば置かなかつた。

それから當時は、必ず女將が猫なで聲で、交渉談判をやつたものであるが、明治の末期になると、女其のものが、各自に交渉を試みることに變化したのであつた。

（三）矢場から射的場へ

前にも言つたやうに、奥山の水茶屋女の全盛を除々に、引き繼いだものは、先づ揚弓場の女であつた。揚弓場は大正に至るまで、昔の奥山邊に二三軒慥かにあつたやうに記臆してゐる。ちよつと古風な、奥床しい家であつた。

兎に角、奥山時代には、揚弓場のことを「廿八軒」とも言ひ、又「並び」とも言つてゐた。何故、廿八軒と言ひ、並びと言つたかと言ふに、それは軒數が、廿八軒であり、而かも、其の二十八軒がずらりと列んでゐたから、誰れ言ふとなく、さうした俗語を用ひるやうになつたのであつた。

揚弓場は銘酒屋の祖先とも言ふべきものであつたが、しかし、矢取女なる者は、銘酒屋女と異つて多少見識と高尚さを持つてゐた。同じように節操の切り賣りをするにしても、そこに多少の隔りがあつた。今日で言へば、それは恰度藝妓と、淫賣婦との差異であつた。一方は公然であり、露骨であつたが、他方は不公然であり、内職的であり、多少そこに高尙味が殘つてゐた。

現に矢取女は、自分から惚れた場合は兎に角、でなければ初會の客を夜の客に早替りさせるようなことは、殆ど稀れであつた。しかし、實質は肉の切り賣りであり、節操の分割であつた。言ひ換ふれば、揚弓場の女は、銘酒屋の女よりも、其の節操の値段が高級であり、有りがた味が多分に含まれてゐた譯けである。

兎に角、物質文明は、獨り揚弓場の女許りでなく、總ての女の節操が、安價になり、卑劣になつて行くことは、爭へない事實である。現に水茶屋女の全盛を享け繼いだ揚弓場の女にしても、多少そこに下落してゐることは、何人も疑はない處であり、而かも、それが銘酒屋女になつて、一層下落したことは、明かな事實である。

そして又、同じ銘酒屋女にしても、新聞雜誌縱覽所のあつた當時と、今日の銘酒屋との間にあつても、多少そこに下落の事實が存してゐることであらう。

殊に矢場の女は、兎に角にも矢返しと言ふ本職があつた。從つて變んてこな處の切り賣りなどしなくとも、生活には別に差支へはなかつた。しかし、揚弓の下手なお客が、彼女のお尻を射止めようと、腕によりをかけて、執念深く絡みついて來ることなどに、怖れてゐるようでは、本職の方も勤まらなかづた。要するに「させそうな奴で」男を釣ることの腕が必要だつだ。當時の唄に「矢場の姐さん破れから傘よ、どんがらがんさせそうな奴でさせぬ、どんがらがん〳〵」と言ふのがあるが、これは當時の彼女等の事情を唄つたもので、其の實際をよく穿つたものである。

處が世の中が、だん〳〵せち辛くなり、忙がしくなつて行くに從ひ、そうしたまどろしい思はせ振りに滿足してゐることが、如何にも時代錯誤となり、迂遠になつて行つたので、てつとり早い銘酒屋が、そして、新聞縱覽所がもてはやされるようになつた爲め自然に、衰へ明治三十五六年頃になると氣の早い者などは、矢取女にあいそをつかし、銘酒屋女になり下る者が出來、而かも、矢場の主人は、矢場を廢すると言ふ有樣であつた。言ふまでもなく矢場の女が衰へたのは、思はせ振りで男を釣つて居たことである。最も流行の衰頽も一つの原因には違いがないが、時代が安直な戀を强ひ、時間的經濟を尊はせたことが、其の主なる原因であつた。

かうした原因で、矢場の女は、脆くも銘酒屋女に敗北し、吸收された結果、明治の末期には、殆どその影を絕つに至つたのであつた。

處が此度は、これに代ふべき遊戯が頭を擡げ出した。が、それは言ふまでもなく、時間的經濟と思はせ振りとを廢したものであつた。卽ち女を離れ遊戯其のものゝ享樂から來る射的であつた。最もこれは明治二十五六年頃から、室內遊戯として流行し始めたものであつたが、それが一般的に流行し始めたのは、揚弓が稍々下火になり、衰頽し始めた頃であつた。今日尙ほ射的が、萬年流行をつゞけてゐるのは、出來そうな奴と言ふ野心を離れ、自己の優れた技倆によつて、勝負せんとする自惚れ心の滿足と、競技から來る快樂が主になつてゐるからである。

最も今日と雖、淺草の射的場には、あか拔けのした美人が、男の心をそゝつてはゐるが、しかし、それは出來そうな奴を前提とせず、單なる飾り物で、結局射的の副產物としての看板娘に過ぎない。

現在六區に射的場が何軒あるか、調べて見ようと思ひながら、まだ調べて居ないが、興行街の裏手だけでも二三十軒は慥かにある。が、千束町の魔窟が全盛を極めてゐた當時から見ると、過半數に過ぎないであらう。

射的場女の變つた艶種の持ち合せが、目下の處ないので、これで本項の結末を告げよう。

（四）二人の男を手玉にとつた女

何年でもそうであるが、顧客を相手にする女は、溫和なよりもはき〳〵して、男の急所を確乎り握り、厭や應の言へないまでに、とつちめる女の方が、却つて歡迎され喜ばれるものである。殊にそれが淺草のような大歡樂境に於て烈しく、而かも、溫和を以て貴しとされた昔に於て、それが反對に喜ばれたのは、不可思議千萬なことである。

最もそうした女を覗ふ男の心が、多少變態になり、溫和な從順な女では、あき足らなくなつてゐることも、動かすべからざる事實ではあるが、それにしても妖婦らしい女が、喜ばれることは不思議な現象である。

現に今から書かうとするお樂の如きは、慥かに其の一人である。

お樂は奥山の「並び」に、山樂と言ふ矢場を出してゐた女であるが、或一說によると、彼女は普通の矢取女の如く書かれてゐるが、或老人の說によると、山樂と言ふ矢場を自分で持つてゐたと言ふのである。が、しかし、そんなせんさくは、此の場合どうでもよいことである。

兎に角、お樂が男を手玉にとり出したのは、明治四五年頃のことであつた。彼女は無論美人であつたが、男を二人までも過らせただけの女であるから、どことなしにとぎ〲した妖婦らしい處があつたと言ふのだが、しかし、それはどうだか、大いに疑はしいものである。何故なれば大抵の人が先入主で、妖婦式の女に强ひてしたがるものだ。少し悪いことをすると、直ちに妖婦らしい顏にする。殊に昔はそれが一層著しかつたものである。

何れにするも、お樂は一風變つてゐた。男の選擇に付いても普通人とひどく變つてゐた。職人や番頭以下の貧的な男には鼻も引つかけなかつた。が、金の豐富な男と見たら、假令それが六十爺であらうが、乃至は叉啞であらうが、聾であらうが、そんなことには、一向頓着なかつた。

處が彼女に對し二人の競爭が、突如として現はれた。其の一人は、淺草松葉町の某寺の住職だつた。他の一人は日本橋横山町の上州屋と言ふ紙問屋の老主人だつた。

此の二人が戀を競ひ、黄金の力の强弱を爭ひ、お樂の許へ代り替りに、無理さんざんの金をえつさよつさで、旺んに持ち込んだのだつた。かうなると女の方は、名前が示すように甚だお樂であるが、二人の男はお樂處か、とても苦痛だつた。戀する女の元へ運ぶ金は、決して惜しくはないが、其の金を調達することは、全く苦痛であつた。それでも初めの裡は、どうにか胡麻化したもの丶、それが度重なると、だん／＼と苦しさが増し、どうにも胡麻化しようがなくなつた。そうした二人の苦痛を、お欒は知らない譯けではなかつたが、元より惚れた腫れたで、身を任したのでないから、度膽をすえ取れるだけ、しぼれる丈けしぼつてやれと決心してゐたのであつた。けれども、自分を買ひ被ぶつて、連中は已れに／＼と自惚れ、男の意地で、どうにもならなくなるまでつぎ込んだのであつた。

だがらその結果は、先づ住職の方が致命傷を受けた。と言ふのは、住職としての職權を亂用して、大なる借財をしたことが、遂に露見し某寺から追ひ出されたのであつた。住職が追ひ出されると間もなく上洲屋は破産したので、此の勝負は、つまり預りと言ふことになつたのである。

ではお欒は、しぼりあけた金をどうしたかと言ふに、それにはさま／＼な用途もあつたであらうが、當時の俠客達がお欒から、多少援助されてゐたと言ふことであるから、多分そうした方面に支出したらしい。が、しかし、それにしても下つ端の若い者の煙草錢に消費されたもの丶如く言はれてゐる。

兎に角、お染は餘程變つた女であり、俠客的な肌合ひの女であつたことは、疑はれない事實である。

（六）親子で戀を競ふ大弓屋

色と戀とが鉢合せするような淺草には、さまぐな艶種が、惜し氣もなく轉がつてゐる。私はそれを時折り拾つて、パンに替へるのであるが、全く吾が淺草には、とろけるような甘い戀物語りや、そして、それを絡む男女の葛藤が、絕えず演じられてゐる。

これは少し毛色の變つた大弓場の女主人、並に其の娘に絡まる戀の爭鬪であるが、當事者の名譽を尊重し、特に假名を用ひることとし、假に母親をAとし、娘をBとして、話を進めることにする。

Aは目下表向きだけは、獨身者であるが、其の實質に立ち入ると、驚くべき淫蕩生活が營まれてゐる。しかしながらその內容は、世間に有り觸れた男狂ひに外ならないので、今更らしくべんぐと書き立てる要もないが、其の娘との競爭的な、醜いあつれきは、全く驚くべきものがある。

例へば母親が、新たな男をつくると、娘は常にそれを羨ましがり、「お母さん、とても好い男ね」と考へ込む。Aはそれを好いことにして、「全くいゝ男だらう」と微笑む。

「本當にお母さんは好いね、あたし詰まらないわ」と元氣なく頭垂れる。

「お前だつて好いぢやないか、Cちやんが附いてるぢやないか」

「あたしあんな人、大嫌い」

「どうしてさ、あんなに惚れてたぢやないか」

「嘘よ、あんな人になんか惚れやしないわよ」

「ぢや、勝手におしよ」

「えゝ、あたしだつてこしらへるわよ、お母さんになんか負けやしないわ」と娘は涙ぐむ。

かうした會話が、母と娘との間に、とり替はされてゐるなど、何人も信じ切れないであらう。が、しかし、それが實際に行はれてゐるのであるから、全く言語道斷と言はねばならない。如何に無智文盲とは言へ、世間の一等國を誇る我が國民に、かゝる不倫の婦女子のあることは、誠に歎ずべきものであるなどと、人道主義者の言ふようなことを書く必要はないが、それにしても階級を異にする社會には、かうしたことを平氣で言つてゐることを先づ知つて置く必要がある。いやそれよりも更らに驚くことは、子女を養育する重大な責任のある母親が、娘と戀を競ふ爲めに、男のせり合ひをしたり、而かも、娘が新たな男をつくると、「又こさへたよ、本當に、癪に觸る」とやつきになり、此度は母親が燒き出すと言ふ、全く畜生にも劣つた母親があるのだ。

かう言ふ場合に、

君に王上の天なくば

我れ出頭の天たらん、

などの最も古臭い、十世紀頃に流行した徽だらの艷文でも送つた日には、先方から乘り込んで來るそうだ。そして、娘の方は報酬を支拂はないそうだが、Aの方は勞力に對する報酬として輕少ながら差しあげると言ふそうだ。しかし、それは餘り當てにはならないが、兎に角、親子が戀を競ふ場合は、時折り大した權幕で言ひ爭ふことがあるそうだ。(知人某の話)

第四章　淺草女藝人の內幕

（一）　淺草女藝人の變遷

明治十七年の公園地改正までは、奥山の見世物と言つて、觀音樣の眞後ろの五區の地に、さま〳〵な變態見世物があつたことは、前編で述べた處であるが、其の後六區に引移ると、間もなく元のような見世物を觀せることになつたが、しかし、だん〳〵と其の內容が、充實し變化して行つた。

殊に明治の中頃になると、毛色の變つた見世物を出すようになつた。例へば印度人の寄藝の如き、支那人の奇藝の如き、在來ありふれたものでなく、兎に角眼新らしいものを見せるようになつた。そして、それと同時に、江川亀吉なる人が、太夫元となつて、江川一座を組織し、球乘り輕業曲藝を演ずるようになつた。しかし、多くは少年小女で、四五歲から十二三歲のいたいけな子供であつたから女藝人の變遷史を飾るものではない。

けれども、明治の末期になると、それが番茶も出花と言ふ年頃の美女に變り、例のでかいお尻を振り〳〵、跨のつけ根の太さを衆人の前にさらけ出し、これ見よがしの活躍振りに、大衆達はすつかり、神經衰弱を起した。殊に肉體美のでか〳〵と太つた妙齢の女と、男とが「ハッショイ、ハッケー」で角力をとつてゐる時などの緊張振りは、舞臺よりも桟敷の方が、慥かに見ものであつた。

それから例の女劍舞の流行、續いて娘義太夫から、娘浪花節へと進み變て、それ等が下火になつた頃、郷土藝術と銘を打つ出雲の百姓踊から、富山の盆踊りに變つて來たのである。が、何にしても女のやることは、偉大なるものがある。總てを征服する力がある。殊に安來節の如きは、こゝ七八年間淺草の所謂民衆藝術の全部を征伏してゐる。

（一）　淺草の女浪花節

一體浪花節の起源が、歌祭文か、デロレン祭文かと言ふことに付いては、多少疑ひがあるが、要するにこれ等の何れをも其の起源と言はねばならない。しかし、そんなことは、此の場合何んの必要もないことであるから、特に淺草との關係に付いて少しく述べることにする。

兎に角、明治三十五六年頃までは、淺草や其の他人盛りのする處で、一錢二錢を貰つて、長々と喋舌り立てたものであつたが、同三十九年になると、突然一心亭辰雄を中心とする伊藤痴遊の浪花節研究會が出來辯護士連中の後援で、浪花節獎勵會なるものが生れ、機關雜誌を發行する。新聞では提灯記事を書かせると言ふ。とてつもない勢ひになつて來た。だから其の結果は一も浪花二も浪花節と言ふ光景で、東京は言ふまでもなく地方でも、可なり熱心な浪花節愛好者が出來るに至つたのであつた。

其の主なるものは、辰雄、三叟、鶴重、辰燕、清風、大夢、圓車、樂遊、盧辛、重勝、峯吉、勝太郎、清吉、嘉市等が大幹部であつた。が、それから間もなく楽燕、錦、虎右衛門、虎之助、虎好、虎丸、燕平、重松等の人氣者を出すに至つた。殊に武士道を以て立つ桃中軒雲右衛門の番外なる人氣を持つ若手が生れるに至り、明治の末期から大正の初期は、恰も浪花節の獨專舞臺の感があつた。が、しかし、これ等の詳細なことは、後日の稿料に讓り、こゝでは淺草の浪花節のことを一言するに止めて置く。

淺草出身の浪花節の古い處は、何んと言つても女雲右衛門と山本松子であらう。此の二人は義姉妹である。卽ち松子は淺草田島町の女髮結ひ山本某の長女であるが、女雲右衛門は同家の「手すき女」であり、養女であつた。

二人とも可なり有名な女であるが、しかし義姉は義姉だけに、女雲右衛門よりも、しつかりした處があり、而かも、どこか義妹よりも甘味があり、捨てがたい味がある。

それから今一人、淺草が産んだ天才的女浪花節がある。それは淺草田島町の、丁度帝京座前の八百屋の裏手に住んでゐた大正と言ふ大工の娘の藤原淺子である。今日では虎女と言つて虎丸の高弟であるが、今から四五年前までは、藤原淺子を名乘り、關東での人氣者であつた。が、今は彼女の弟子が二代目藤原淺子を名乘つてゐる。

此の外にも淺草出身の女浪花節屋は少くないが、餘り面白くもないことであるから、これ丈けで、とどめを刺して置く。

（三）淺草の娘義太夫

淺草で娘義太夫が流行したのは、明治末期から大正へかけての約十年間であつた。殊にパテー館に、たて籠つてゐた當時は、其の中での全盛期であつたらう。最も明治時代は、女よりも男の方が多かつた。が、大正四五年になると、急にどか〳〵と女の方が增えて行つたのであつた。

そこで此度は、淺草と娘義太夫との關係であるが、それは全く密接な關係を持つてゐる。と言ふのは、其の全盛時代には、江戸館や、パテー館が常設になつてゐた爲めに、は一時は淺草娘が其の熱に浮かされ、われもわしもで、弟子入りをする者が多かつたからである。

そこで幹部處は、內職稼ぎに自宅敎授を始める。お座敷稼ぎをすると言ふ景氣であつた。

最も浪花節程の勢力はなかつたが、それでも同好の志が、可なり根强い熱に浮かされ、ヤンヤヤンヤで騒ぎ立てたものである。しかし、それは結構なこととしても、若い目鼻立ちの好い處が美人薄命に泣くとかなんとかで、急に聲がつぶれて、どうにも聞いてゐられない者が、時たま出現するのであつた。聲が急につぶれる原因に付いて、今こゝで多くを言わなくとも、旣に御推量のこととは思ふが、兎に角、美人薄命の結果、お座敷稼ぎが度を過ぎると、飛んでもない病氣がくつつき憑て咽喉に影響を及ぼすことになるのである。が、パテー館時代に、竹本艶子と言ふすんなりした姿勢美の女などは、慥かに其の一人であつた。

彼女は出憎くなつた聲を無理に出そうとして、懸命になるのであつたが、懸命になればなる程一層ひからびて了ふのであつた。私はそうした傷々しい光景を見るに聞くに堪えないので、何時でも腑向いたなり、次を待つのであつた。しかし、彼女は慥かに美人であつた。

兎に角、私は義太夫黨であるから、學生時代にもちよこ〳〵、聞きに行つたものである。が、震災前から、賣り出し始めた竹本松重と言ふ小柄な丸々とした眼の細い可愛らしい娘が、失戀した戀人に似てゐると言ふ處から、ひどく好きになり、彼女が出演する場合は、必ず出向いたものである。

しかし、「出來そう奴で義太夫好きになり」と早合點されては困るが、兎に角、處女のような氣持ちで、一人で彼女を愛してゐたのだつた。其の僻一度も會つたこともなければ、話したこともない。

大抵の人は彼女よりも、姉の松榮の方が美人だと言つてゐる。慥かに妹より華かである。

彼女等は傳法院前の大黑家と言ふ天ぷら屋の裏手に、父母と共に定住してゐたが、今はどこに居るか、さつぱり消息を知らせて來ない。名も知らぬ男の處へどうして知らせて來るものか、第一彼女等は、父母の秘藏品で、彼女等の爲めには、どんな犧牲を拂つても構はないと言ふ娘孝行の父母が、嚴重なる監視を怠らないのだ。因に父親は易者である。

それから今賣り出しの竹本文子と言ふのがある。文子はまだ二十ちよつと出た處で、年は若し顏は天女すつくりのように美しいし、おまけに男のゐる國に住んだことがないと言ふ藝人として稀れに見る有りがたい娘であるので、同好の志が恰も女神の如くに、崇拜してゐる。が、果して崇拜の價値があるかどうか、主治醫でない限り、保證の限りでない。最も人氣娘であるだけに、三拍子も四拍子も揃つてゐる。これぢや、全く鼻毛の長い男が、やんや〳〵のお祭り騷ぎをするのも無理もない。

彼女は狸屋横町の小倉家の一人娘である。小倉家は義太夫や、俳優の定紋入りの菓子を製造してゐた家の屋號である。

狸屋横町の由來や、場所等は淺草變態横町調べの部で書くことにする、面白い女としては、竹本芳子である。芳子は本名を保野部芳子と言ひ、父は樂燕の番頭で、母は坂田菊子である。彼女は團子の弟子で、今日では相當人氣者となつてゐる。

それから今一人、面白い女がある。それは竹本富江と言つて、昔食しよう新道で煙草店を出してゐたこともあり、又左褄をとつてゐたこともある女で、とても面白い女である。彼女の姉も矢張り義太夫語りで、竹本富之助と名乘つてゐたが、相當人氣のあつた女である。

(四) 安來節の江戸輸入

安來節が出雲から由來したことは言ふまでもないが、何年頃東京へ輸入され、普及されたかと言ふことは、何人も的確な判斷するに躊躇するであらう。

現に私にしても何年何月何日と言ふ細かいことの記憶は殘つてゐない。が、何んでも大正六七年に、出雲のお糸と言ふ可なりの婆さんが、常盤座へやつて來て、感傷的な聲を張りあげたのがそも〳〵安來節が、東京全市を風靡する動機であつた。

處が其の當時は、まだ安來節を普及させるに適してゐなかつたので、大した人氣はなかつたが出雲にはこんな唄があるのかと言ふ考へを東京人に植え附けた譯けである。

それから萬歳女の種春と言ふ肉體美の女が、あいの手に安來節を入れるようになり、又其の他の女藝人が出雲お國の眞似をするようになつたので、何時の間にか、江戸ツ兒の頭には癇高い感傷的な安來節が、こびり附き遂に、大衆を征服するようになつたのであつた。だからお糸が再び淺草へ舞ひ戻つて來た時は、破れるような人氣で迎へられたものであつた。

それからと言ふものは、あちらにもこちらにも恰も雨後の筍の如く簇生し、大衆藝術とからを標榜する淺草の興行町は、安來節の流行で、すつかり占領されて了つた。

殊に今日では大盛館、帝京座、御園劇場、凌雲座、第一劇場、音羽劇場の六つの劇場が、三百六十五日空きもせず空かれもせず同じことを繰り返へしてゐるのであるが、全く安來節許りは萬年流行の力を持つてゐる。

どんなに不景氣でも、亦どんなにしけを食つた場合でも彼女等が、大口をあけ親不幸聲を張りあげておれば、それで大入り滿員であり、大衆共は、十二分の滿足を爲し「あら、えツさサ」と感激しかん聲を發するのが常である。

殊に喜劇界の人氣男、曾我廼家五九郎クンが、帝京座を經營してゐた當時は、安來節の全盛期で、其の白熱的な人氣は、とても大したものであつた。とりわけ熱烈な安來節黨は手の舞ひ足の踏み處を忘れ、「あら、いつちやつた」で棧敷は湧くような騷動だつた。

今日でも常規をいつした安來節愛好者はないではないが、しかし、當時のような上かん的な狂態を演ずる者は、殆ど其の影を沒したようである。

(五) 安來節女の生活

何故に安來節が、東京人の御意に召したかと言ふに、これにはさま〲な理由があるであらう。が、其の主なるものは、先づ第一に刺激を好む都會人に、ふさはしい癇高い、感傷的な、ときとぎした刺すやうな、鋭い聲色の安來節で、適當してゐることである。そして、其の僻、どこかしら色つぽい處があり、輕い魅惑的要素が、含蓄されてゐることである。

第二は低級ではあるが、肩が張らず輕いユーモアか加味され、而かも、誰れにでも解ると言ふことが、民衆達の要素に適してゐることである。

第三は若い女が、眞赤な蹴出をちらつかせ、眞白な脛を惜し氣もなくあらゝに出し、跳ね廻り飛び廻ると言ふことが、若い觀衆達の感情をそゝるに充分であることだ。

第四は「出來そうな奴で安來節好きになり」の連中の好奇心も亦、其の理由の一つである。がしかし、案外出來ないのには、時の業平も粹人も焦れつたがり、自暴に金許り費つてゐるのをよく見受けるが、全く今業平程始末の悪い者はない。

女と見れば誰れ彼れの容赦なく、「出來そうな奴……」で判斷し黄金の偉大さを見せびらかしてゐる。が、しかし、彼女等の生活は、案外平凡で、今業平が考へてゐる程、發展家でもなければ妖婦でもない。最も色男の一人や二人位ひは持つてはゐるが、しかし、それは出來心で、黄金の前に屈服したものではない。

大抵の女は、生家が餘り豊でない爲めに、嫁入り仕方の積りで、出稼ぎにやつて來るのであるが、其の中には興行者との間に契約が結ばれ、何年かの年期を定め十四五から、飛び出して來てゐる者も案外少なくない。が、多くは親の爲めとか、又は自分の爲めに、一儲けやらかさうなどと太い根性を出してやつて來るのである。けれども、故郷遠く離れてゐる中には、何時の間にか好きな男が出來る。面白くなつて來る。殊に四五年もゐると、土臭い男より、てつとり早く仲間の男と、共に白毛が生えるまでなんつて、粹な場面を地で行くのが常である。少くとも幹部處は、それ相當な男を持つてゐる。

だから今業平が、逆立ちの藝當をやつた處で、「すうちやん」のお許しがない以上、どうにも格好が附かないではないか。第一そんな忌はしい藝當をしなくとも、幹部處になれば、百圓以上のお給金に預かれるではないか。つまちないことを言ふと、「あたし藝術家よ、失禮な」と奴鳴るかも知れない。

だが世の甘黨諸君、「お座敷は此の限りにあらず」と言ふ但書のあることを喜ぶがよい。殊に幹部以下のヤモメ娘などは、えたりと許りに駈け出して來る。そして、腕によりをかけ、飲む。食ふ。最後にありつ丈けの鼻毛をよんだ上、後は野となれ山となれ、「あら、ゑつささ」で後をも見ずに、さつさと歸つて行く。

嘗つてかう言ふのがあつた。言ふまでもなく男の口元は、牛と兄弟分で、何時も唾が限りなくたら〳〵と垂れながつてゐる男だつた。しかし、彼は幸福なことに金錢にはひどく惠まれてゐた。

何時だつたか、月日は忘れたが、兎に角、今業平氣どりで、或る安來節常設館の特等席に納つてゐたのだつた。が「あら、ゑつささ」ですつかり上氣し、折柄やつて來る朦朧たる心理狀態に彼の頭は變則的に進展し、驅て人知れず女給の傍に寄り、先づ圓助を握らせ、お座敷交涉の任を依願し、其の足で淺草での大料理店に趣き、今や遲しと相待つ中に、漸く御降來ましましたは、指定の女と似てもつかぬデブ奴であつた。

それはまだ好いとして、「どうも濟みません、〇〇子さんは手拔けが出來ないので」と挨拶もそこ〳〵に、早くもむしやくしやとそこら邊りの物を頰張るやら、「あたし何々が好き」と勝手に女中を呼んで、勝手にお誂ひと來る。來れば何んの御遠慮もなしに、がつ〳〵始める。唄を唄へば地獄と間違へれる程の地響を起す。おまけに「何々さんに十圓あげて頂戴」と名差しの女へ十圓、

「あたしに十圓」これで二十圓、「樂屋の方へも十圓あげて下さい」これで三十圓の大金をせしめてさつさと歸つて行く、「あら、いつちやつた」とは、此のことである。

兎に角、彼女等は金儲けに來て居るのであるから、決して遠慮はしない。「とれる丈けとればよかんべえ」と言ふのが結論である。が、しかし、故郷を遠く離れ出嫁をやつてゐる彼女等としては、これが當然なことで、これ以上の義理や、人情を考へてゐたら、出稼ぎの目的は達しられなくなるであらう。

（六）安來節女のローマンス

安來節女のローマンスに付いては、可なり多くを聞かされたものだか、それは震災前のことで私が或講談雜誌の編輯を手傳つてゐた時のことであるから、今日ではすつかり忘れて了つた。が、しかし、梅吉のことは感心に覺えてゐる。

かう言へば、氣の早い連中は、變んな方面へ邪推するであらうが、決して惚れたの腫れたのと言ふのではない。彼女の運命が、餘りにも變化に富んでゐるからである。

兎に角、彼女は十八九の時、同じ村の若者と結婚し、子供まで產んだのであるが、突然夫が死んだので、離緣になり、其の後間もなく濱田で左褄をとる身となり、さん〴〵苦勞した揚句、某と結婚したが、其の某がどう言ふものか、不意に滿洲に飛んだので、彼女は夫の跡を追ひ、滿洲に渡つたが、こゝでも矢張り面白く行かないので、氣の勝つた彼女は、自ら進んで再び藝妓になつたのであつた。

處が夫が不治の病ひに倒れ間もなく異國の露と消えたので、彼女は一人淋しく濱田に歸つて來た。が、賴る處もないので、三度び左褄をとることになつたのであつた。そして、それからは結婚生活をすつかり思ひ切り、今尙ほ獨身生活を續けてゐるのである。

が、要するに彼女が、結婚生活を思切るまでには、可なり傷ましい經緯があつたに違いない。少くとも異國の端で、藝を賣つてゐた遣る瀨ない氣持ちは、憐かに同情すべきものがあつたに違いない。

梅吉は面白い女である。あつさりと、氣まへのよい女である。私が彼女を忘れないのも矢張り面白い女であり、淡白な、罪のない女であるからだ。梅吉は決して美人と言ふ程の女ではない。

しかし、どこかにあざつぽい處があり、男好きのする女である。

それから藝に特徴のある女としては、首振りのあざ名を持つ遠藤お直である。お直は目下大盛館に出てゐるが、首を振ることゝ、聲の好いのとで、可なり人氣のある女である。が、何時聞いても、「竹になりたや、初竹の竹に……」許り唸つてゐるので、聊か落膽せざるを得ない。殊に彼女が新らしい物でもやる時のやうに、見臺を置いて竹許り三百六十五日唸つてゐる處を見ると、多分ケンボウ性であるかも知れない。しかし、世の中はよくしたもので、お直の竹だけをわざわざ聞きに來る連中が、可なり少なくないさうだ。

處がこゝに可憐なる一婦人がある。それは目下帝京座に出演中の「つま子」と稱する婦人で、生年月日等の詳細は、不明であるが、兎に角大盛館時代に同僚のすんなりした（しかし淸元延子ではない。）女と言へば、其の道の者は、「あゝ、あれか」と肯首ける女の爲に横どりされ、目下悶々の裡に、失戀して御座るのである。

何んでも人の噂によると、男を乘りとつた女は、一升德利を轉がす位ひな藝當は、朝飯前だと言ふから、牛を馬に乘り替へたと思ふと、聊か手こづるであらうなどと、他人のことに心配する奴は、多分犬に嚙まれて死ぬ連中に違いない。

此の外にも可なり變つた女があるが、餘り單調なことであるから、それは後日のことにし、小原節女に付いて一言附け加へて置かう。兎に角、何んと言つても、安來節は下火である。そこの弱點に附け入つた連中が、こんどは小原節と腹を定めて、いつ早く初代萬龍を引きづり出して來たが、世間ではまだ安來節に未練が殘り、どうも今小原節へ鞍替へすることは考へものだと、盛んに首をひねつてゐて、執念深く安來節に執着を持つてゐるので、どうやら不成功に了りそうだが、しかし、今少し我慢することだ。其の中どうにかなるであらうなどと、淺草の興行界では頭痛病ひを起してゐる。全く小原節は、捨てがたい味を持つてゐる。私は正直言へば、安來節よりも小原節を愛する一人だ。物好きな私は、軈て小原節保存會でも始めるであらう。

そう言へば例の氣の早い連中は、多分二代目萬龍の美貌にでも打たれ、その爲めの御機嫌伺ひではないかと、心痛する人があるかも知れないが、しかし、其の心配する前に、先づ私の面付きを見ることだ。

何れにするも小原節は、まだ〳〵普及の餘地が澤山殘つてゐる。大いに腕を奮つて普及にと努力することだ。成功を祈つて置く。（以下次號）

日本小咄集成（その二）

▽

石のようなかたおやじ、むすめをよびよせ、コレひあわいでさきから、ごそ〳〵とおとがするなんじや見ておじやれ。むすめ窓からのぞいて、わらひながら、インヱなんでもござんせぬ。それでもあのやうにごそ〳〵おとがやまぬのに、らちのあかぬとしかりながら、窓からのぞいて、なるほどなんでもない。

▽

よたかそばきり、通り丁の軒下にやすんでゐる。内で女房の聲にてひそ〳〵ばなしする、をとこのましく、耳をかたむけてきけば、女房がいふよう、おまへ毛がなければないとてしなさらず毛があればあるとてしなさらぬとのいざこざ。そばきりやゝくうに氣がわるくなり、戸のすきよりのぞいてみれは筆屋。

▽

かけむかいの氣さんじは宵から床をとり、カ、アや、こん夜はしりの方からしやうではあるまいかといへば、どうでもすきにしなとうつむけになる。一物をやしたて、そろ〳〵入れかける。いんすいながれわたるぬらつきのひやうし、尻の穴へくもなくをしこみ、開としりとをたがいちがいに入れたり、ぬいたりたのしむと、女房、よしなよ、どちでもかた〳〵ばかりしなよ。ていしゆ、なぜ。いたいか。インヱいたくはないが開がよごれよう。

▽

おれはついにあらばちをしてみぬ。今どきしぶかはのむけた娘はいつのまにかむしが入る。むかふのむすめはじやみつらであれほどきたないむすめもない。あれはたれも手もつけまいから、あいつをわつてみやうと、あるときだましてよびよせ、むりやりにをしこかして、一物をやしたて、つばきものして、そろ〳〵と入れかける。あんにそういのいんすいわき出、くもなくねもとまでぬら〳〵。男きもをつぶして、テメヱはあらばちだとをもつたが、とんだひろいの。アイどなたもそうおつしやります。（以上「笑ひたけ」？）

▽

外宮權禰宜度會の神主盛廣、三河の國なる女を迎へて、妻にしたりけるに、かの女がつかいけるものゝ中に、筑紫の女ありけり。それを、この盛廣心にかけて、ひまもがなと、おもひけれども、たよりあしくてむなしく過ぎけり。あるとき、おもかねて、妻にむかいていひけるは、申につけて、そのはゞかりあれども、うらなく申さば、よそ心をき給はしとて、申いづるは、其筑紫の女、我にあわせ給へ、堪へがたくゆかしき事侍りといへば、妻答ふるやう、あながちに見め形のよきにてもなし。ふるまいごとからのすかれたるにもあらず。なに事のゆかしくて、かくはの給ふぞといへば、盛廣、いまだしり給はぬる。陰門は筑紫のつひとで第一の物といふなり。さればゆかしくてかく申ぞといひければ、聞て妻、世にやすき事也。されどのたまふことくなれば不定の事なり。男根は伊勢まらとて最上の名を得たれども、御身の物は人しれずちいさく弱くて、あるにかひなきものなり。筑紫の女のものもさこそあらむ。このこと思ひとまるべしといひたりければ、盛廣くちをとぢていふ事なかりけり。

▽

▽

あるなま藏人の妻のいと物ねたみする女ありけり。男あじきなき事におもひて、いかゞして此女にはなれなんと思ひけれども、さすがまたすぐ世つぎせねばながらへて過しけり。あること無ことにつきてさいなまれて年をおくりけり。男あんじめぐらして、龜をひとつもとめて首を引出て三四寸ほどに切てけり。紙につゝみてふところに入れかくして持ち、また妻とことをあやまちいさかいて互にさま〴〵にいひて、おとこいふやうは、せんする所、かやうの口舌のたへぬも是故こそとて刀をぬぎておのがまらを切るよしをして、懷に持ちたる龜の首をなげ出したりけり。血みどりなるものゝ三四寸ばかりなれば、そのものにたがはざりけり。妻あさましげになりて、おほかたの道理をこそ申つれ、是程ににが〴〵しう思ひとり給ふべき事かと、あきれて居たりけり。さて今は心やすらかにて、かのきれを引きそばめて立のきにけり。其後はしばしこの疵のあとやむよしして打臥てのみすごしけり。さて日のへて女つれ〴〵なりけるにはぬいといふものしてうすくまくり居たりけるを見れば、股の程に黑き布をまといたりけり。男あやしとおもいてそれなる黑きものはなにぞと問へば、おんなたごといひてとかく答ふることなし。あながちに問ひければ、さのみかくしはつべきことならねば、故人(こひと)の爲めにとこたへけり。その心を得ずして、こひとゝはなにぞと問へば、さは切て捨て給ひしこひとの爲めにいかでかは、こゝに喪服きせたるぞかしといひけり。めづらしかりけるそぶくなり。おもかげをしはかられてをかしうこそ侍れ。

▽

南部にまた一生不犯の尼あり。ついにあしさまなゐ名立たることもなくてやみにけり。りん終いかゞあらん。世にありがたきためしに人々いひける。ほどに病をうけて大事になりければ、善知識のために小僧一人讀して、念佛をすゝめければ念佛をば申、さてまらの來るぞや〳〵といひて終りにけり。一終か聞、ゆかしく思ひとりては侍れども心中にはこの事をかけたりければこそ終焉のこと葉もいひけん。何事もたゞ心のひくかたが善惡のむくいをさだむるなり。よく〳〵用意有べきことにこそ。

▽

山さき寶寺のなにがしの坊の許へ、京の旦那の方より物やるとて、童子してもておこせたり。その返辭するほど、そこにゐよとて文かきながらかためにに見やれば、十三四ばかりのほどにて、またきひはなるか、つまはづれいときよげなりければ、あはれよきものかな。これ布施ものにはたまはらんものをと思ひて、かへし書はてゝ、こちこ、是はたいへんとよりくるをひきとらへおしふせて、ものをもいはて、ひた／＼とつき入るゝに、おもはずの事なればとかくいなむべきひまもあらで、ねんじておもふまゝにさせぬ。さてぬきいだすをもまたでつとはしりゆきて、金椀（かなまり）に有ける水をつとうちのみていふやう、もしこの水のもるほどならば、御坊やはか、のどかにてはおきまいらすまじきものをといひける。わらはの意にはさもおもひけんもいとおかしくこそ。

▽

さみだれはれまなく、つれ／＼なりける雨の夜、なま上達部三四人うちよりて物語りするほどに、はて／＼はあらぬことゞもいひ出て、玉門の品定めになりにけり。その座に左馬介なにがしとて、わかき文章生のありけるが、さし出ていへるは、いかによき天骨ありとも四の具そなへざれば上品とはいひがたしといへば、かたはらなる人、四具とはいかにと、問へば、さればさふらふ。この四の名さふらへども等閑にはそしり侍らすとて、およひをかゞめて、ひとつにはこつぼ、二つには四方格子（よもかうし）、三つには端鰭（はたひれ）、四つにはざくろがへしとかきかぞへていひければ、みな人わらひのゝしりて、それが本據やあるとゝへば、すべて舊說なりとて、うちひどろぎてゐたりけり。

それよりこの書生をば陰門博士といひけるとか。きくわいのはかせも有けるかな。

▽

ある所に色好みの男ありけり。をとこといはず、女といはずあまりにすきありきけるほどに、はて〳〵は氣づかれ、身やせおとろへ行ければ、其比典藥のかみなりける和氣の基亮といへるものよびて病の有さま見せ、くすりのことなど問ひ聞けり。基亮みやくをさぐりうちまもりて云ひけるは、是はおぼろげの御病には候はず、とし月かさねしおこたりなるべし。文に考ふれば房事過度、腎虛火動なんと申症にて侍る。ようせずば御命にもおよぶほどのこと出こんすれといへばおほきにをどろきまどひて、さてものたまふことなれば、いみしき大事にはゞめれば、そはいかにしてか命いくる道のさふらふべき。なもやくしほとけ、病なんすくひ給へとなげきければ、いとほしくなりて、さらば、あが申まに〳〵なそむきたまひぞ。藥はいかにもまいらすべし。これつとめてきこしめて、さてつねの修養こそことにせんとする事にこそ侍れ。それが中にもかまへて房事をつゝしみ給へ。金櫃醫略といへる書には、春は三、夏は六、秋は一、冬はなしぞと見へさふらへ。是かならずわすれたまふな。このさだめにだにそむき給はずば、いかであやまち侍らんといひおしへければ、この人、物おもへるさまして、かしらうちかたぶけ物をもいはでいたりけるが、やゝ有てなまにぶ〳〵の聲していひ出けるは、おしへ給はることまことにうれしくかしこまりて候。かくまでありがたき御教悔いかでかそむきさふらふべき。さりながらこゝにひとつのなんぎのさふらふ。よいはや夢ばかりの手枕なりとも三はきても候べし。ほととぎすの一聲にあくるみじか夜にむつといへるさだめこそ候。いと術なくおぼえさふらふはいかにつかまつらんといひ出ければ、甚亮あきれて、いふべきことの葉もなくて、されば、しかさふらはんとてまかり出にけるとなん。甚亮かまのあたりかたりき。人わろければ其名もらしつ。（以上「逸著聞集」）

▽

駿河國田子の浦のあまおとめに、あだ名を、たこ壺とよばれたるがありけり。あるいろ好みの男、その名をゆかしがりてあまたのこがねを親にあたへて、そのむこになり、はじめておとめの家にゆきける夜、まづゆかしきものをこゝろみんとて、たゞちにおとめを押ふせてはさまりけるに、かのところは鮟鱇のくちよりもひろく亦ほしかに似たる香のはなをつくにえたへて

駿河なるあまの腰みのきてみれば
　たごとは浦の名にこそ有けれ
といひすてゝそのまゝにげかへりけり。後にいたりてよく聞けば、かのあまおとめは章魚壺といふ器にてたこをとのふる業にたけたるよりかゝるあだ名をおひたるなりとぞ。

▽

むかし葛飾のあたりの寺に、とし老たるとわかきとの唯ふたりしてすむ尼ありけり。ある日ひとりの若きあま。厨の前のにはにて飼犬のつるみ居るをふと見て、俄にはるのこゝろやうごきけんくりやにて味噌する料の連木といふものをたなよりとりおろし、おのがほとにさし入れさし入れうすくときたるひめ糊めくしろきみづをすみそめのこし衣におびたゞしくこぼしかけて、しりを右ひだりにゆりうごかしひとりあへぎ居る所をとし老たる尼の見いでゝ
　腰ごろもまた洗濯もえせざるに
　などひめ糊をときてつくらん
といひけるにわかき尼は、連木をさか手ににぎり持ちて、

すみ染のころもまとひて御佛に
　つかふる身にはのりをこそとけ
とてなもあみだ〳〵とぞ唱へける。

▽

都黑谷の僧なにがし、行脚してみちのおくへゆきけるが、ある田舍にて姿うるはしきおみなのみちのべに立ながらしとする所をみて、一生不犯の身にもたちまちにぼんのうをおこし、其女をあたりの柳の幹によせかけ、もすそかゝげてふさ〳〵と生ひかゝれるほかみの毛をかみさまにかきあげ、柳の幹よりもふとき八寸ばかりのものに、つさしぬり、ぬら〳〵と根まで押し入れたる。女はこのありさまにはじめは驚きまどひたれども、後には僧のものゝ分にすぎて大なるよりこれまでかつて覺えぬ心地よさに我にもあらず、はな息あらうして臀をゆり動がしつゝ、しみづの如く淫水をながし出すに、僧もこゝろうかれて、さし拔きせはしくしながら
　みちのべに清水のながれ出るまで
　　抱きてはなさじこのやなぎ腰

といひけり。これや雲上人の高風をしたふ儕なるべし。（以上「姫美談語」）

編者曰ふ、「逸著聞集」及「姫美談語」は寫本にて傳はりたれば傳寫の誤りやよみにくい字があつて厚意通じない箇所もありませうが御容赦下さい。殊に「逸著聞」より出した中には「著聞集」の話がありますが編者の許に共本がないので寫本のまゝ出しました。

▽

尻のあな、そのとなりめく所をよびて、前どの、いまだお目さめ給はぬにや、よべばいかなるまれびとのおはしまつるにか、いとにぎはしくて、よそながらいもねむれ侍らざりきといふ。前いとはづかしげにて、何ばかりのことも侍らざりしが、「よべばなき人の連夜にて侍れば、いさゝか御のりのわざをいとなみ侍りといふ。尻うなづきて、げにや、見なれぬ大法師のいでいりしげく侍りつるはとぞいひける。

▽

何がしの相公、その御氏族のうち御名たち給ひける頃、そのかたの人をめして、それの殿、いろにおぼれ給ふよし世のきこえあり、何なりとも見聞きしことやあるととひ給ひしに、共人しばし考へて、いろといふばかりのことこそ侍らね、ろもじなどはまたゝび見侍りつとまをす。相公きかせ給ひて、げにも、にもじなどは目にもふれじかしとてわらひたまひき。呂は口と口相つゞくなり、仁は二人相あふなり、平假名といふものいでこぬ世には、下部だつ人すら猶かくいみじかりけり。

▽

叡山のちご寶珠丸、おとなになりて後、京にありけるが、右近の馬場のひをりの夜、佛師運慶らと、何がしの院にてさけくみかはしけるに、運慶、寶珠丸が幼きころ、あてにらうたげなりしさまどもかたりいでゝ、あはれ人めだになくば、今とてもたゞにはえこそなどたはぶれければ、男とみに色をふしないてつとたちぬ。さて院主の御前にまゐりて、しかぐ〵のおそろしきことこそ侍れ、今宵一夜はこゝへかくまい給ひねかしといふ。院主打ちわらひ給ひて、男色の執心深きこと女犯にまさるといへども、しかも久しからず、たかうなの味ひさばかりいみじきも、わづかに一旬を經ぬれば、膚堅く節高くして喰ふに堪へざるが如し。いまし今みそじに近く、運慶もまた老いほれたり、何ばかりのおそれかあらんとのたまひけるに、男猶打ちわなゝきて、さなあなづり給ひぞ、かの髻僧めは、近き頃まで不動明王の御尻をすらほりたるやつにて侍りとぞいひける。

▽

兵衛尉信賢馬よりおち、腰をそこないて籠り居ける頃、若き女に足さすらせけるが、ふとうるさき心おこりて、うちまたに足さしいれ、例の所をそとおしらふに、女顔打ちあかめ身もだえしつゝ、あなくるしや、腰もかなひ給はじ、なか〳〵なる物おもひをもせさせ給ふものかな、とくやめ給ひね、人もや見るらんとわぶるに、かたはらなるさうじのほと〳〵となりけるを、あやしとおもひてさしのぞきたりければ、次の一間にて薬あたゝめをるわらはの、火吹竹にちうぼうをさし入れて、腰うごめかすなりけり、信賢をかしとおもひて、やよわらはは、いまし束帯にあらずして、いかでいばり筒をば用ひるぞとはふれければ、わらはきとかへりみて、殿は御きせながをもめさずして、いかで毛沓をばはい給ふやらんとぞいひける。

▽

三條の大刀自、時なくなりて、ひるねをのみあかぬことゝしける頃、衣の前しどけなくして、

ものおほふ心もなくあふむきふしたるを、人見て、あなきたな、こはなにものをいるゝ門口にかとたはぶれければ、女とりあへず

いれられぬよとしる〳〵も昔より
あきたる口はえこそふたかね

とぞいひける。いかばかりにしかりけん、あなあさまし。（以上「阿奈遠加克」）

狂蝶新語（巻之一）一名邪正一如

巫山亭主人夢輔戯述

第一回

鎌倉之巻上

貞操を表白す佳人の剪髪
忠義に勞竭く甲幹の薄命

薪木樵鎌倉の郷は、源二位武將頼朝卿、四海の逆亂を征鎭、基を這處に開發給ひ、代々の御里となりしより、春に靉靆武藏野の、霞が關や孤舍の、朝草苅し地方まで、家また家に建こめて、朱門金屋甍を並べ千戸萬戸軒を連ね街坊三千縱横四里巷として熱鬧ざるなく家として富ざるなければ車馬の塵埃地を覆黄金の精氣天に沖、世界無双の大都會此外にまたあるべきやは却說この鎌倉の鄕なる中橋の邊に、富益屋某甲とて、名高き兌錢の富商ありけり、當今幾諸侯かの御用を應承て這傍邊にも自然權勢ある家門なりしが、主翁某は、三年已前に歿世し、只ひとり子の寵太郎とてわづか五歳になる男子を、守育らるゝ後室あり、名を阿才刀自といひて、青春こゝに卅二歳盛の花の妙齡を惜氣なく黑髮切りはらひ巨髻なる後室髻美艷ありしにまさりつゝ眉は翠の痕を殘して、霞中の楊柳のごとく脣は臙脂を用ずして、雨後なる海棠に似たり、かゝる佳人の獨臥に誰か意を煩惱ざらん、近邊の若人等は、侍兒婢女の便宜を憑み、切なる想念をしのぶ摺、みだりがましき情簡書で、千束百束おくるもあり、また少將の百夜にならひて車にあらぬ望窻先、ことしも容姿を看やとて、旦暮に通ふものなど、唯吾のみに片糸のよるべき節もあらざりけり。

原來も後室も、其性質貞實のみならず、家の政をおもふこと日夜こゝろに絕へざれば、さらに夫等を顧ることなく書牘としいへば親類より訊問の消息まで自親うかつに緘を披かず皆夫々に差圖して深くその奸を防ぎ、些の透間もあらざりければ初はさりとも思ひし遊士等も果は吾から精倦して打熟腸て止もあり、また身を羞恥て自然誠實の道に復るもありてます〳〵貞操の聞へ高く其邊の談柄にはおさ〳〵是を稱しけり、不題この富益屋の肆、甲幹に媚兵衛といへる者ありけり渠はもと稚立より這家に奉仕たる者なれど下總なる別家某乙が、紹介にて年齒二十五といふ春この宅に來りつゝ、中年者のことにしあれば萬般意を用ひて主にも從にも手佐し、最誠實に擧動よく、衆人の氣を采たれば主翁をはじめ別家番頭其外下僕婢女まで渠を最ざる者もなく自然時と權勢を得て次第々々に靑雲しつ今卅六歲といふに管家の次席にまで歷昇ければ他の用もまた重く庇茯邸弟の駈引萬端媚兵衛々々々と受よければ猶篤實に勤行し主翁歿なりて後はいよ〳〵内外の損益に意を任用旦暮算盤の玉を磨き工風に工風を凝せしかば其欝滯や積りなん。一時發帳の紐を持ながら、苦々といひさま俛臥て小憂時人事を辨へず稍あつて意は着物から其儘おのが子舍に退き臥具引かつぎ臥たりしが、やがて一封の書簡をしたゝめ兩國の邊なる云々の處へとて小僕して持せ遣る程にやがて外方に案內して年齒六十歲あまり脊高くして面色黑く圓頭と共に光る仁田山紬の中時もやゝ過たるを着して、朱鞘の短刀を落るばかりに拔出し、奴僕をも具せず出來るは問はねどしるに浪人醫者、さこと勿體に肆に上り管家に對面してさていふやう、吾等は原來陸奧がたの者なるが、當家に奉公らるゝ媚兵衛刀禰持病再發いたせし由にて先に手翰を差越せしゆゑ、直に御見廻まうせしなり、原來媚兵衛刀禰の尊父某はさる一個の武夫にして、吾等と古傍輩の好あり然るにその媚兵衛刀禰弱冠の頃よりして聊異なる持病ありしが、毎時某が、療治にて夫を治たることありしかば這回も夫をおもひ出て報知こしぬるものならん。慮外ながら拙者が參りたるよしを御執次下されかしと、吾等も根は武夫といはぬばかりの由緒口狀、よひ位なことゝ聞なしながら、偖はさやうに候歟と。茶煙草をもて擁待つゝ其由媚兵衛に報知せば憚ながら這處へ御通り下されしと平臥ながら平居に請じてしみ〴〵と挨拶し何にかあらむ暫時がほど療治して立歸るに、其翌よりして媚兵衛はまた常日に變らず、店に出、所用滯らず勤たるが是よりして毎月に兩三回づゝ已前の日のごとくにはかに算盤を投捨て平居に逃籠ること有たるにぞ主管はじめ家内のものいかなる病にて斯く苦惱にやととり〴〵訊問といへども、媚兵衛決して緣故をいはずたゞ幼少よりの痔病再發したるなり。

强て巨細を聞ぬれば、御暇まうして故國に歸らん命にかへても此病を人に説話べき事ならずとおもひ切たる回答なればさへぎつて是を問者なく、唯渠が病氣は朱鞘の先生が來れば治る事なりとて其後は家内も勝手をおほへ復發たといふより蚤く、兩國へとて走らすれば忽地例の老醫來り小嬰時にして立歸るに其功驗掌を返すがごとく、實に速なりぬれば衆人是を奇なりとせり。實や世の諺言に人を役へば苦を使ふと後室も媚兵衞がこの癇病再發したるよしを聞きしより熟々と思ひゆふやう。渠はこの家の、普代といふにもあらずよき幼稚より召仕ひ鴻恵をかけしにあらねど、忠義篤實双なく家の事さへ年を歷て何ひとつ辨へずといふ事なければ、最憑母しくおもひしに道理なるかな原來はさる武士の果にてありたるもの偖はいよ〳〵往々は家號をも別、暖簾をも與へて寵太郎が爲後見を憑むべき者、彼なしで外にあるべきやは、然るにさる持病者となりし事いかなる時の不祥なるべき媚兵衞も其病の根をとはゞ、暇を乞ん生てはならじなどいふことは什麼いかなる性によりてならん、いまだ盛の年齒なれば養生をも加へ料治せば癒ざることもあるまじきをと只管案じゐたれば。一時媚兵衞を便室に招き夫となく病のやうす問ぬるに媚兵衞は低頭平身して最有がたき命なれどもこの病のことばかりは御主人の御尋にも決して露顯にまうしがたし斯ては將來御奉公もいと覺束なき心地なれば、何卒迫ずに御暇を賜りたし、然りなば故國に歸り意閑に保護を加へ月日を消り候なくば、自然快氣をも得まうすべきか、ともかくにも因果なる此身のうへに候へば往々は出家をもなし、宿因の業を果したき兼ての請願に候と、涙さしぐみ回答るにぞ後宮も今更に氣のどく餘りて手持なく、毛を吹疵を獲たる意地なしつゝさま〴〵と宥てやうやく氣を引立其日も倅なく過にけり。

か〻るけれども主從の憐愍は捨るに棄がたく、左さま右さま沈思にくれ三五日を過しゐひしが漸く思ひ寄ほどに、一日、藥研堀の不動尊に參詣してその歸路に聞及ぶ兩國の老醫を訪ひ、其處にして媚兵衛が病の緣故を聞んこと、下僕了髫には茶店にまたせ、わざと供人やつ〳〵しく案内知たる小厮に導引させ侍婢一個をともなひて云々と呼門するに、折ふし老醫宿に在つて且玄關めかせし處に請じ茶煙草の管待終りて後其來訪の緣故をとふに後宮は聲を竊めつゝ媚兵衛が病の容子を訊、若養生の術もあらんかと、密に參つたるよしを聞ゆるに、老醫しきりに嗟嘆して實そも渠はいかなる善星の下に生得てかく御主人の御憐愍を蒙ることの深きにや、然るを他に思ふてか病の根を問はるゝ時は、生る死るとさま〴〵に苦悶かけ來りけることは何故ぞや、いと罪深き男なるかな、さるをまた後宮にもよく〳〵家來をおぼし召ばしき、か〻る幣尾もいとひゐはず自親わざ〳〵來るふこと世に有難きこゝろ操、さればこのこといふやうの苦場に及ぶとも決して他言はいたさじと渠には堅く誓言したれど現在の御主人とまうし其御實意に對しつゝ明さぬはまた、本意ならねば貴婦には密にまうしあげん去ながら、こゝにてはいさゝか憚りあればいと見苦しく穢汚しけれど拙者が便室へ御通り下されたしと言つけながら座を起にぞ、後室は今さらに底氣味わろき意地ながら幾間もあらぬ住居なればよも麁忽なることはあらじと、是非なく一間に倶なはれ、彼老醫が便室にいたるに、ゆどのばかりの一席ながら流石醫師の便室なれば窓の元に机を置書簡四五個を並べつゝ鉢に植たる寒蘭の香りも妙に俗ならず、當下老醫扣居り、少しく膝を進めつゝ既に媚兵衛が病の容子を巨細に物語らんとす。畢竟彼老醫いかなることをか說出す、且下回の分解を聽け。(卷之一終)

第二回

鎌倉之巻下

奇怪を說語る便室の微暗
難病を看破し奥庫の明窓

偖も富益屋の後室は媚兵衛が病の根を聽んと、兩國の老醫が許に到りつゝ、緣故を抑訊問に老醫は是を一間に請じ囁しつゝ聲を潜やう〳〵にして言出たるは、原來かの媚兵衛と申す者は幼少の時武家に出身いと堅頑しく生育たるが、成長に順ひていよ〳〵浮華の所業を嫌ひ行儀正しき性質なれば、止事を得ず色や戀なる遊里なんどに同伴すれば酒宴の席上にある程さへ、一時三秋の思ひをなし、堪得ざることをり〳〵故まして娼婦を携ふなど一切是を承引ず、さる故にかの年齒まで、未男女の交會をしらず實に稀有なる鐵漢なり、さあれども壯年の者淫事を發べき時に後れたるゆゑ、其精自然凝固まり、恰小兒の蟲症の如く、陽物人並に拔群し色また紫銅を伸たるに似たり、然るに折々其精氣熱を發して陰所に廻れば忽地烈火のごとくそびえ、筋太り龜頭淪菌、眩暈逆上して人事をりかたず、世に是を似馬鐵莖の病といひて救ふべき藥劑の法絶てあることなし只其急難を助くるには手をもて徐々と按撫のみ、暫時にして其氣散、逆上稍治る時はまた常日と異なることなし。併ながら是は只當座を救ふばかりにして、全快氣を得るにあらず、偖此病を恢復して、其根を斷絶と欲さる時は迂しといへども彼者に男女の交通を教るよりほか他なしといへども年長たる身なれば流石にも其道の初々しきが羞かしく、且彼精氣の凝堅まりし、陽物の巨擘なるを、外聞わるく思ひをれば其術を行ふまでもなく、病の因を問れてさへ、暇を乞ん死んなどゝ、立騒にて候ゆゑ、まことに難儀の病症にこそ、さりながら這ことを、云々なりと必しも人に語らせなふべからず、若も一犬虚に吼萬犬聲を傳ふ時は渠一圖なるこゝろよりいかなる珍事を爲出さんも量がたし、左にも右にも氣の毒の病なりきと一五一十、事巨細に說話れば後宅も案の外、何と回答もなしがたき、病の根に當惑の意を笑にまぎらしつゝ、夫はや、意もかけざりし彼が病氣の緣故、承りて安からぬ迷惑にこそ候なり。さればにや若者の浮世をはかなく見限りて出家にもなるべきなど、まうすもいと道理なり、あはれ御馴染の好がひに兎も角も勸まゐり、彼が意の和ぐやう御工風願まゐらすなりと、家來を思ふ厚意の憑に、老醫はいよ〳〵嗟嘆して夫こそ貴婦の命をまたず、御宅へ療治にまゐるごとに、時々おしへ候こと故猶この上は只管に說諭して遠からず渠がこゝろを和げまうすべし、深くは御懸念あるべからずと、承諾ほどに後室はなほよきようにと挨拶し、暇を告て其儘に家路をさして歸るにも、けふ兩國に到りしことを必他言すべからずと婢兒小僮の口をとゞめやがてぞ家に歸りきたる。却後後室は不意媚兵衛の病、老醫の口禁はなくとても、云々なりと打明ては主管はじめ乳母侍婢にも商儀かたき時宜なれば、何とかせんと取つ置つ、沈思に一兩日と後再半月斗りを過るほどに媚兵衛は復癇病發り累に其身を苦惱しつゝ、只引籠てありたるが、餘りの物憂さにや、このほどはそゞろに發狂したく、死たきものと口癖に日に數回か言出ぬるが、一時人の看ぬ間を窺ひ硯筥引よせつゝ、何にかあらん細々と書認むるありさまなれば意を着よとかねてより、內意を受し乳母が外目に張ひ看ば紛なく書置の事と讀よりも早速後室に注進すれば後室は打驚き、はや捨置れぬ大事ぞと、其儘媚兵衛を喚出し、人に聞せぬ緣故なれば便室に續きし奧庫の二層へとて招寄後室は聲をひそめ。和殿はそもいかなる病のあるによりてか此程は日に兩三回づゝさし發り身を苦ますのみならず、人にその病のやうを問るゝ時も、生る死ると騷立物狂はしうみゆるうへ聞ば怪しい書物を認たとやらいふことなるが、品下は死る覺悟にや、病にはともかくも養生の爲樣あるものを、死で花實の咲ぬをば、よも分別のなき事あらじ、何ゆゑに思逑りたる意をば起せしぞや、そなたをば日頃より忠義一圖の稟性誠實ある意と看認たれば往々寵太郎がことなども萬について附托んと思量し人なれば、妾とても粗略におもはず餘のことの不審さ、この程物詣の序ありて兩國の御醫師の許に立寄つゝ密に聞たそなたの病狀幼少頃より堅くろしう稟性たが病根と聞て氣の毒とり〴〵に養生の爲方もがなと意をいためいることの處、必短氣なことなどして後に難儀を遺さぬ樣こゝろ長閑に思はれたしと涙ながらの强異見媚兵衛は始終さしうつぶき、恐いつて宥たるが、當下やう〴〵首を擡、是はおもひもよらぬ命を承るものかな、いかにも此程は拙者が痼病日々累にさし發り命もおやぶきこゝちなれば故國に殘せし母親へことしも歿なり候後、是は云々云々と、書殘すべき其爲に細文の狀を認たれども、絕て短氣な意を發し不慮の死などいたすべき所存は露程もあるにあらず、然るを誰が看とゞけて惡も御耳に入たるならんその事なれば必しも御意を痛めゐらるべからず、さりながら後室にはかの兩國の醫師が許にて拙者が病の根元を巨細に御聞なされしとや『アイのぶ餘りのふしぎさに根を押して尋しにかやう〳〵との物語』『ナ、何と仰せられますそれやその緣故を細やかに『ヲヽ聞たわひのふ『エヽと、驚く顚倒に忽地發る娟兵衛が病身を戰慄して顏色蒼青、あゝどんな所でまた痼病がといふも苦しき形勢に後室はうろ〳〵とほんにまあ折もをりとて惡所で發つたこと意地はどふぞ實なるか氣をしつかりと持やひのふ、去ながら氣遣ひしやるな、人には不言他言せまひと誓た言辭もあるなれば決して誰にも報知はせぬと脊撫ながら介抱すれば娟兵衛は回答も涙ぐみ反つ倒つ苦惱の體、見るに看兼てほんにそれよ、兩國の御醫師の話に聞たるはこのやうに發つた時は外に診術の施はない、只嬾々と摩るがよひとのことなれば恐惶はいらぬその痛處を出しやいのと命に娟兵衛は手を合せ勿體なひ御主人にたとへ此儘死れば迚夫は餘りに冥加ないと辭む言葉を打消ていや〳〵辭誼もことによる家來を救ふは主人の役病のことは格別と紹つてのたまう聲にすがり、さやうなら暫時が程人しらぬやう御介抱を遊ばして下さいませといひさま前を押まくり顯出す陽物は病の所爲か何かはしらず其長七八寸もあらんとみへて廻りは指を二つぶせ紫色に節くれ立ち龜頭のあたりに御ぼ〳〵銀杏のごとくなる疣の許多もある稀代の業物わづかにさし込網窓の明りに湯煙たつごとく諭ば諭伽の行法に念じ入たる修驗者の坊主天窓に彷彿たり後室は且一圖に介抱とおぼしめす意より害怕ながらさしよつて徐々と按撫るれば 嬾き手に摩られていよ〳〵まさる發熱の勢さも盛なれば嬌嬾なる掌にはいかで是、二握りにも餘りつべし、そも意憎りな後室は房事の絕て久しきにかゝる稀なる巨擘を目前看るふのみか親自御手に觸られしみなれば不意御顏てら〳〵と櫻色に逆上つゝ耳根紅をさしたるごとく胸は動氣の波を打狂ふ春心と緒ともに義にもあらで吐息を吻、つく〴〵とおもひゐふやう歿なりゐひし所夫の陽物も世の人並には勝たりと意中に誇り思ひしに夫にも優れし凌兢さ賞に男女の交會をしらぬがゆえのことならむ、あら好ことしの烈勢ゆく締つ緩つほれ〳〵と心も空になる折しも媚兵衛は頻に撫られて快さま夢中とみせて踏伸す足先を後室の內股に入るは曲者かはやその御股門の濕つきにて只事ならずと看破も、兼ての技倆反張て苦惱さまに再一套大指とぶかす玉門差別もなくぬら〳〵と潤ふてあるとみるや、十分の淫心と點頭して共儘に指人形、弄れどさらに咎なく、媚兵衞や些は快かやと尋に媚兵衞は起返り幼少から婦人の肌しらず夫故のこの病と醫者が兼ての說話なれば、御免させて下さりませ、義を忘れて居ますするせめてかやうの時になりと、いひさま、後室に抱着ばほんにまあ常日に違ふたそなたの形勢さりながら、何卒速ふ治るやうとあふせもまたず、否拙が病はかやうういたさねばとても快氣はいたしませぬといふより蚤く手をさし入、御肌間を押開ば滅相な是媚兵衛人が來ふにとのたまうも和らぎ口の定例有無をいはさず押轉し、やにはに指着玉茎は笠着たごとき巨擘ながら、先よりの爲體にて逆上きりたる後室の潤に難なくもぬら〳〵と込收ば、双方無言に抱着魂少時在所をしらず後室は三年已來人こそしらぬ沖の石の堅固にて世間の義理名聞もとより趣ある妙齒爭其情容易ならんや、しかもかゝる巨陽にて堤を斷たることなれば、枕交も夢寢媚兵衛も年來技倆の臍、獲締たる歡喜に味もしやくりもあらばこそ息をも吻ず大腰に抽逬せはしく磨研ほどに後室は言をもいはず只管腰を持上々員限なふ洩灑體媚兵衛もたまらず彈出す、津髓會陰を傳ふと下着の裏を浸しやゝ意情着まゝに此形勢を曉られては、一大事ぞと手速く乾淨媚兵衛は二階を走下何喰ぬ顏して店に出れば後室は紊たる鬢の後毛搔揚つゝ暫時して庫を出さて〳〵媚兵衛が片意地にはとんと困るとあやるせし言辭に實を曉知ざれば乳母侍婢等はとり〲に媚兵衛どのもいかなる病ぞ後室さまの涙までこぼして御異見遊ばすに得心せぬはよく〳〵の事にもあれ、餘りに意强かりと謗も可笑かりぬべし後室は目今の爲體初は病の業とのみ思ひて害怕かりたるも犯行ときの美快、有し夫の陽物とは同に似て大に異なり、其勢の烈しきのみかは牡中に這入てむつくりと、上下左右の肉に合し疣に磨れし味はひの、今猶牡中に有ごとく目前を放れぬ意地なれば明日までを待かねて、再媚兵衛を喚寄てそなたは今のやうにいやつても、どうも妾が氣が安堵ぬとつくりと點頭のゆくやう、今一回いふて聞すことがある、庫へおじやとの有がたき命に媚兵衛は爲得たりと、意の笑を押陰し不肖々々に背後に着、二階の梯子を登るは是月宮に到るこゝちするが、夫としらざる婢女等あの這兵衛どのゝ病根、人が聞たら死ぬとのこと、夫ゆゑに庫へ這入後室さまも思よらぬ御苦勞を遊ばすなりと、意着ねば不怪、後室は二階へ上り、アノ媚兵衛やそなたは病の業ぢやといふて憎らしい顔にも似合ぬものぞ、あられもないむりなことをしてからに、併しそれから意地はよいかや。と眞底沈せらるゝ光景に媚兵衛はおもふ壺のうち甘ふはまつた脚色に、意を猶も落着し、なるほど先には御介抱で年來日來願ふたり、拙者が念力は屈たれど、何をいふにも意焦味も弄も無二無三嘸御意にも染まいと思居をりふしに、御召しなされし御意を尊夫人も一般ことなるべし、斯兩個閉籠れば誰あつて參らぬ、庫中、とてものことにとつくりと御介抱に預て拙者が玉莖もさし上たし、御意焦せるふなと、はや射て落せし鳥とみて胴を据たる一言に後室はにつこりと、サアさふあらうと思ふゆゑ妾も庫へ喚ましたとのたまふ口を引寄て舌の根の斷絶ほど嘴つゝ玉門を窺ふに外淫毛際にながれ出、待かねる其様子鶏冠のごとくあたりなば、そろ〳〵と模索つゝ渉くそめ深く弄ひ術を盡してあやすれば後室は睡眠がごとく眼を溶々と身をしなだれ媚兵衛が前に手をさし入、𨳯尾を握締氣を焦ゐるありさまに媚兵衛は猶も落着て後室に喰着せんと抱ながらに帯解捨仰向に寝さしまいらせつゝ傍邊に在合塗枕に本手かゝりの緩寛さ上着下着を掻ひらき、羽二重の御肉衣をあくまで左右に捲上臀えに跪て、肉眥こんもりこゝちよき、玉門をみながらに烈勢立し巨陽をぴつたり揣て入もせず、わざと上面へ突滭突滑らすること兩三囘後室は是に魂消臀を受身にあてがふて氣を焦操ゐる圖を看濟し流るゝ玉液を掃ふがごとくめら〳〵と龜頭際二三寸込入てやは〳〵と上津らの痒きあたりをば迦閃ばかりにあしらへば、後室ははやたまりかね雪の太股突さまに媚兵衛が七九のあたりを引締あゝあんまり胴慾な、どうしてくれるじや是のふと、いひさまにむく〳〵と持上ぬればづぶ〳〵と、根元も餘さず込入玉莖媚兵衛はこゝぞと魂を陽物に湊て抽迸せず、子宮の口に届かせて、さも和らかにぐれ〳〵と迦れぬやうに携引ば、子宮頻にふくれ出龜頭先に吸着ごとく、上つらよりはつぶ〳〵と柘榴のやうに粒立もの顯出て、或は貼あるひは滑て種々様々、抽迸に随ひて右に左にまとい着、玉門を玉莖の肉と肉と密合して含やうなる妙美味陽物是にいよ〳〵猶勢勝りて烈火の如く龜頭際に磨、椊中の筋に觸、何處を何處とも言やうなく恰も痒を搔に似て四十四の骨々に染渡り染通り意の底より涌出て流るゝ精汁射が如く毛際を溢て後室の臍の邊まで滑々といつそ差別なき面白さ、後室は只管に柳腰をよぢらし、舂ゆばり嬌嬾なる腕に締着々々、一重眼包の薄紅葉散かゝるかと見ゆるばかり、艶やかなる額際を八の字にしはめつゝ、アヽ〳〵〳〵、ヱヽ〳〵〳〵いつそ身節が解るやうな久しう忘れて居たものを悪いをして此やうに妾もうどうもならぬもの其處を其處をと持上々々肝にこたゆる御実快、今は十分媚兵衛が本望再小口へ抽出し、大腰にずぶり〳〵肉を穿て突立ればくりへを引込稀代の寶具、收たる儘に身を摺下り、居形正して後室の兩足を搔込つゝ、眞綿のやうなる御臀をば、太股にのせうけて陽物を奥方の、吸着所へあてがいて、强からず嬾からず、滑々とうねらせば後室は只アヽ〳〵ア〳〵、ウヽ〳〵ヱヽ〳〵〳〵とおそはれるごとく苦惱ごとく、いつしか枕も打迦し吾を忘れて聲を發、アレ〳〵媚兵衛まだぢやわいのふ、ヱヽヱヽ〳〵死〳〵死ぬわいのふと太股にて、キユツ〳〵と締着々々煮湯のやうなる精液をヒユツ〳〵〳〵と龜頭へ彈出さるゝ有難さ媚兵衛もたまらぬ淵門際に一入まさる陽物の筋いら立て幾回やらん、たら〳〵〳〵と落花流水折しも便宅に殘りたる婢兒は此物音を耳速も聞取つゝ娟兵衛どのゝ病ゆゑ、後娟さままで死るとは、コリヤ斯しては居られぬわへ。

次回は

第三回　浪速之巻

一刀を投出す壯夫の懺悔

意馬を狂蕩す淫婦の酒癖

猥褻風俗史（自中世至近代）

エドアルド・フックス

第一章　道義の根源及正體

一、一夫一婦制の起源及び根據

光芒煥發、千樣萬態の進步を遂げて來た吾人の文明總體の基礎となつてゐるものは私有財產の制度である。見よ、高尙至極な人精間神の發露も、平々凡々たる日常生活の些事も悉く此の私有財產制の上に築かれ孰れ劣らず緊密に之れと結ばれてゐる。從つて性道德の方面に於ても其根本形式を條件づけ、之を形造るものは私有財產制の傾向であつて、斯うして出來上つた根本形式が一夫一婦制卽ち單一結婚である。

此單一結婚は通常個人的性愛の成果と見られてゐることは今も昔も變りが無いが、之が抑々凡ての誤謬の甚であつて、本來性愛は原理に於ても又は其果すべく、さうして來た目的に於ても、單一結婚とは些かの交渉も無いのである。個人的性愛を單一結婚の根據とすること、――それは高々制度としての單一結婚が到達せんと努むる理想に過ぎない。事實單一結婚なるものは此理想に依つて成熟させられたものでもなければ又、偶々一時的に若くは彼此の階級に於て成就したといふ以上に其理想を達しもしなかつた。

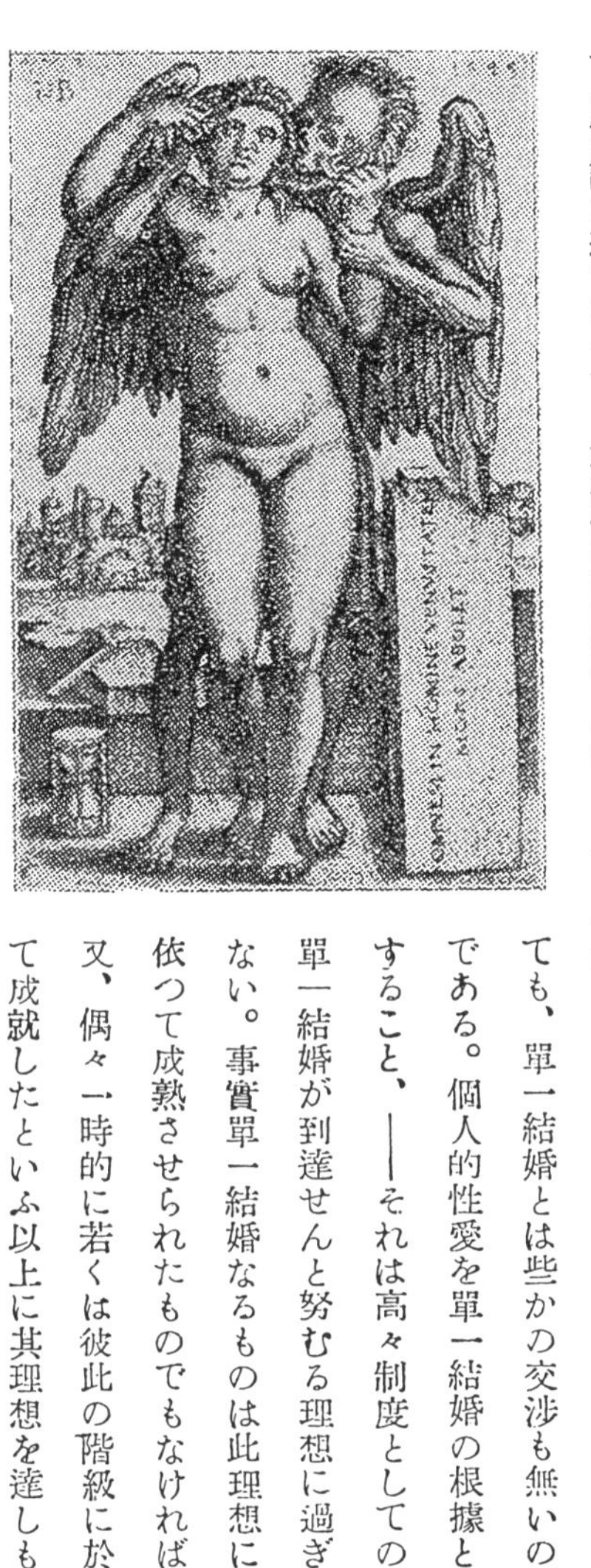

もと〳〵一夫一婦制は個人的性愛とは全然別個の文明的成果全然別個の社會的必要に因つて生じたものである。レヴイス・ハー・モルガンが其著、家族發達史に於て遺憾無く指示し

てゐる様に、其發生は實に一人の手中——それも男子の——に、より大なる富の集中する事及び是等の富を當該男子の子孫に繼承せしめ、餘人の子孫に繼承せしめざる事に在る。合法的繼承といふことは富の最初の、而して最後の目的であり、幾世紀間を通じて其唯一の目的であつた。婦人は、疑を容るゝ餘地無き確實さを以つて一定男子のみが孕ました子等を產むべきであつた。單一結婚が其處に最初の發達を見た。希臘人は、直截に、此一事が單一結婚の絕對的目的であると告白してゐる。從つて一夫一婦は男女和合の結果でもなければ最高の結婚形式でもなく之れより眞相を明めんとする「人類の有史前時代を通じて知る事無かつた兩性相鬪の宣戰布告」である。

之が單一結婚の基礎であり終局の目的である。されば此の性行爲の內的論理を辿る時は兩性相互の性交は、一人の男子は一人の婦人と一人の婦人は一人の男子と交はる事に局限し絕對的に兩者の間に結ばれた結婚以內に於てのみすべきだと云ふ要求が生れる。其結果は云ふ迄もなく結婚前に於ける男子及び女子の絕對的貞潔及び結婚期間中に於ける兩者の絕對的誠實と云ふことになるのであつて之が單一結婚制度が最後の根底に於て人間に要求する論理的結論である。確かにまた此法則が公式に設定された。が山くべからざる頑固さで適用されたのは常に只女子に對しての

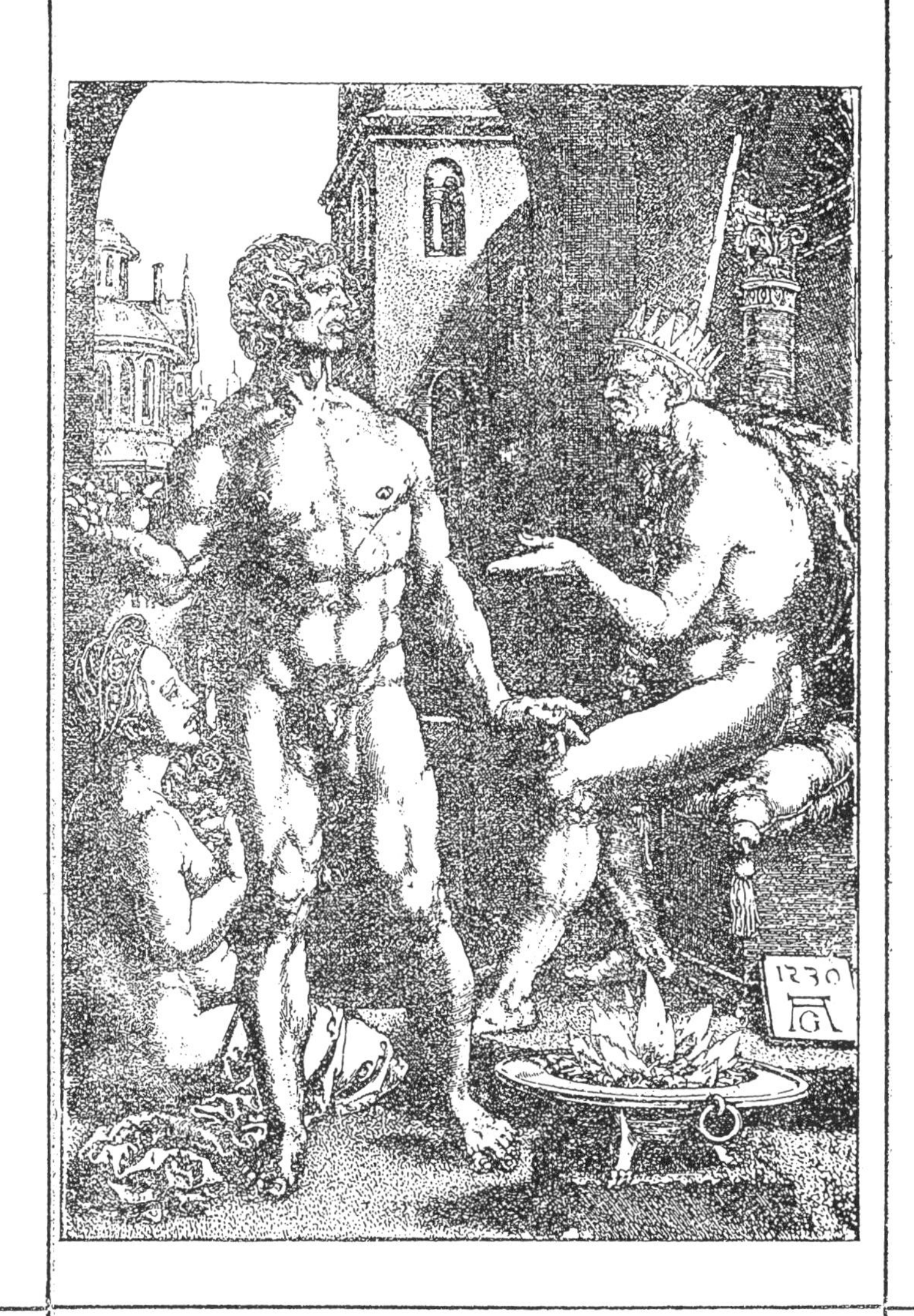
1530

みであつて、男子に對してはあらゆる時代高々半公式に其適用を見たに過ぎぬ。

これは實に驚くべき、然かも公知の矛盾である。が、よく見ると此矛盾はたゞ外見上矛盾の如く見えるだけであつて、實はたゞに除くべからざる矛盾でないのみか寧ろ「事物の自然的秩序」なのである。その譯は直ぐ見通しがつく。と云ふのは他でも無い畢竟單一結婚は本來個人的性愛から生れたものではなく便宜の上に築かれたものであるからで、斯くて此の「便宜」が自然的條件の上にでは無く經濟的條件の上に一の家族形式を建設した。所が此經濟的基礎なるものは全然男子の經濟的利益から成立した――而して今日尙ほ成立してゐる――のであるから、當然最初からして片方の性の、も一の性に對する原理的壓服即ち結婚に於ける男子の君臨及び君臨とは切つて離されぬ他の部分即ち女子の抑壓を結果する事に決まつてゐたのである。

それ故に、私有財產制の成立は只女子のみの一夫一婦を要求した。と云ふのは合法的な後繼者を獲る目的は之で以つて達せられるからで、之れに反し男子の公然又は匿れた一夫多妻は何等その妨げにはならない。而して男子は結婚生活に於て其支配階級を表はし、女子は被抑壓階級、被掠奪階級となつてゐるのであるから同時に又男子は常に全然自己の利益を目的として其法律を編む唯一の立法者であつた。されば男子は殆んど常に嚴酷に女子の貞操を要求し、婦人の不貞に對しては直ちに最大なる犯罪の極印を捺しながら同時に自己の欲望に對しては僅かにその原婚的な埒を設くるのみに止むる道を見出したことは云ふ迄もない。是等凡ては前述の如く事物の内的要求、從つて取りも直さず「事物の自然的秩序」以外の何ものでもないのである。

だが、此背反の根底には、まだ何ものかゞある。然り、餘り目的としなかつた何ものか、即ち事物の「自然的」秩序――暴力を加へられた「自然」の復讐是れである。で、言の自然の復讐は、避くべからざると共に吾人の文明から切り離すことの出來ない二種の社會的施設の中に姿を現はす。第一は避くべからざる社會的施設としての姦通であり、第二は避くべからざる社會的施設としての賣淫である。

奴隷は常に、依つて以て打負かされ、屈服せしめられた共同一材料で復讐する。彼女の夫以外、一人の男子が彼女と寢床を分たず彼女の肉體を所有しないといふ事は女子に對して寺院國家、並びに社會が彼女の成熟する早々から、あらゆる詞、百千の形式方式を以つて一生涯影の形に副ふ如く眼の前にぶら下げる法律の定めである。――他の男達も彼女と寢床を分ち彼女の肉體の所有

ESA: 14.
QVOD·DNS·EXERCITITVV·DECREVIT QS DISSIPABIT
·RHEA·ROMVLVS·REMVS·
AC

者であつたといふ事及び確かな「父」さは高々道徳的見證に手賴るに過ぎないといふ事はあらゆる時代を通じあらゆる國民の間に行はれた女子の復讐であつた。然かも一旦違反が明るみに出た場合にはあらゆる社會的侮蔑に逢ひ、或ひは嚴罰に處され時に屢々野蠻極まる刑罰を加へらるゝ事が常に女子の復讐の脅威であつたにも拘はらず、依然としてこの復讐は行はれた。それは到底抑壓し終せるものではない。

如何となれば、結婚の根底が便宜上に置かれる限り、遂にそれは何時迄も反自然であるからである。同樣の事は賣淫即ち結婚の代用物に就いても適用される。如何なる法律も曾つて之れを抑へる事が出來なかつた。如何なる侮蔑、酷くブルータルな侮辱もなほ、是等賣淫の布教女僧共を只の一日と雖も社會の活動分子から選り捨てる事が出來なかつた。精々の所で淫賣は隨所に出沒して隱れ廻らねばならなくなつた。さうして隨所に出沒して之れを遂行した。從つて彼生等の匿れた隅に達する道は常に彼女等のあらゆる利害關係者達の見出す所となるのであつた。此の撲滅し難いことは又何處までも論理的である。結局は商取引と云ふ所に落着く經濟的發展の上に基礎を据えてゐる私有財産の制度はあらゆるものに商品的性質を賦與し、凡ての物象を金錢關係に還

元した。愛は之れに依つてズボン下と寸分異らない商貨物となつた。されば結婚に在りても大多數の場合取引商業の性質を離れる事が出來ないのは恰かも賣淫――彼の犬儒教（ツィーニスムス）が結婚と賣淫との區別につき甚だ卑陋ではあるが全然當らざるにもあらざる賦性を爲したやうに、前者を全的傭入れといふに對し――賣淫即ち賃銀を以つてする愛の代價支辨が一夫一婦から切り離すことが出來ない關係と酷使してゐる。即ち如何に結婚が賣淫の讃美者を呪はうとも賣淫は結婚に依つて同じ様に組織的に日々新たに飼養されてゐるのである。如何となれば、賣淫は最後の立場に於て、一夫一婦が其主要目的たる合法的後繼者を少くとも或程度まで安全の地位に立たしめるため無條件に必要とする安全瓣をな

すものであるからである。されば讃否は御勝手次第だが、それは爾く宿命的であり、爾く傷心しい事實である。——姦通と賣淫とは避くべからざる社會的施設であるといふ事、不易の婦人愛好者、角の生へた奴並びに娼婦は常住にして滅盡し能はざる社會的特色の現はれである。一言にして盡せば「是が事物の自然的秩序である。」

二、性道德の變轉

さて、斯く述べ來らば淺薄者流は言ふに相違ない。宜し。夫れ恐

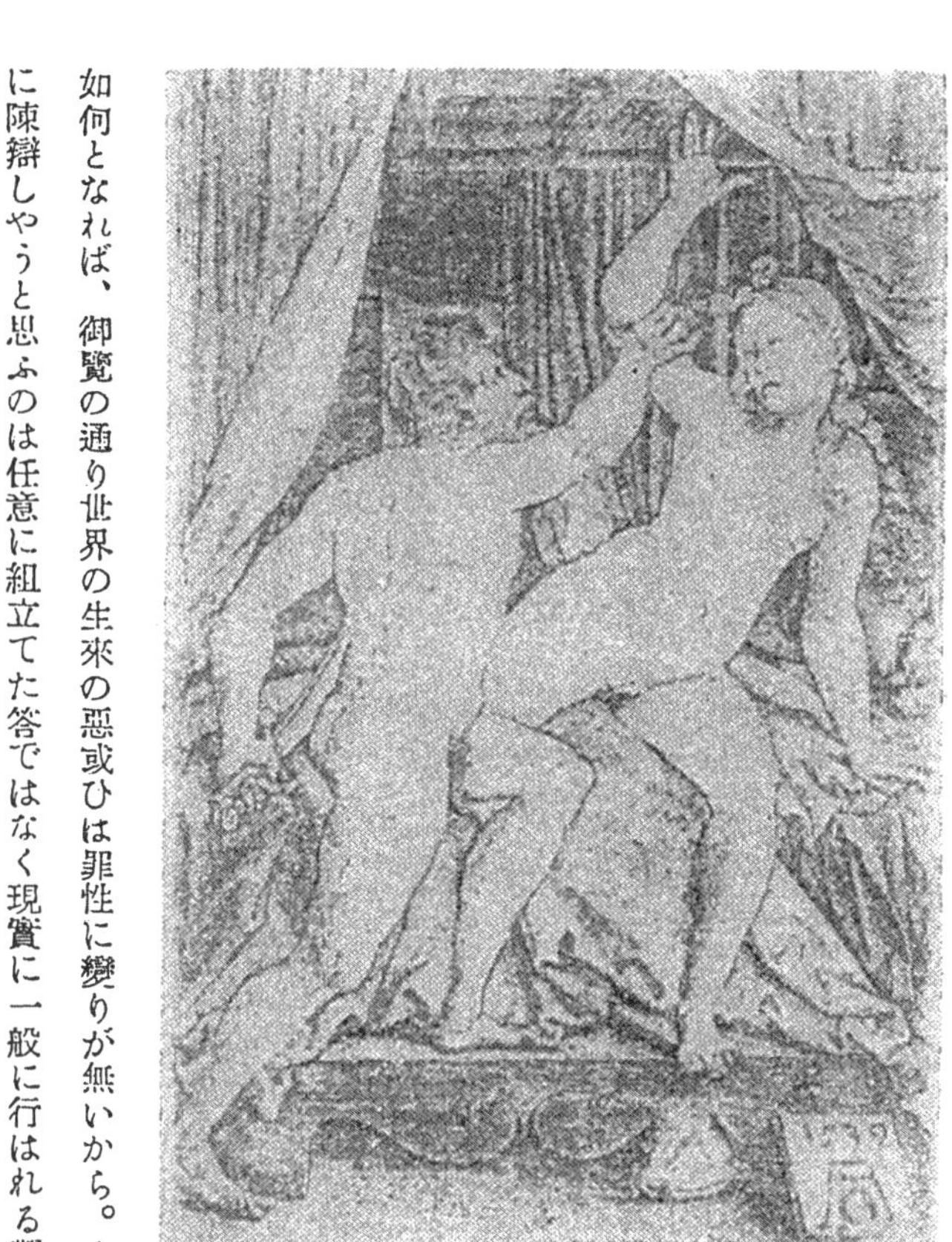

らく正しからう。が、如上からは只次の結論が生れるばかりである。即ち第一、それは何時も然うであつたといふ事、第二、從つて世界の存する限り常に然ういふ有樣を續けるであらうといふ事。如何となれば、御覽の通り世界の生來の惡或ひは罪性に變りが無いから。――と。で吾人の此處に陳辯しやうと思ふのは任意に組立てた答ではなく現實に一般に行はれる觀照、到處に面接する

意見である。

由來、かいかい摘んだ判斷といふものは甚だ安價であり、加ふるに常に誤謬である。

さて、前の質問に立ち歸つて、この狀態が何時として變化するであらうか否かといふことは、此場合に於いては第二問として初めて出て來る。といふのは這は何れの場合にも果して實際一度も決して變化した事が無かつたかといふ質問に對する答からのみ初めて生ずる論理的歸結であるからである。されば吾人も亦この問を最初に檢査して之れに答へ、次で初めて第二問に解答を與へて相應した斷案を下さうと思ふ。

確かにそれは何時でも「然り」であつた。併しこの「然り」を檢査し比較觀照するときは直ちにこの「然り」の中に絕大な差異のある事卽ち不易の中に不斷の變化あることを立證し得るのである。而かもそは只に普遍的外貌以內に於ける個々の差異のみに止まらない。單一結婚の結果に生ずる性道德の原則から普遍的に離反する度合ひの昂騰沈下そのものが爾く統一的な衆團現象として行はれ、之れよりして常に何等か一の類型的な時代の風貌を生じ截然一時代を他の時代と取捨區分される底の差異、特色が現はれるのである。(以下次號)

『カーマシヤストラ』No.4　第4巻第4号

Kama-Shastra.

Société de Kamashastra

No. 4

中華民國第十七年三月五日印刷（非賣品）
（日本昭和三年三月五日印刷）
編輯發行兼印刷人 張門慶
發行所 中華民國上海法界霞飛路

1928.3

編輯前記

○本號もページの都合で、フツクスの「猥褻風俗史」「日本小咄集成」「えくせほも」等の續稿を採錄することの出來なかつたのは殘念でした。

○四月に出る、春季增刊號は、會費も安いし、內容も頗る珍ですから、これだけは何人にも是非おすすめいたしてをきます。

○市場叢書第二卷プライトヴエイトとしての「日本性愛猥淫辭典」の出現も最近となりました。目下印刷に着手してゐますから、今すこしお待ち願ひます。何しろ、當上海は日本と違つて、印刷術が幼稚ですから、なか〳〵はかどりません。

○それは、そうとして最近、日本內地に、何等の價値なき淫本の復刻ものが山のやうに群がり出てゐますが、イカものだらけですから御用心願ひます。淫本製作は常に容易なれど、文獻の提供は困難です。が困難を提供する所に、吾々の面目躍如たるものがあるので御座います。

○最後に、本號の「性的見世物考」は最近の逸物ですが、次號には、ドシ〳〵逸物の大ものばかりがお膳立てされましたから、必ず〳〵お期待願ひます。（ジョーンス）

カーマ・シヤストラ目次

—◁第四卷第四號▷—

性的見世物考

自　序（一）

此の小論は實に面白い。きつと面白い。間違なく面白い。嘘だと思つたら、先づ次の目次を見給へ。それでも面白くないと仰有る紳士の左頬へは、予の右の掌か或は白い手袋が飛ぶ。

自　序（二）

此の頃は目次丈見ると馬鹿に面白さうで、讀者の購入心理の瞬間の混迷を利用して、版を重ねる本がある。予もそれが羨しくなつたので一寸眞似をして見た。然し目次にある丈の事は確かに本文中に書いてあるのだから文句はあるまい？　只面白く書けてあるか、書けてないかと云ふ點が問題だ。

自　序（三）

實は目次程は面白くない。（小さな聲で）

目次

第三節　本格性的見世物

マルセイユ港の秘密宿——モンマルトルの夜——ルビューの裸美人——夜の箱——黒色天國の裸踊り——ロルゲ——猥劇——犬と女——薔薇の花片——奉天喇嘛寺の淫怪佛——關帝廟の田舍芝居——一錢覗き——印度人の寄席——摩鏡——活春宮——犬と女——笑而觀——銀座裏カフェーの怪——横濱の銘酒屋——性的活動寫眞——金玉釣り——海士の鮑取り——女相撲——天勝の肉襦袢——馬の交接見世物——天の岩戸——伊勢參宮——男女交接——蛇使ひの女——大道具——され長——盲と女の相撲——足藝の女

第三章　結　論

第一章 序論

第一節 見世物の定義

見世物の起原は、もとより、はつきりした事は判らぬが、人間が好奇心と云ふ厄介なものを持つ様になつた時、發生したと見るが妥當であらう。

人のする事を見たり聞いたり樂してしむのを見世物とすれば、見世物の範圍は極度に廣くなる。古くは神話、傳說に現はれた神々の競技から、希臘時代の體育技、舞踊等から、現在のあらゆる見世物を網羅する事になるが、然し今では見世物の中に入れる部分を、かなり限定して居る。

大劇場で行はれる、劇、歌劇、音樂會、或は運動競技の種々、繪畫、彫刻等の展覽會、これ等のものは見世物とは云はない。民衆的の多少低級な、興味本位の、手輕に見たり聞いたりする事の出來る興行物を見世物と云つて居る様である。

興行物である以上、あらゆる見世物の根本目的は、民衆の意を迎へて、商業上の利益を得るのが第一である。其の點純粹の藝術的良心を以て計畫された、美術展覽會とか音樂會とかから區別されるのである。

即ち民衆の意を迎へる事が、見世物興行師の秘訣であるから、彼等は絶えず民衆の嗜好に對する觀察を怠たらない。從つて各國々々の見世物を仔細に觀察すれば、其の國民の嗜好を明かにする事が出來て、所謂各國の風俗史の一面を知る事が出來るわけである。即ち見世物は風俗史研究中の重要な一項をなすのである。

第二節　見世物の本質及其變態

元來見世物は人の好奇心を釣るものである。故に、一言すれば總て變態的のものである筈である。然しこれ等變つた物も分類すると、

一、單に珍らしき物。

二、非自然的或は人工的の珍奇物。

三、挑情を目的とする性慾的の物。

右の如くになる。

普通一般の見世物と稱するのは大低（一）に屬す可きもので、珍奇な動植物だとか、曲藝だとか寄席だとか、手品だとかそうした廣義の見世物。

人間の不具者――例へば一寸法師とか大男とか云ふもの――或は人工を加へた僞物で客を釣る樣な見世物は（二）に屬する。
（三）に屬するものは、讀んで字の如しだから說明までもない。但し、純粹に（三）として計畫された見世物も――例へば上海名物の「磨鏡」とか、「活春宮」とかの如し――あるが、中には（一）（二）の物に多少性的要素の加はつた樣なものもある、それは、便宜上（三）の部類へ加へて置く。
そして第二章以下で筆者の說かんとする所は專ら（三）の性的見世物に就てゞある。だが物が物だけに、多少描寫の筆が謹嚴を缺くかもしれないが、其處はマア何分大目に見逃して置いて貰ひ度い。

第二章　本　論

第一節　性的見世物の本質

現今の制度では、世界中のどの國でも、風俗壞乱の罪に一番觝觸するのは、勿論性的見世物である。從つて其の取締りは、淫書猥畫等の比ではない筈である。それにもかゝはらず、世界至る所の大都市の裏面には、化膿した腫物の樣に性的見世物と賣春婦とが根を下ろして居る。それで普通一般の見世物が表面的風俗史の好題目なれば、性的見世物は裏面的風俗史に絶對必要なる重要項目であらねばならぬ。即ち、筆者がこゝに敢然として、多少の不作法を顧みず、此の題目に筆を執つた所以である。

第二節　變格性的見世物

古代に於ては各國とも獨立した性的見世物と云ふものはなかつた樣だが、古代の宗敎的儀式は見様によれば大抵どれもこれも性的見世物と云へる。それから希臘羅馬の宴席に於ける踊り子や賣春婦の舞踊、或は東洋諸國の後宮や、富豪のハレムに於ける奴隷女の媚態、これ等も性的見世物と云へぬ事はない。それから宗教的刑罰は偶然或は必然的かも知れぬ、が兎に角立派に性的見世物になつた例が澤山あるから興味がある。それは大低異教徒が他宗の信者に加へた、改宗を要求する拷問である。

初期基督教時代に於て、基督教徒は異教徒から絶大の迫害を蒙つた。即ち基督教徒の女が罪される時には必ず賣春婦と見做して、邪神の犠牲にされた。若し女がこれを拒めば、忽ち引き倒され、裸體にされ、遊女屋まで地上を曳き廻され、其處で衆人の輪姦に委せるのである。

それから支那や日本では盛んに行はれた、姦通した男女を裸體にして衆人の面前に曝し物にする。これも日本の事だが、御承知の通り日本では着物を着て疊の上に坐る。それで一寸不品行な立て膝をすると、股倉や腿が露出する。其の機微を利用して商家の細君などが、此の立て膝をやつて赤い湯布（ユモジ）から白い所をちらつかせて、お客の好奇心を引いたものである。

以上の様なものは、別に見料を取つて行ふ見世物ではない。成にこれ等は性的見世物中でも變格の方である。この變格の性的見世物の中には、やつてる方の者が、決して見せる爲にやつて居るのではなくて、誰も見て居ないと思つて、好な事をやつてる所を、案外どこかしら隙見されて居ると云ふ場合も含まれる。此の他人のして居る事を秘かに覗くと云ふ事は、許されて公然と性的見世物を見るよりも遙かに魅力のあるものであるが、日本の樣な明けつ放しの建築法を採用して居る都市では、此の隙見の快樂が存外多い樣である。

夏の夜火の見櫓へ昇る消防夫は、夜も暑さに明け放つ家々の障子の内部で、煌々たる電燈の下に展開されて居る秘戯の有樣を、望遠鏡のレンズへ赤裸々に寫すと云ふ役徳を持つのを樂みにして居るさうである。

或は又二階の手摺りにより夕方の暑さを湯上りの浴衣に風を入れながら、フト隣りの井戸端を見ると、若い娘が行水をしてゐる。若い娘と云ふものは人が見て居ぬと思ふと、とんだ大膽なポーズをするものである。これも夏の夜の樂しい性的見世物の一情景。

第三節　本格性的見世物

本格見世物とは、云ふまでもなく、見料或は會員料即ちお金を取つて見せる、實際的の興行物である。從つて其の演出も徹底して居り、秘密も無い。然し人間の好奇心と云ふ奴は、底まで破つて仕舞ふと反つて、萎縮するが薄いベールを一枚透して見ると云ふ方法をとれば、一層增大するものである。此の點本格見世物はあまり露骨過ぎて醜悪さへ感じられる。

明日Marseilles（マルセイユ）港に着くと云ふ夕食後、きつと變な勸誘が始まる。世話好きの男が音頭取りになつて、ニヤ〳〵笑ひながら、まるで恩にでも着せる樣に、

「どうです、あなた、勿論いらつしやるでしよう？　十人許り會員が出來たから、會費は安いものですよ。フフ……。イヽですネ？　マア、此の港へ着いてこれを見なくちや……ハハ……」

こんな具合に十人許り說き付けて仕舞ふ。說き付けられた方も、勿論委細は知らぬが、其處は直感で、解つて居る。で顏見合せてニヤ〳〵をやる。

十人が二臺の自動車に分乘して、マルセイユの街を盲、滅法に走る。やがて停車すると御定まりの路次裏。夜である。薄暗い街燈の下を無賴漢らしい鳥打帽が行き來する。注文通りの探偵活劇になりさうだ。一同多少恐怖に襲はれぬ者はないが、十人も居るんだから、まさか裸にされる

愛はあるまいと元氣を出して案内者の後に從ふ。

ビヤ樽の樣なマダムが出て來て愛嬌をふり蒔く。もとより一語だつて解る筈がない。內部はバーの樣になつて居て、一同は思ひ〳〵の卓子につくと、不味くて高いシヤンパンを拔かされる。モウ皆ワク〳〵して居るから、味も何も解りつこなし。其處が向ふのつけ目かも知れない。其の時、ふくらんだ財布でも見せたら、サー事だ。ウンとぼられるさうだ。

それから愈々太夫御目通りへ控へましてと、其の太夫なるものが馬の樣な大男に大女、そいつ等が大きなもので、大袈裟に、よろしくやるのだから、まるで馬か牛でも見てろ樣で、こちらの春情をそゝる所か、いつそ物凄くなつて來る。ことにあの太い奴で、所謂後庭を犯すと云ふ演技の時なんか、流石に女が苦しさうに呻つた。見ちやいられない。

巴里の夜は感覺的に明るい。

其の又華かな中心Montmartre（モンマルトル）。性的見世物の一番普遍的なものはRevue（ルビユー）である。ルビユーとは、巴里で一番美しい女の裸體を、五色の光線の下に曝して、其の美しい裸體、それこそ局部に丈特種の片を當てた本當の裸體が、出來る丈肉感的な動作をする所である。最も大仕掛の舞臺裝置、其處へ美男、美女の裸體が、花の樣に咲き誇り、蝶の樣に舞ひ狂ふ。これは決して美文的形容ではない。實際は此の花や蝶が、氣の利いた科白を喋つたり、輕い小唄を歌ふのだから、猶更やり切れない。巴里へ着いた外國人が最先に引つ張つて行かれる所である。そして、巴里女の美しさを、つく〲得心して、味な心を起す所である。

此のRevueの中で最も有名なものが、Folies Bergere（馬鹿な安樂椅子）Moulin-Rouge（赤水車）である。

さて、すつかり神經を好色的に刺撃されてルビユーを出た我々は、外の風に吹かれて頭を冷すと、又うまい白葡萄酒がほしくなる。大通りの人波は劇場を出た新しい波を呑み込んで、一層景氣よく流れて行く。Rue de Douai には露西亞料理店 Termok がある。Fontane 街路には Normandy, Troika, Nox-Bar, Omar Khayyam etc. 所謂夜の呑み場がある。Pigall の辻の le Rat Mort（死鼠）なんかも有名ですネ。

それからが Boites de Nuit（夜の箱とでも譯すか？ つまり一寸した舞臺附き酒場なり）これが亦モンマルトルの夜の名物でしてネ。

Le Perroquet, Florida, Hanneton ……こんなのがあります。で先づ夜の箱の一軒へ這入つて舞臺でやつてる一寸したものを見ながら、例の白葡萄に水を破つて、巴里の味つてる奴をやりませう。

サア、諸君の若い血が夜の巴里の味を一層切實に求め始めました。氣候はよく、酒はよし。冒險には持つて來いの夜です。Let us go! Martyrs 街から Clichy の大通りを過ぎて、或る淋しい場所へ、我々の自動車は、この歡樂者達を棄てた。

小さな貧弱な一軒の家、二階には「家具附貸間」と書いてある札が夜の風にヒラ〳〵して居る此處です！

薄暗い入口を這入つて廓下を右へ曲ると、突然廣間へ出る。其處は二ツの部分に分けられて、片一方は數個の卓子が並べてあつて、バーの樣になつて居る。も一方の部分はダンス場である。熱つぽい、辛い匂ひが、安煙草やアルコールの匂ひと入り混ざつて、此の部屋を理想的の魔窟に仕立てゝ居る。半裸體の女達が公然と客を物色すること例の如し。此の部屋の奥に二階へ通ずる階段の裾が見える。今晩の天國は、此の階段の上にあります。

天國にだつて上等下等がある。第一天國から第七天國まで試驗の結果昇天を許されるさうである。で、最初から第七天國へ昇天しようなんて、虫がよ過ぎる。今晩の天國は第一天國、だから、そのつもりで……第一、巴里へ來て三日目に最上天國へ昇らうとは、余りに神を怖れぬ所業であらう。

所で其の第一天國は……？

一同階段を昇り切ると一室の扉を開けて中へ這入る。完全に黑色で統一された部屋である。奥にある特一番の寢臺は黑天鵞絨で被はれ、其の側にはくすんだ赤褐色の支那衝立（屏風）がある。敷物も黑色の毛織物、それから黑色の寢椅子……

「まるで死人の部屋だネ」と誰かゞ呟く。然し我が敬虔なる迷へる羊達よ。此の黑色天國では、白皙、金髪の美人の裸體がとても印象的ださうです。どうだ！ Paradie Noire（パラディ ノワール）の有難味が判つたか？

と、どこからともなく、蓄音器が鳴り始める。一人の娘が、前丈見せる様に日本の着物を着たゲイシャ・ガールが光をあびて、無表情な日本踊りをやる。これが前藝。前藝と云つても、此の情景は悪くない。グツト唾を呑み込む位の價値はある。

偖て、幕が上る。四人の十二分に美しい全裸體の天女達が、絹の靴下丈はいて……それからは天女達の素晴しい足が高く上れば上る程、諸君の目尻が下るのは、是れ如何に？

Lorger（ロルゲ）と云ふのがあります。つまり覗きですネ。パリジエンヌ（Parisienne）には存外茶人が多いから、黄色人種も亦、別な風味があるはネーとか何んとか云つて、案外もてる事があるから、一概には云へぬが、然しもてたと思つて、いゝ氣になつてると、隣室で所謂ロルゲの的になつてる事があるから御要愼ある事。旅行案内（ベデカ）に此の一項が洩れて居るのは、大變な手落ちだと、筆者は思ふ。

最も嚴格だと云ふ評判のホテルでボーイ長が變にニヤ〳〵笑つたら、締めたツと思ひ給へ。嚴格なホテルに於けるロルゲは給仕長の余德で、從つてうまく行くと、本當の尊敬より可き、淑女と紳士との愛の鬪ひと云つた感激的場面を見る事が出來る。西洋人は由來裸でやる事が好だからネ。

豐滿な、眞白な、艶々した、裸體の牝鹿が長椅子、卓子の間を抜けてスルリ〳〵と逃げる。それをこれも裸の、黄色い、足の短い、髯の黒い、目の釣り上つた、顴骨の飛び出した……どうも惡い形容ばかりで、御氣の毒だが、事實だから致方無し……東洋の狼が牝鹿を追ひ廻す。どうして仲々摑まらぬ。狼は夢中になる。漸く摑へると、抱擁、接吻、それから寢臺へ……

其の翌晩。自分の部屋の贅澤な安樂椅子に埋まつて、身分高き此の東洋の大官は、昨夜の光景を思ひ出して、ニヤリと笑を洩す。それから外出の仕度にかゝる時、二人の外國紳士が訪問した。東洋の大官は一寸嫌な顏をしたが、兎に角面會して見ると、案外にも、彼女からの使ひで、國への土產として活動寫眞のフイルムを一本贈ると云ふ口上である。大官は極上の機嫌で、即座に試寫を見る事を要求する。……

三十分後二人の紳士が歸ると、此の大官はフイルムを持つたまゝ、何んとも形容の出來ぬ溜息をホツトついて、自分の部屋の贅澤な安樂椅子へ埋まつて仕舞つた。

翌朝正金銀行から彼の振り出した小切手で莫大な金を引き出して行つた巴里娘がある。何が彼にさうさせたか？　も一度其のフイルムの試寫を見れば判る。こんな質の惡い Lorger に引つかゝつたら萬事休すだ。だから轉ばぬ先の杖、女に持てたら、ロルゲと思へか。

次には中世紀の淫劇の名殘りを受けたものが存在する。淫虐狂（Sadsmus）や被淫虐狂（Masochismus）の物凄い所から、Obscene（オブセーン）の實演と云つたものは勿論秘密な場所で行はれるが、モンマルトルの下等芝居なんかでは、姦通劇の大流行、舞臺の上で細君と情夫とが、着物を脱いで寢臺へ這入る所まで平氣でやるのだから恐れ入る。

それから……それからが愈々第七天國ですな。此處まで昇れば神や基督と同居が出來るさうです。アメン。（Amen）

抑々、女つて奴は人間の牡の次には、犬の牡が好な樣ですな、其處で犬と女。第七天國。オヽ神よ！　であります。

先づ犬を馴らすには大抵牛乳を用ゐるさうです。牛乳を例の所へ注いで、犬の鼻先へ出す。犬が甜める。又牛乳、又甜める、又々牛乳、又々甜める。Thats' all. 人間の牡（オス）の次に、犬の牡が好きであつた女が、犬の牡の次に人間の牡を好む樣になるさうですから、其の猛烈さも想像されようと云ふものです。此の見世物はつく〴〵人間の牡の貧弱さを痛感させる丈でちつとも愉快でないと、見た者は誰でも云ひます。それを押して、詳細に語れと仰有つては、あなたの御人格に障

ります よ。

其の他春畫活動寫眞、これは見る人によつては、實演よりも有難い。それから Gentil な、見世物として理想的な奴は、Fouille de rose（薔薇の花片）即ち一法金貨を卓子の角から、生き〳〵した薔薇の花片が吸ひ取らうとする……壽命が三年……オツト縮む見物である。

元來性的見世物と云ふ以上、どんなに考へたとて、結局は動物雌雄の性的行爲を色々の方法で複雜にして見せるより仕方がない。だから其の表現方法は國々によつて種々異る所もあらうが、根がそれ丈の事であるから、そんなに色々の種類のある筈がない。大抵どの國のものでも似たりよつたりである。で、甚だ概略ではあるが、右巴里見世物見物を以て、色の白い人種のそれを代表させ、今度は故鄕東洋へ引き返して、色のある人種がどんな見世物を考案して、性慾昂進の强壯藥として居るかを調べて見よう。

支那は森羅萬象の百貨店である。殊に性慾には徹底した所、豈面白い見世物の無からんやだ。だが筆者不學にして、大した事は知らない。不學の僻に性的見世物考もないものだと、そう頭からやつつけられては一言も出ない。默れと云へば金輪際默る。

エ？ あゝそうか。では話す。

これは見世物ではないかも知れぬが、金を取つて、變な物を見せるのだから矢張り見世物と云へぬ事は無からう……。前置する程のものでもないが、奉天を訪れた時、先づ氣候もよく、天氣もよいと來て居たら、郊外散策の傳手と云つた呑氣な氣分で、車を北陵へ驅るであらう。さて北陵の見物がすんだら……是非にとは云はぬが、とに角物好な心を少しでも持つて居る人になら、筆者はほんの少しの廻り道だから、近所の喇嘛寺を訪問する事をお勸めする。但しとても大變な路だから、余程腰のバネを丈夫にして置かぬと、車が痛む前に腰が痛むから御注意下さいと云ふ程無法な路だ。其の無法な路を、思ひ切り乱暴に……尤も自分が人間だと云ふ自負心を持つて居たら、とても此の路は車に乘れない。先づ豚にでもなつたつもりで居るのですな……右手に見える面白い形をした石の塔を見當てに進む。一廻りの塀の外をグルリと廻つて、やうやう入口を見付け、寺内に入る。正面の奥に本堂がある。多分坊主だらう、三人許り出て來る。向ふもこちらの目的は先刻承知だ。本堂の扉には大きな錠が下してある。此の錠の前で問答だ。單刀直入にHow much？ とやる。平氣なものだ。一圓だと云ふ。もう此の奉天では日本の金が奉天票なんかより信用がある。一圓だと云つて、後でもつと呉れろと云つても駄目だぞ、と念を押す。押さねばいかぬ。御大隷風をしてるときつと肝心の所で追錢をとられる。

此の交渉が纒まるとやつと錠を外す。內陣へ這入る。狹いが存外きちんとして居る。勿論森嚴だとか何んとか云ふ氣分はない。普通の佛樣が左右にずらりと並んだ中央一段高い所に黃布で被はれた天地佛の顏が見える。祭壇へ梯子をかけて、一人の坊主が、本尊の黃布を捲り上げる。赤裸抱擁の歡喜佛の尊體が現はれる。無遠慮に側へ行かうとすると、坊主が待てと止める。何んだと云ふと、先づ禮拜せよと云ふ。なる程本尊の前の祭壇に大きな香爐があつて、白米が入れてある。其の中に今貰つた五十錢銀貨が二枚。喇嘛の佛樣、女も好きだが、金も好きだな。それへ線香を立てゝ勿體らしく尊體を拜めと云ふのだ。何んの事はない、抱擁されてる天女の大きな白いお尻を拜む樣なものだ。とに角一同代る〳〵お尻を拜む。それから梯子を昇つて、もつとよく見樣うとすると、それ丈は許さぬ。强いて梯子に昇る必要もないから止めた。尤も、喇嘛の怪佛は北京雍和宮にあるものが代表的であつて、これを見た人は奉天のものなんか、ちつとも見る必要はない。

田舍の關帝廟などのお祭騷ぎの時、いつでも興行される猥褻劇、これなんかは一種の鄕土名物として、保存してもいゝ位のものだ。

それから上海ではよく見るが、一錢覗きである。一人で小さな覗き屋臺を擔つて來るのは大抵曰つきの代物である。巡警の來るのを注意しながら、バタリ〳〵と畫を替へて行つて、最後の一枚が御樂しみ、へイ御退屈樣と云ふ奴で、愚にもつかぬ畫を見せる、朦朧覗き屋、然しこんなのは論じるに足るまい。

つい去年あたり上海は十六舖の附近に印度人の寄席があつた。眞黑な女達が色々な樂器を持つてグルリと安座する。御客の視線が、しきりに變な所へ飛ぶ。賑かな樂が奏し始められると、十二三の露西亞娘が素裸で、踊り出す。まだ陰毛の生えて居らぬ局部へ眞赤に色を塗つて居る。それが素晴しい勢で跳ね廻る。此の一團は間もなく姿を消した。官憲の壓迫があつたと推察される。秘密と稱せられて居るものでは、フランス租界に於ける裸ダンス。上海名物の磨鏡それを卒業すると活春宮それを卒業すると……

磨鏡は摩鏡とも作る。

此鏡奇厚日、摩千摩而不碎
在大衆男子前、大做其赤膊戯

全く面の皮の厚い鏡である。あれだけ摩擦してはなる程毛も生えぬ筈である。此の磨鏡は支那人が見るのと、外國人が見るのとは、値段も時間も違ふ様だ。支那人の時には十四五元で一時間位は普通ださうだが、外國人の時は二十元以上は取られる。時間も三十分やればイヽ方である。活春宮。春宮とは春畫の事。それが生きて動くのだから、活春宮。これは磨鏡よりは多少高いまづ二十元から二十五元位。だが支那人ばかりが見るのなら、これより安い事勿論である。これも演者の下襦袢を脱がせるに一元かゝる。襦袢なんか無理に脱がせなくともよさゝうだが、やはり其の其處はネ……とに角一元余分にやつて襦袢を脱がせる。すると赤裸々の肉塊が二ツ。運よくいゝモデルにぶツつかると、とても有難い。然し、運悪く變なモデルを連れて來た時は、遠慮せずに、取り替へさせる。まだ裸にならぬ前なら、多少余分にさへ出せば變替自由であるのは流石によく出來て居る。さて演技だが、普通十二様式、二十分內外である。男は勿論行く所まで行くが、女は平氣な顔をして天井の節穴を勘定して居る。强ひて云へば目の色が多少うるむ位だ。何んしろ商買だから偉いものである。所が、本當の活春宮と云ふのは、そんな生温いものでなく、女一人に男數人と云ふので、入り代り立ち代り參るまでやるのだ、時間も一時間は充分かゝる。其處まで見なくちや通でないとの事。

これ等、磨先生や活春宮居士等は自分の家で、これを行ふと云ふ場合は殆んどなく、大抵は日本に於ける待ち合と云つた家へ出張する。それで二十五元取つても、手取り金は案外少い。此の商買亦つらいかなである。

ある金持ちの娘が、フトした事から犬の味を覺えたと云つても別に犬のすき燒がうまかつたと云ふのではない。一匹の犬の味を覺え、二匹の味を覺え、今では數匹の犬の味を覺えて、人間の味を輕蔑したのである。で、それ等の味のよい犬共は奇麗な衣裝まで着せられて、娘の愛を人間の手から完全に奪つて仕舞つた。所が又フトした事から、犬の味を如何に樂しく滿足して味つて居るかと云ふシーンを今度は人間に見せる事に興味を覺えた。彼女は商買道具として犬を愛するのでない。だから彼女の機嫌の悪い時は百金を以てしても、如何ともなし難い。其の代り具合のいゝ時には、只でも其の秘戯公開を惜まなかつた。だが最近我々は彼女の消息を聞かない。筆者は色々手を廻して探つたが矢張り解らぬ。最後に知り合ひの或る女將に聞いたら、可愛想に、其の肝腎の犬を惡い英國人が蹴殺したとやら云ふ話。

奇想天外と云ふ事は、誰が何んと云つても支那人の專賣にして置くがいゝ。これなぞも其の一例、あまり馬々しい戲作だが、支那料理では中休みに水菓子が出る事がある。それに倣つて口直しとして御覽に入れる。

南京路大慶里に湖南出の二人の妓女がある。母子と稱して、母の方は三十許り、娘の方は十七許りであるが二人とも容貌は大して美しくない。然し流石に娘の方はとても素晴しい眼を持つて居て、人の心を惹くに足りる。服裝も別に他の女と違つて居ない、冬季頭戴貂帽、身穿狐袍。喩傳精美的雪花膏。香氣四溢、神致飄然。双足瘦小、尤爲特別、雖知足小、不適于時風、但亦無法使足長大。此の圏點の所なぞは仲々面白い。淫文先生亦一見識ありか。

所が此の母子は妓女と稱しながら、夜御客が宿つて行かぬ。其の上花代が一般の妓女から見ると、甚しく高いのを見ると何か母子には立派な秘術があるに違ひない。

世に「口技」(日本の八人藝)と云ふものがある。一人の口から樣々の聲を發するのである。以て奇とするに足る。然るに母女二人的陰戸竟有特別的奇拔。也能發音說話。豈不較「口技」爲更奇麼？　客があつて、愈々其の藝當を見る幕になる。其母露其體、睡于床上。兩足高擧。用二幅白綾、左右分掛床頭、兩足擱在綾上。因其時候甚長。足若久擧、必受酸痛的苦。兩腿既分。陰戸向外。覗于客前、戸前置有丸彈一堆。大如桂圓。此の丸彈が、金、銀、銅、錫、鐵、紅木、白木、外、外、外……都合二十四種ある。これを一ツ一ツ陰戸へ入れると陰戸がそれに從つて色々な音を發するのである。二ツ三ツ例を擧げると、

以金丸入牝戸、牝内像聞六七十才老人吐痰聲。以白木丸入牝戸、牝内像男女交媾聲。

以翠丸入牝戸、像放屁聲。

娘も亦此の藝がある。而發音較母更爲淸亮。听者盆入耳。

以紅木丸入牝中、牝中發言道、再會々々。

以綾丸入牝中、牝中發言道、小和尚來哉。

これ等の見料は毎次百金と云ふから大變である。お客の中には娘のを聞く者、母のを聞く者、合奏を聞く者色々ある。其の上此の母子の陰戸、更能縮小、如三才女童的陰門一様。也能放大、如

牛馬之陰門者。共陰戸又能吃茶一巨杯。能吃黄酒二斤。以下は見世物に關係がないから略す。

フランス料理を喰べて、支那料理を喰べたから、次は日本料理と云つた所だが、何分現代の日本と云ふ國は、支那に次いでの君子國だし、アメリカに次いでの文明國であるから、表面上性的見世物なんて不潔不道徳な代物が存在する筈はない。が、それは表面丈のことで、內秘では、色々なものがあるだらう。現に新聞にはよく猥褻活動寫眞や風俗壞亂カフエーの事が出て居るでないか？ なる程確に出て居る。が、それはですネ、如何に淸い水でも檢微鏡的調査をやれば、必ず塵は出る。それと同樣に、日本の警察は淸水の中から塵を發見して、盛に新聞を賑す程、發達して居る。以て日本國の文明の程度が解るだらう。と云ふ理屈になる。

共の塵の中から二ツ三ツ拾ひ出して見る。世界の大都市東京は銀座のすぐ裏の或るカフエーで醉つてくると、女給達が歌に合せて、前を捲つてお客に抱きついて來ると云ふのや、横濱の銘酒屋で、チヨンキナ〳〵で一枚宛着物を脫ぐ奴は、見世物と云ふより、一種の遊びの方かもしれん專門的見世物として目下一番有力なのは性的活動寫眞だらう。一時騷だお產の活動寫眞。（尤もあれを性的見世物の中へ入れたから叱られるだらうが）日本製の普通性的寫眞は二卷二百尺位で相場は二百圓位。一回の映寫料は二十圓から三十圓迄。橋の上で身投げの女を助けた武士が、變な心を起して女を欄干へ押しつけながら行はんとするも、刀が邪魔して具合が惡い。捨つ可きものは弓矢なりけりと云つた滑稽なもの。或は强盜が居直つて主人を縛り上げ、妻君を强姦する。それを障子の外から下女が見て、耐らぬ樣になつて來る。其處でこちらから泥棒樣へ据膳すると云つた不屆な物、お尻の大寫しで其の筋肉の微妙な運動、少々氣が重くなるネと云つた代物、斯う書いてくると如何にも筆者が、其の道の達人の樣に見えて、問ひ合せなんかゞ來ると迷惑だから此處にはつきり聲明して置く。これは皆風のたよりや、人の噂でしてネ、大體そんな物を見る可く、あまりに筆者の道德心は……エート、偖て。

あの藝者や幇間に金の力で性的の動作をさせる。實に成金趣味の惡趣味である。筆者は敢て道德心に問ふ迄もなく、感覺的にあゝした行爲を否定する。何んとならば、藝者は藝者、幇間は幇間の意氣と藝とあらしめよである。これ許りは筆者頑强なる溫古主義である。

今は無いが、一時淺草に、金玉釣りのユーモラスな見世物があつた。太夫は大金玉の男、助手は三味線引きの女。先の曲つた硝子の棒で、其の大金玉を釣り上げる。こいつ仲々うまく行かぬ。

うまく行つたら御手拍子の上に、褒美として、女が一寸前を捲つて見せる。ハツ入らはいく。

本郷のある飲食店の二階から隣りの女湯が覗かれる。其處で一高生徒の專屬店になつたとか、眞疑は知らぬ。

横濱に外人專門の裸ダンスがある。日本人は拒絶する所に悲慘やら滑稽やら。

日本で三番目の大都市名古屋の大須觀音境内は丁度東京の淺草に比敵する歡樂場。今では最早や見世物の小屋掛をする餘地は微塵もないが、昔は此處にありとあらゆる見世物が集まつた。筆者の子供時分の記憶では、鮑取りと云ふ見世物があつた。硝子張りの水槽を褌一枚の海士が泳ぎ廻るそして水底へもぐる時客は滿足したさうだ。奇妙に此の興行は嚴寒にのみ行はれた樣だつた。

それから筆者の覺えて居るのは女相撲。これはどこと云つて、とり立てゝ性的の所は無かつたが、取り組みながら盛に巨大な尻を振る時、子供心に變だなと思つた。女相撲の樣式は、最初は襦袢無し、本當の廻し一本だつたが、だんく猿又をつけ、襦袢を着る樣になつたと記憶して居る。

筆者の高等小學校時代と思ふが、名古屋の末廣座へ奇術の天一一座が華々しく乘り込んだ。まだ娘時代の天勝の人氣が素晴しいもので、見物人は懸値のない所滿員で、花道から舞臺まで坐り込んだ。何が目的でこんなに客が詰めかけたかを今から考へて見ると、フムあれかと首肯されて、苦笑が思はず唇頭に上つて來る。現在の天勝夫人はもう忘却の淵へ、昔の事は、押し氣もなく叩き込んだであらうが、あの時の數千の人に交つて居た一少年が今だに覺えて居るとはやはり印象は强かつたと見える。藝題は何んであつたか忘れたが、とに角舞臺下手に高い壇があつて、其の上に、大きな蝶の羽根で、すつぽり身體を包んだ、美しい天勝が立つて居る。舞臺は薄暗い、すると强い五色の光線がサツト天勝に注がれる。羽根が除々と擴げられて行く。すると强い五色の光線がサツト若さ其の物と云つた素晴しい天勝のすらりとした全裸の肉體へ……オツトそんなに乘り出し給ふな。何、高が肉襦袢々々々。

これがウンと當つたと見えて、其の後又末廣座で他の一座がこれをやつた。其の時の女はやはり美しかつたが、舞臺の端へ出て來てやつたので、肉襦袢がよく判つて頗る興冷めだつた。それからは公開の興行で、これ丈露骨な事は見なかつた樣に覺えて居る。

年代がも少し遡つて明治の初期になると、最早や筆者は何事も知らない。其處で今度は當年の榮粋士（今でも某粋老人だが）の話の受け賣りをしよう。受け賣りだと云つて、仇やおろそかに聞いて貰つては困る。品物に噓や僞りがあつたら御目にかゝらぬ。

つら〳〵（と大きく出て）當時の性的見世物界を見渡した所、丹羽郡飛保村曼陀羅寺境內の見世物が、其の最高權威であつた事は否定出來ぬ。筆者の知人某粋老人は實に此の曼陀羅寺通の歷々であつたんだから、氣が强い。

偖て、粋老人の曰、

「わしの若い頃は、云々」で始めると話が長くなるから、恰も筆者自身が見て來た樣な顏をして書き流して行かう。

馬の交ひ。雌馬の四足を棒杭にしつかり縛りつけて、雄馬をかゝらせる。仲々うまく這入らぬ其處で人間の助手が石鹼を塗つた手で押し込んでやる。一升も眞白な精液を出す。女のお客は思はず踊み込んで仕舞ふ。一體こんな雄大な光景を女なんかゞ見に來るのが圖々しい。それこそザマ見ろだ。

次は例のヤレ吹けソレ吹け。此の天の岩戸も色々ある。普通昔からあり來りのは、「莚園の小屋を造り中央に床を置き床上又胡床等を置き若き女に紅粉を粧させ華なる古裲襠を着せ古の胡に腰を掛させ女の背腰以下板壁にて木戸外より女の背を見せ髮飾多く裲襠の裾を右の板壁に掛け美女を畵て招牌を木戸上にかけ八文 計の錢をとり女の衣服裾を開き玉門を顯し竹筒を以て吹レ之時腰を左右にふる衆人の中吹レ之て笑ざる者には賞を出す。

右の見世もの 他日は稀也江戸は 兩國橋東に年中一二場在レ之小屋及び女の扮同前或は片輪もの因果娘蛇遣の類專ら陰門を曝て見世物とす是亦專ら八文。

三都ともに右の女濃粧をなし髮を飾て背姿甚美なれども其面は醜婦多く稀には中品の女もあり又中より美に近きもあり」（守貞漫稿第三十一編雜劇下）と云ふのだが、此處のはそんな生温い貧弱なものでない。先づ相當の大きさの小屋掛舞臺、數人の下座が三味線を以てズラリと並ぶ。すると三人から四人位の太夫が舞臺前面に立ち現はれ、シヤン〳〵と云ふ三味線につれて、例のヤレ吹けソレ吹けと前を捲つて腰を振りながら舞臺一杯に盛に活動する。それを馬鹿が火吹竹で吹く事、笑はずに吹けば褒美が貰へる事、笑はずに褒美を貰つた神經遲鈍患者は一人もない事、昔の通りである。但じ此の時分は木戸錢は十二文であつたが、唄の文句は相變らず吹いても吹かんでも八文じや。と八文を此の見世物の代名詞の樣に用ゐて居た。前記江戸兩國でやつて居た單純靜的な奴より、動的複雜な此處の方が當時の人氣を捕へたであらう事は、今日からよく想像される。

この天の岩戸といふ見世物は、何んといつても日本性的見世物の首位に置かる可きもので（首位とは最も凄いと云ふ意ではなく、最も普通的であつたといふ意味である）江戸末期の發明だと思ふが、いつ誰が始めたといふ事は勿論不明である。前に引用した江戸兩國に於ける此の見世物の記事の出所である守貞漫稿には又大阪に於けるそれの記事も出て居る。同書第二十三編正月十日、大阪南今宮村戎社詣の條下に左の如く出て居る。

「又今日官倉邊の野外に席張の小屋を造り婦女玉門を出し竹管を以て觀者吹レ之觀場二三所あること恒例の如し。

陰門を觀物とすること大阪は此兩日（筆者註、正月九日、十日）のみ江戸は兩國橋東の小屋にて年中行レ之也」

明治十七年四壁庵茂蔦著「忘れ残り」（續燕石十種第一卷）に「可恥見世物」と題して、

「兩國又は山下に小屋を掛けて、若き女前をはだけ、彼の所をあらはし、また一人は赤き切れにて陰莖の形をつくり竹の先へは、彼の所を突く眞似をしながら、やれつけそれつけ、やれつけそれつけと云ひて踊る、女はあてゝ見るならあてゝんかと云ひて、三味線にはやしに合せて、腰をうごかして見せる」

これで天の岩戸の見世物は吹くのと、突くのとがあつた事判明する。尙名古屋有名の萬松寺境內も大須や東本願寺境內とともに同市に於ける著名な興行物地帶であつた。其の萬松寺境內に某氏の談によれば・（某氏は今四十歲位で、其の小學時代に覺えがあるといふのだから、少くとも明治半ば頃、明治二十年から二十五六年の間だと思ふ）ヤレ吹ケ、ソレ吹ケがあつたさうであるが普通のとは多少相違して居る樣だから、左に記して置く、

埒內の正面觀音の扉を半開（錦襴にて弘法大師の卍の飾あり）にして竹の管で開扉し、吹かせる。若し客の中でお賽錢を上げる者がないと、厚化粧の觀音樣は自ら開扉して二指を挿入して見せる。云々。

此のヤレ吹ケ、ソレ吹ケに似た見世物は、まだ外にある。一筆菴の「魂膽夢輔譚」三編卷之中、

出目助が保九郎の女房の鼻の下の腫物を治療して貰ひに夢輔の所へ連れて來る所、

「……まづふみだいに腰をかけさせ、半びやうぶをうしろへ立たところが、へびつかひの娘か親のいんぐわが子にむくッたといふ、あしにけのはへた女のみせものゝごときかたちゆゑ、そばにゐる眼八もをかしく、ふき出すほどに思へどもこらへゐる。夢輔ばありのとわたりのできものを見てやらんと女のまへのはうへまはりまむきにすはりて、まへをまくるゆへ、おもわず眼八はなうたをうたひ出す 眼「色のゥ世界に引色なき者はア引チツテチリチリチ、リチチリチン」ト 口ざみせんでおもしろく唄へば出目助もうかれて 出「こりや〳〵〳〵、まだこりや天の岩戸をおひらきなさるぞチツテチリチリそりや出る〳〵チツテリチリ〳〵龜やア鮒やアそりや出た〳〵〳〵上見て下見て八文じややすいもんだチツテチリ〳〵」とはやし立て、おどり出すゆへ夢輔もひやうしにうかれ、女のきものをまくる是はりやうごくあたりに女のこしをかけてゐる前へちいさな人形のはやしにつれて、ひよい〳〵とくびを出すみせものありて云々。

さて天の岩戸も首尾よく開いたから再び曼陀羅寺へ歸る。「御入部伽羅女」巻の五に、

「……鑑板を見まはる中に大なる枕繪書女はふり袖生國は備後の福山れき〳〵なる人の娘參宮

の道で仕ぞこなひ男は廿五見ぬ事ははなしにならず……此見世物噺の種とむりに大臣いざなひ見れば竪島の大夜着へむすめと男を上にして片はとりに參宮の手みやげ……」此の伊勢參宮の見世物が、曼陀羅寺にもあつた。娘と若者とであれば、まだいゝが、此處のは、子供と母親とが亡夫の追善の神詣りの道中で、仕くじり、其の罰で抜けぬ爲めが衆人に見せて罪滅し、といつた口上である。

舞臺正面に蒲團を敷いて、三十位の女が十一位の男の子を腹の上に乘せて、暫時ムク〳〵やつて見せる。其の中に口上云ひが、今日は子供の具合が悪いからうまくやれない故、母親の代物丈御覧に入れると胡魔化すと、女はパツと上の蒲團をはね除ける。子供はクルリと女の後へ隠れるそれから所謂母親はズツと股を開けて見せる。田舎の見物は遠慮がない。「モツト大きくして見せろ……」と怒鳴ると、女は指を入れてそうして……此の母親は大して美人でもなかつたが、まんざらでもなかつたので、此の一座はいつでも大入滿員、世に好色の種は盡きまじであつた。

明治五年四月の「愛知新聞」第十一號、

「開明ノ時ニ當リ佛事ノ盛ナルハ佛氏ノ所謂不可思議カ縣下二月朔日ヨリ以來開張アル凡ソ四十

六ケ寺ナリシ右開張ノ内丹羽郡飛保村曼陀羅寺ハ格別發向ナリ觀セ物殊ニ多シ就中奇ナルハ男女ノ交接ナリ幕ヲ開ケバ一幅ノ活春畫男女皆裸體兩身一塊ト實ニ殷紂沙丘ノ後三千年曾テ公然ト見ル者ナシ或人曰此ノ如キハ文明開化ト云ハン歟將タ自主自由ノ權トセン歟」(外骨著「明治奇聞」三)

かくして飛保村の曼陀羅寺は日本の性的見世界に於けるオーソリチーで……エー諸君御異存がありますかッ？

倚此の外の性的見世物（江戸末期より明治の初期に行はれた）といへば、

蛇使ひの女。

實見談によれば、陰門へ蛇の鎌首丈押し込んでダラリとぶら下げる丈ださうな。尾まで蛇を入れて仕舞ふなんて、勿論ヨタである。

大道具。

これで馬の様に腹太鼓を打たして見せた。

さね長。

引きのばし結ぶと云ふんだから大變な物であつたらう。

盲と女との相撲。

女鬪取に振られた野暮な客が、盲の鬪取りにいくらか握らせて、土俵の上で女鬪に惡戯をさしたといふ樣な挿話もある。

足藝の女。

肝腎の藝より緋襌からチラツク所が見所であつたであらう。

第三章　結　論

何か世の中に變亂が起ると、きつと性的研究が盛んになる。そうした現象には色々な理由もあらうが、第一は人間の洗練され或は監禁されて居た本能が、直截に覺醒してくるからである。

文明社會が一番怖れるのは、人間本能の野獸性が覺醒する事である。それで先づ道徳といふ道具を發明して、人間本能の洗練といふ事業に努力した。それでも駄目な屑には法律といふ手錠をかけて容赦なく監禁して仕舞ふ。

性的見世物なんて物は、どこから、どう見たつて、我が文明社會に存在を許さる可きものでない。よろしく、道德と法律との力によつて、此の惡魔の林檎を我々の眼前から消滅させねばならぬ。

斯うした高遠の理想の下に、お歷々の僧侶、道學者、官憲、盾の半面を代表した時の紳士と淑女との共同努力によつて、社會は愈々淨化して行つたのである。

明るい半面には必ず暗い半面がある。

いくら道德と法律とが、夢中になつて驅け廻つても、人間の本能は當分去勢されるとは思へない。と、同様に、いくら洗練と監禁とが活動しても、性的猥褻物が一掃される筈もない。教會で牧師が神様を諸君に招介してゐる時、教會の建物の影では惡魔が猥寫眞を賣つて居る。世の中が立體である以上、明暗と影日南は附いて廻る。此の世が神の思召しによつて、東京地下鐵の照明裝置の様に無蔭影照明になる迄は、どんなに借家法を研究しても、闇の家に居座つて居る、ロクでなしの店子共に店立てを喰はす事は不可能であるとあきらめねばなるまい。

男根崇拜考

（附、リンガムに關する一般的考察）

もくろく

一、性の神格化

大英百科辭典の『キリスト敎』の條りに、次の様な一節が書かれてある。

『キリスト敎以外の凡ゆる宗敎は、其根本を洗つて見るならば、何等かの形式をもつた自然崇拜敎と云ふことが出來る。而して夫等の異敎に於て、最も深く最も強く畏怖心を刺戟する自然作用は、實に生殖作用なのである。『生れること』、そして『育つこと』――此の不可思議は自然作用中最も深奥な神祕である。此神祕は凡ての思慮深い異敎徒を包み、さまざまの形で表現されてゐる。或るものは稍々清淨なる形式で、又或るものは稍々卑猥なる形式で。』

『邪敎を奉じた古代の思想家たちは、今日の科學者と同樣、宇宙の起源と保全との隱れた祕密を發く鍵は、實に『性の神祕』の中に祕んでゐるものと信じてゐたのである。

『二つのエネルギーと云はうか、又は二つの原動力と云はうか、兎に角能動的な或る力（男性）と受動的な他の力（女性）とは、常に或物（又は者）を創造する目的を以て結合されるのであると考へられてゐた。そして天と地、太陽と月、晝と夜は生物の創造の爲めに常に共力して働きか

第一圖

『宗教的感情の起原』獨乙カウフマンの作畫

けてゐるものであると信ぜられてゐた。古代文明を飾る多くの多神教的崇拜の殆ど總ては、斯くの如き基礎の上に立つたものであつて、現象となつて現はれる多くの自然力は、いづれも男女の性を與へられて神格化されたのである。そして人間のもつ諸機能の理想化されたもの、即ち多くの欲望や肉慾と云ふやうなものが、崇拜の目的物として神格を附與せられ、人間自らの意志の中に祕む本能は、軈て神格的權化として祀られるに至つたのである。

『で我々が今日、如何なる多神教を調べて見ても性の神格化されてゐないものは一つもないことを容易に發見し得るのである。古代宗教にして、何

第二圖

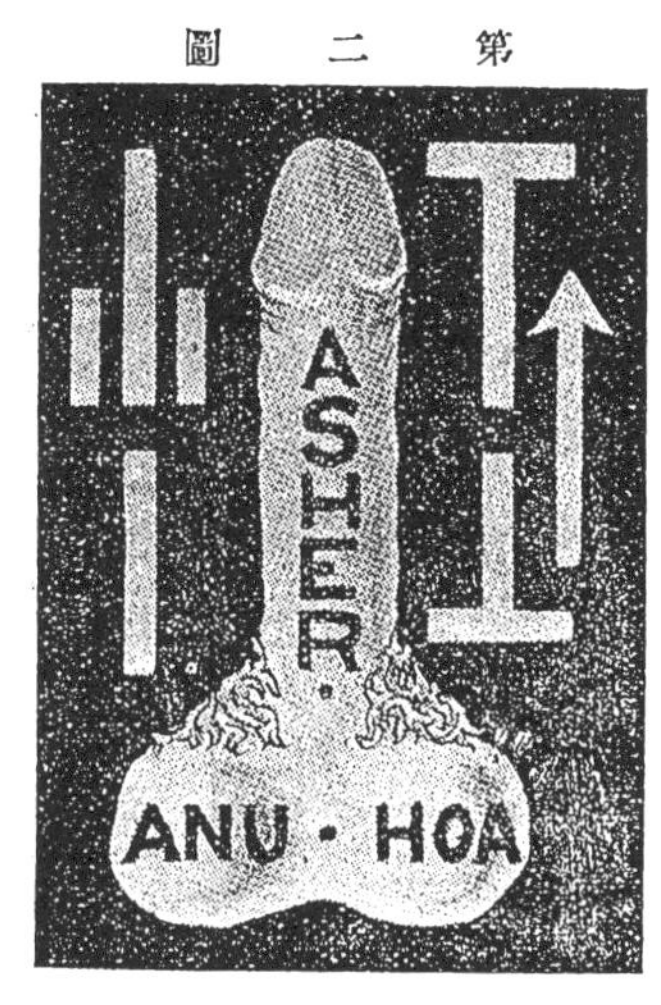

男根とそのシムボル

第三圖

同上

等かの儀式によつて、性的行爲を神に奉献せぬものは一つも無かつたと云つてよいのである。然し乍ら、此處に注意すべきことは、彼等は其の神前汚瀆を快樂の爲めに行つたのではなくして、全く嚴肅な宗教的勤業として行つたと云ふ點である……』

それから文章は更に續いて、此等のことがキリスト教に於ては如何に相違してゐるかと云ふことを說いてゐる。

如何なる宗教に於ても結局は『或る力』の信仰である。一神教に於ては一つの力を信じ、多神教に於ては多くの力を信ずる。而もその『力』は、我々人間以外のもので、我々よりも强きことは、

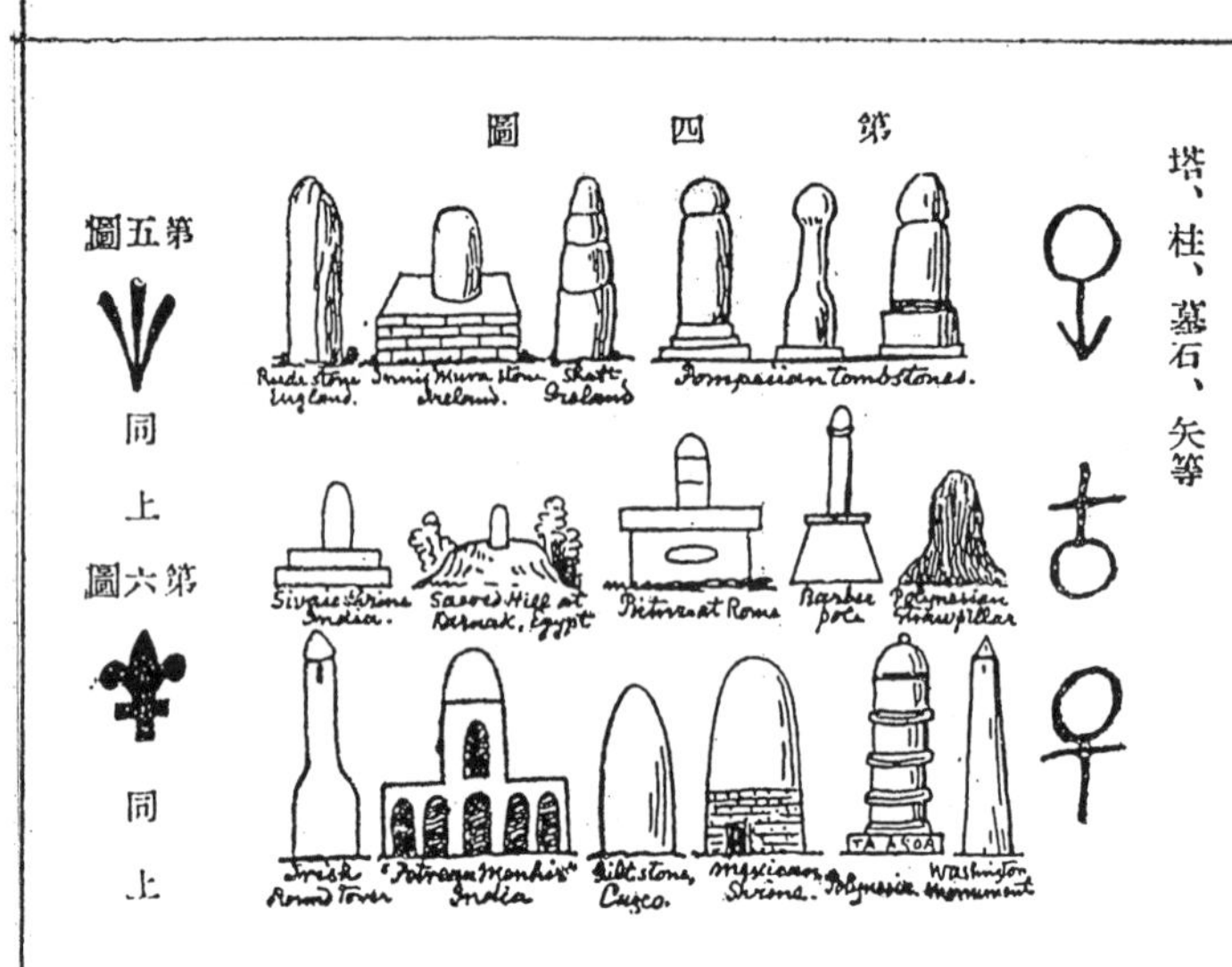

恰も古き希臘教の聖書に記るされてゐるヘシオドの神話中に見える『鷹の爪の中に摑まれた鶯』の如くに、人間の全く抵抗し難い偉大なる『力』なのである。

原始時代の人々は『神聖な力』を數多くの形式で認め、乃で多神教が生れて來た。處で此『神聖な力』が、たとへどの樣な形式で表はされようとも、その力は常に、凡ての自然界を創造した處の『陰陽の力』に對する崇拜の形を採つてゐることは見遁し難い事實である。殆ど凡ての宗教は、一樣に『汝の神を崇めよ』と教へる。さればこそ、アーリヤンの血統を引いた凡ての國民が、創造主を呼ぶに『父よ』とか『我等の父よ』とか、或は

第七圖

アッシリヤのアッシユール神。右手に持てるはリンガムのシムボルである松毬。

又『天にまします吾等の父よ』と云ふ風に父稱（男性）を以てするのも故あるではないか。

　アーリヤン民族に於ける最も原始的な考へ方は『ウラヌス（天）は沖空にかゝり、ガエヤ（地）は之を支へて、共に共に永遠の性的抱擁を續けてゐる。森羅萬象は恐く此抱擁より創造せられるのである』と云ふのであつたが、希臘人や羅馬人も之と全く同じ考へ方をしてゐた。

　或は又『神の精靈は海洋を抱溫（あたた）めて地を産んだそして凡てのものは其地の中にある』と云ふ考へ方もあつたが、これは古代の猶太人の考へ方だつた。此場合は恐らく只一人の男性の神のみが『生殖』（創造）を行つたと意味らしく思はれ、海洋を

第八圖

印度カシミール溪谷の首都スリナガルの寺院の堂宇。

女性に見立てた神話であると云ふ見方は後世の哲學的解說であると思はれる。

嵐や瀧なす豪雨、激流などに見られる力、滅茶苦茶な暴力と云ふものは人間と動物との恐怖心をいたく刺戟する。電光の閃き、雷鳴の轟き、颱風の唸りなどは、いづれも人の心を極度に戰かせ、そして此等の現象の原動力と思はれる處の或る『力』の前には如何に人間の力が弱少で見るかげもないものであるかと云ふことを、古代の人々はまざ〳〵と認めたに相違ないのである。

古代の人々が解釋出來ず、又造り出すことも出來ず又意のまゝに操ることも、防ぎ止めることも出來なかつた處の自然界に於ける凡ての現象につ

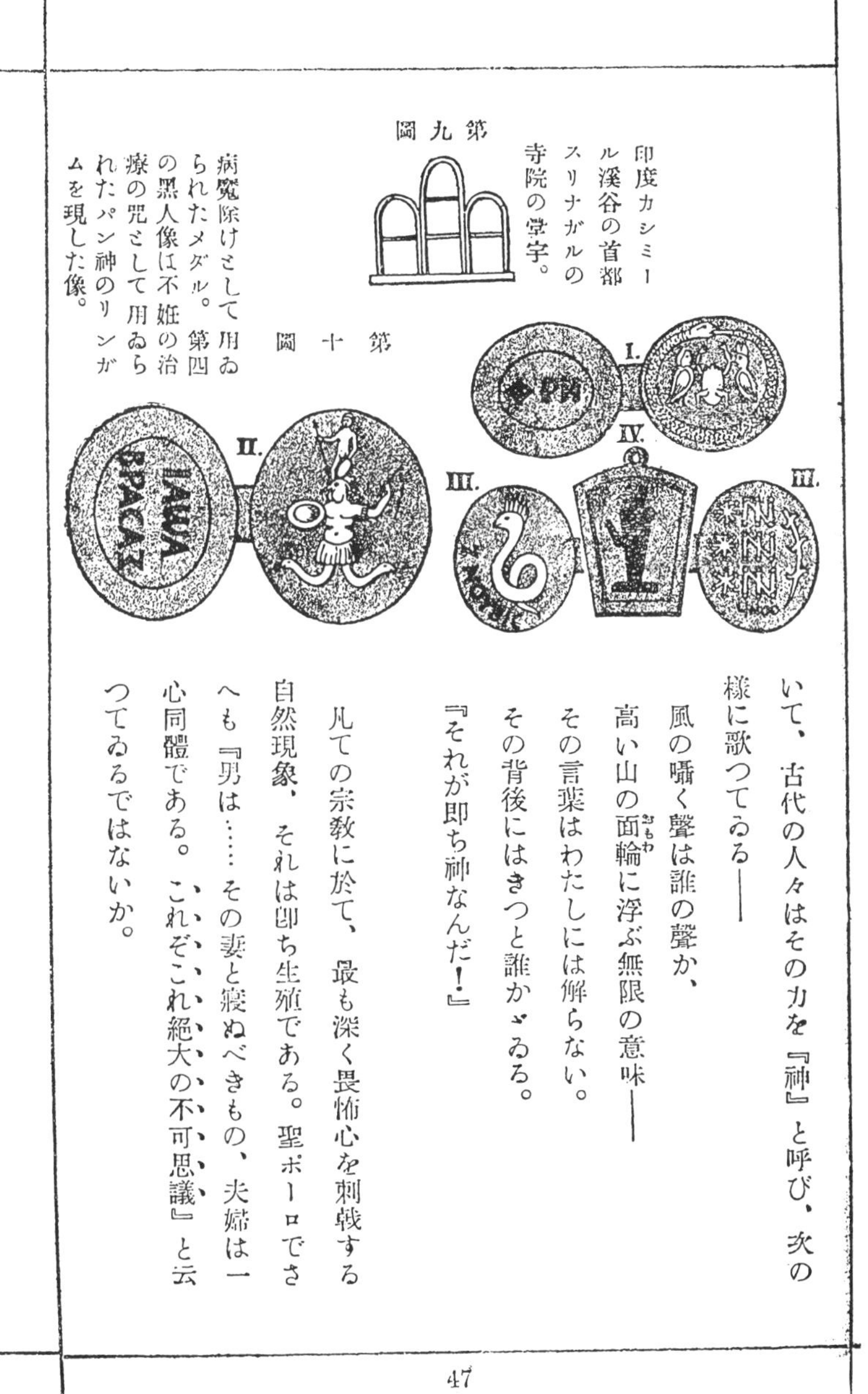

第九圖

印度カシミール溪谷の首都スリナガルの寺院の堂宇。

第十圖

病魔除けとして用ゐられたメダル。第四の黒人像は不妊の治療の咒として用ゐられたパン神のリンガムを現した像。

いて、古代の人々はその力を『神』と呼び、次の様に歌つてゐる――

風の囁く聲は誰の聲か、
高い山の面輪（おもわ）に浮ぶ無限の意味――
その言葉はわたしには解らない。
その背後にはきつと誰かゞゐる。
『それが即ち神なんだ！』

凡ての宗教に於て、最も深く畏怖心を刺戟する自然現象、それは即ち生殖である。聖ポーロでさへも『男は……その妻と寢ぬべきもの、夫婦は一心同體である。これぞこれ絶大の不可思議』と云つてゐるではないか。

第十一圖

パーカイ神、運命の神。チユーマンの作。

第十二圖

同上

自然界は生誕の神祕、生神の起源以上の神祕は藏してゐなかつた。として此最も深遠なる自然界の謎は、古い昔から、哲學者の思慮と注意とを喚起したのである。私は此謎が彼等古代人の心に如何に重大なものであつたかと云ふこと、それから又、此神祕を闡明する爲めに彼等が如何なる理論に到達したかと云ふことを述べる爲めに、古代人のことを繰返し繰返し述べた積りである。

兎にも角にも人間が考へ事をするやうになつてから、何時の時代に於ても、人間の心を最も煩はした問題は、『自分は何處から什うして生れ、そして什ういふわけで生きてゐるのか』と云ふことである。然り而して『生れて來たこと、生きてゐる

第十三圖

第七世紀の頃サレルノで發明された三位一体像

第十四圖

パンに神に對する奉献

こと』の幸福を意識的に禮讃し、喜ぶ以上、その人は『創造主』に對して感謝の念を抱くのは當然のことである。そして此感謝は今日まで、凡ての宗教の根本となつてゐるのである。凡てのキリスト教的文學は『汝の創造主を崇めよ』と云ふ命令に滿ちてゐる。

創造者の性質に關する人間の解釋は、その後だん〳〵變つて來た。そして此變化を調べることは人間に附與された『神』の觀念の啓示の樣式について、些し許りの觀察を我々にさせるのである。凡ゆる宗教を檢討すれば、我々は、我々に對して『生』を與へた力への、同じ樣な感謝を見出すのである。たとへ如何なる形の宗教と雖も、性を神

第十五圖

セチ神に對するネネフタの奉献、寫實的なもの。

格化せぬものはないと云ふことを我々は知ることが出來るのである。

二、リンガムが『權力』のシムボルとなつた由來

先づ我々は、幾千萬年の古代と雖も、男性が女性に交合することなくして、子供が生れることは絶對になかつたと云ふことを劈頭に牢記して置くことゝしやう。新らしい生命を生み出す爲めに、如何に男性が絶對的の地位を占めてゐたかと云ふことは、アナクサゴラス（西暦紀元前四五〇年代の人）の書き殘した原理を見ればわかる。彼の説によれば『胎兒はその父なる男の種子から生育す

第十六圖

第十五圖と仝じ、（但しシムボリカルなもの。）

るものであつて、母なる女は、唯單にその種子の生長する場所を提供する丈である。恰も木の種子が地に下ろされて生育する様に。』と云ふのである此說は『腹は借り物』などゝ言つてゐる一部の人によつて、今日でも信ぜられてゐる位であつて、『彼奴はあの女に子供を生ませた』と云ふやうな言ひ方も亦、この說から起つたものと思はれる。

舊約聖書創世紀第三十章第一節に、『ラケル女はおのれがヤコブ（その夫）の子を生まざるを顧みて、……夫ヤコブに言ひけるは、我に子を與へよ然らずんば我死せん』とあるのも亦、これと同様である。

（註、妻ラケルが自分の孕まないのは、偏に夫ヤ

（第十七圖）
ゴシックの男性の三角形。

Fig. 215.—A Gothic male triangle.

コブが子だねを自分に吳れないからだと信じてゐたのである。）

古來多くの種族に於ては、男性は、その生理的の力を以て、女や子供等を征服した。その爲に女や子供たちは、恰も其家の守り神に對すると同樣寧ろ恐怖をさへもつて、男を崇拜した。そしてかなり文明開化に浴した種族の間に於ても、男性は其家の女、子供、及び奴隸に對して、自由と生命との絕對權力を持つてゐたのである。

ハーバート・スペンサーは祖先崇拜と云ふことは最初の、そして最も原始的な宗敎であると語つてゐる。

男性の最も主要な特異性、卽ち男性の生殖器

第十八圖

耀ける鉉に現じモーゼに語る神。

（リンガム）は、この樣な關係からして、軈て『權力』のシムボルとして用ひられる樣になり、更に『父、卽ち家族の創造主としての權力』のシムボルとせられ、進んでは大造物主のシムボルとして用ひられるやうになつたのである。

希臘人の間に於ては男性の生殖器、卽ち陰莖と二つの睾丸はファルスと呼ばれた。今日我々が性崇拜のことを一と口にファリツク、ウォアシツプ（男根崇拜）と呼ぶのは、その語源を玆に有するのである。

三、開くもの

古代のフォエニツシヤンの間では、陰莖はアツ

第十九圖

クルフユーエルステン・ビベルの卷頭の頁

第二十圖

ネボ山上に於てモーゼに現はれた神。

シャーと呼ばれてゐた。この言葉は『直立せるもの、力強きもの、開くもの』の意であつた。（第二圖參照）開くものと云ふ義は、處女と最初の交接を爲す場合に、處女膜を破ることから發した言葉である。フイーロはフォエニツシヤンの諸神について語つてゐるが、その一つに『開くもの クライゾール』に關する話がある。彼は亦埃及の同じ樣な神『プター神』のことも語つてゐるが、要するに、この『開くもの』の意味は、最初に處女を孕ましたもの、最初に處女膜を破つて『子宮への門を開くもの』、最初に膣の道を開くものとの義に外ならぬ。事實この『プタア神』は『バアル神』と同じ神樣であると考へられてゐたのである。『バ

第二十一圖

神と背光。及びマツシユー、マコ、ルカ、ジヨン等の諸聖。及びアグナス●ダイ。

アル神』と云ふのは『水揚げの神』『穴の神』『陰門の神』として知られてゐる有名な男像の神である。

同じ様な考へは古代のイスラエル人の間に於ても盛んに行はれた。聖書は『開くもの』としてのエホバについて次の様に語つてゐる（創生紀第三十章第二十二節）

『……而して神はラチエルを知り給へり、而して神は彼女の語るを開き給へり、而して神は彼女の子宮を開き給ひぬ……』

又創生紀第十九章第三十一節には

『……而して神はレーアの嫌はるゝを見給ひて、彼女の子宮を開かれたり云々』

第二十二圖

近代の彌撒の繪、三角形の背光を帶べる神。

とある。

四、宣誓の起源

神に對する宣誓は、或は神に祈願することによつても爲されたが、古代に於ては、神聖なもの（即ち生殖器）を神像に觸れることによつて爲さるゝことが多かつた。古代の猶太人の間では宣誓をする場合には、宣誓の相手となるものゝ陰莖の上に手を載せたと云ふことが傳へられてゐる。

聖書を見ると上記の外にかなり猛烈な記述が隨所にある。最初飜譯に當つた人々は『神の御言葉の餘りに露骨なのに驚かざるを得なかつた。殊に古代の原書に於ては其等露骨な言葉が滅茶苦茶に

第二十三圖

三位一体。中世紀に創案され、今日も用ゐらる。

多かつたので、飜譯者たちは神を誹謗せんと企てた程であつた、然し彼等は總て譯文の語法を變へることに氣がつき、ヘブライ語の『陰莖』に相當する諸文字を悉く英語のロイン（腰）に相當する文字に改めた。

聖書に觸れたり接吻したりすること（特に宣誓する場合に）は全く同じ考へから出發したものであつて、要するに『神聖なるものに觸れる』と云ふ意味なのである。そして我々が今日、敬意を表する場合に單に右手を擧げることも亦同じ様な考への遺物に外ならぬのである。右手を擧げることは、自分の語る處の眞實であることを證する爲めに神に對して訴へることを意味するのである。乃

第二十四圖

上は基督教青年會の用ふる女性の三角形。
下は基督教女子青年會の用ふる女性三角形。

で宣誓と云ふものは、最初はアッシャー即ちバアル神に對する一つの證明として行はれたものであると云ふことが言ひ得るのである。

五、リンガム崇拜

聖書が我々に語つてゐる處によれば、此神は古代のイスラエル人中の異教徒によつて、『バアル神』『主』『バアルペオール』(穴の神)(陰門の神)等と云ふ名稱で呼ばれてゐたものである。ヒンドウース人の間では陰莖は『リンガム』と呼ばれてゐる。そして今日に於ても亞細亞の三億以上の民族は、創造主の偶像として此『リンガム』を崇拜してゐるのである。

第二十五圖

『拒絶された愛』矢はリンガムのシムボル

埃及の古代寺院の廢墟には、此様な像が全く寫實的に表現されて殘つてゐるものが尠くない。埃古代寺院の彫刻に於ては殊に多い樣である。此樣な像を崇拜する風習は軈て埃及から希臘に這入つた。又男根崇拜の風習はアスデツテ寺院の廢墟に於ても今日發見されてゐる。

六、リンガム表現の種々相（其一）

埃及人の間では此リンガムの像は象形文字として用ひられ、『男性』又は『父』と云ふ眞味をあらはしてゐる。又第一圖に示す樣な形も多く象形文字として使用せられ『直面する』、『直前』又は『生殖』『男性』等の意味に用ひられた。

第二十六圖

エロスの像。トルワルドセンの作。

第二十七圖

印度の愛の神。

更にリンガムは象徴的に『柱形』として表現された。而もその柱形は、丁度睾丸に相當するやうに根元の兩側に二つの柱石をもつてゐた。(今日我々が睾丸のことを『柱石』と俗稱するのは此處に起源を有する。聖書の利未記第二十一章第二十節にも『柱石』と呼んでゐる文句がある)

このしるしは又Tの字を逆しまにした樣な柱形としても表現された。又この本尊が多くの參拜者によつて取りかこまれた時には、遠くから見ることが出來ぬので、Tと云ふ文字共儘の丁字形十字架の形で表現されたものもあつた。

原始人が人間の身體の如何なる器官を崇拜の目的物として用ひたとて、それは前に述べた多くの

第二十八圖

デイオニソ神の棹に戯れてゐる牧羊神フアッンと水の女神ニンフ。

異教徒の場合と同様に、決して不眞面目な動機からでは毛頭なかつたと云ふことを忘れてはならない。

神が素裸のアダムとイヴとを創り給ふたとて、決して羞恥の意義を豫期して素裸にしたわけではないのである。性のことに關する羞恥の觀念と云ふものは、原始時代に於ては自然的には存してゐなかつたものと思はれるのである。

創造の力のシムボルとして生殖器（男性の）を用ひたことは極めて自然なことであつて、何等色情的の意味は無かつたのである。是等のシムボルを用ひたのは唯宗教的拜跪の爲めのみであつたが只一つの例外は墓場に用ひたことである。寺院、

第二十九圖

デオニソス神の棹に戯むれる少女。

墓標、墓石などには是等の神聖なる形が彫まれたが是は何人と雖も、如何なる汚濁をも是等のものに加へては成らないと云ふことを意味したのである。

處でドルメンやドルメン類似の柱石は世界中至る處に發見されるが、此等のものは古代の猶太人の場合と同樣、多くは何等の彫刻をも彫んでゐないのである。これは何故かと云ふに、出埃及紀第二十一章第二十五節に

『汝等若し我を石に彫まんとするなれば、切石を用ふる勿れ、汝若し切石の上に石鑿を振ふ時は、汝はその切石を汚すものなり』とある樣に、祭壇を造る場合切石を使用することが堅く禁じられて

第三十圖

アーモアとバツカンテ。レツシングの作。

ゐた爲めであると思はれる。

ゝ然し乍ら他の民族に於ては、石は往々にして切られ、全く男根の形そのまゝに刻まれたものもあつた。

今日我々の一般に用ひてゐる墓石は上述の如き柱石から發達し來つたものであるが、男根の形を其儘に取らずに直立してゐる碑石の、部分丈け陰莖に象（かたど）つたのである。普通其處此處に散見する塔や、種々の形をした尖塔なども男根の形から來たものであつて、此多くは原始的な男根柱石の直立した形を無意識に眞似たものと信ずべき理由がある。

セントルイスにある聖ヴインセント寺院の塔は

第三十一圖

聖アントニーの誘惑。

最初は極めて寫實的な男根形をしてゐたのであるが、千八百九十六年の旋風で其塔が倒れてからは凡ての尖塔の原始的動機を露骨に暗示するやうな部分の悉く除かれた今日の新塔が築かれた。世界の何處を見渡しても、男根を暗示する柱石や塔の一つ位ない處は無いのである。（第四圖參照）

男根の表現方法として矢を用ひる場合もある。此場合は二つの矢尻が睾丸をあらはすのである。

七、睾丸の職能の原始的解釋

一體人間が神を創造し、又思念する場合に、神の像（すがた）を何に象（かた）どつたかと云ふに、人間自身の形に象つたのである。陰莖は『アツシヤー』即ち『カ

第三十二圖

聖アントニーの誘惑、フォン・レーデンの作

第三十三圖

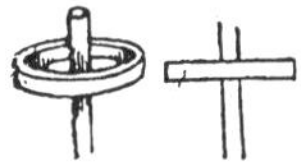

聖アントニーの誘惑。フォン・レーデンの作。

強きもの』『開くもの』であつて、右側の睪丸は『アミ』又は『オン』と呼ばれ男性の子孫を創り出だす處の權威者であると想像され、左側の睪丸は『ホア』と呼ばれて女性の子孫を生み出だすものと想像されてゐた。

多くの記錄者は右側の睪丸が男性を創り出だすと云ふことについて、如何にも面白い理屈をつけてゐる。それは右側の睪丸が、左側の睪丸よりも一般に大きいと云ふのである。或は又、左側の睪丸が、右の睪丸よりも下の方へ垂れ下がつてゐるそれで下位にある左の方が女性だ、とかう云ふのである。此様な見解は、もとより見當違いも甚だしい解釋であつて、一笑に附すべきものであるこ

第三十四圖

フラ・アンヂエリコミマコさに件はれたフレスコ

と勿論だが、兎に角一寸面白い理屈ではないか。

古代の人間が、人間の身體の右側が男性であると信じてゐたのは、上記の例の外に、『カツバラーの原理』と云ふのがある。之は希臘の懷胎の原理であつて、ピタゴラスの長い詩篇の一つに『右と左、男と女、云々……』とあることによつて知られてゐる。

ヘブライ語のベン"Ben"は息子を意味する。そして『ベナイアー』"Benaiah"は神の息子と云ふ意味である。我々は創世紀の第三十五章（第十六節より第二十節）で次のことを讀んでゐる。

『……而して彼等（ヤコブと彼の人々）はベテルより旅をしぬ。然るにラケルは陣痛を起し大いに苦しみたり、苦しみ今や絶頂に達したる時、助産婦は彼女に語りて曰く『惧るゝ勿れ、生まるゝは男の子なるぞ、………』斯くして彼女の魂が遥か天界に飛び去らんとしたる時（彼女は難産で死んだのである）、胎み子は生れ出でぬ。彼女は息子の名を『ベン・オニ』と名付けぬ。然れ共彼の父（ヤコブ）は彼をベンジヤミンと呼びたり。斯くて彼女は死し軈て葬られたり……而してヤコブは彼女の墓の上に墓標を樹てたり……』『ベン・オニ“Ben-oni”と云ふ名は『オン』“On”の息子と云ふ意味であつて、もつとわかり易く言へば、『右側の睪丸の息子』と云ふことになる。『ベンヂヤミン』と云ふのもつまり『右側の息子』と云ふ意味なのである。出産の場合右側が男性であるとして重要視されたことは上記の引用によつて明かであらう。

八、リンガム表現の種々相（其二）

リンガムは又ピラミツド形、上尖りの三角形（神聖なる男性の三角形）としても象徴される。

（註、頂點が下に向いた三角形は『神聖なる女性の三角形』と呼ばれる）

此上尖りの三角形は男性の生殖器の上部に密生する陰毛の形になぞらへたものであつて男性の

陰毛は女性のそれとは全く異つてゐるのである。（女性の陰毛は前註の如く下尖りの三角形をなしてゐる。）

此三角形は古代のヒンヅウスの宗教に於ては三位一體のシムボルとされた。ヒンヅウスよりも古いアーリヤン民族の宗教に於ても同じく三位一體のしるしとして用ひられた。而して又、之は古代の埃及人の間に於ても同樣に用ひられ、更に近代のキリスト教に於ても用ひられてゐるのである。

リンガムは又印度、支那、埃及、其他の東洋諸國に於ては『蓮の花』（又はその蕾）の形によつて象徵されて崇拜の的となつた。そして此の慣習は夫等の異教からキリスト教にも輸入されたがその際『蓮の花』は『百合の花』、又は『鳶尾（いつはつ）の花』に變化した。百合の花はキリスト教の教會ではよく神のシムボルとして裝飾用に供せられ、マドンナと無邪氣な子供と百合の花とは『神聖な家族』の象徵として用ひられる。

百合は繪で第五圖の形に忍がゝれる。彫刻では第六圖の形に刻まれる。又バッカス神の笏杖の形やアッシリヤのアッシュール神の手にせる松毬（まつかさ）、其他、パイナップル等の形に變化してゐるものもある（第七圖參照）。

リンガムは叉神の笏杖（二叉となつた杖）としてもあらはされる。此場合杖は陰莖で、二つの叉は睾丸をあらはす。又、クローバの葉、酸漿草（かたばみ）などであらはされてゐるものもある。又希臘教や羅馬教の正統派の、三本の木がぶつちがひになつた十字架としてあらはされたこともあり、又ローマ教會の法王の所持する十字架の形でもあらはされてゐる。

以上述べた樣な色々の表現は、古代の埃及の宗教上の象徵物に、既に用ひられた遺跡があり、又石棺の蓋などにも多く殘つてゐる。

酸漿草（かたばみ）は、愛蘭では三位一體の標號である。酸漿草に限らず凡ての三つ葉の草、例へば水芹などもその標號として用ひられてゐる。愛蘭人は今日でも聖パトリックが、三位一體の說明をする爲めに此等の三葉を用ひたものと信じてゐる。

一枚の葉で、而も三つの小さい葉がある、と云ふ處が主眼點であつて、聖パトリックの祭日には、信心深い愛蘭人は凡て酸漿草の葉で小さな房をこしらへて之を首にかけてゐる。

第八圖は印度カシミールの首都スリナガルの一寺院の堂宇である。之は男根の三つの要素をあ

らはしてゐる。此形は又三つ組にこしらへた教會の窓などにもよく見られる。眞中のものが兩端のものよりも長い、之は前記の堂宇の場合と全く同じ起源を有するものである。此樣な窓の一例はセント●ルイスのサウス●グランド通りの一教會にも見ることが出來る。その窓の形を一寸スケッチしてみると次の樣な形である。(第九圖)

九、リンガムに關する珍風習(其一)

印度の森の中にはリンガムの極めて寫實的な像を安置する寺院が澤山ある。そして是等の寺々へは、子供が欲しいけれどもなか〳〵姙娠しない處の數多の婦人が巡禮をやつて、夫等の神聖な像に自分の陰門を觸れて、姙娠する樣にと祈るのである。

或るヒンヅウスの宗派では處女の儘死んだものは天國に這入ることが出來ないと敎へてゐる。男が死んで小。兒。の。寡。婦。(印度では女兒は三歲から六歲位の年齡で結婚し、再婚は許されない。)があとに殘されたと云ふやうなことで、少女が男との關係をつけることが出來ぬやうな場合、其可憐な寡婦たちは寺へ行つて神聖な石造の男根像に自分の陰部を押し當てゝ結婚をするのである。

そして將來彼女等が天國の門に至つたときに天使が彼女たちを調べて見ても、彼女等が交合に關する義務を立派に果してゐると云ふことがわかつて、天國に入れて貰へる、と信じてゐるのである。

希臘や羅馬に於ては既婚、未婚を問はず凡ての婦人たちが、リンガムの形をしたメダルや寶石の類を喜んで身につけた。之は子供が澤山出來るやうにと云ふお咒ひである。同じ様な護符は近代の埃及に於ても屢々用ひられてゐる。歐羅巴の或地方では、何とか云ふお祭りの日に男性の生殖器の形をしたお菓子をこしらへて、婦人達が之を上記と同じ様な目的の爲めに喰べるのである。

姙娠した婦人たちは、よく男の生殖器の像を身につけて居つたが、之はその像を毎日のやうに見てゐると、生前の印象によつて男の子が生れて來ると云ふ信念からであつた。同じ目的の爲めに、綺麗な少年を裸にして身近く侍らした婦人たちもあつた。（第十圖参照）

八九世紀の頃フランスのディオケセ・カールター地方のクーロム町の一尼寺が、キリストの包皮を祕藏してゐると云ふことを主張したことがあつた。（その包皮はキリストが割禮を行つた時に切りとつたものであるとのことであつた。）

それで妊娠した女が此の聖なる遺物に觸れると安全に而も易々と分娩するものと信ぜられてゐた。英蘭のヘンリー五世は、彼の妃カザリンに觸れしむる爲めに、其の遺物を借り、あとで尼寺に夫を返却したと云ふことが記錄に殘つてゐる。

一〇、三位一體

印度の神樣のうちの主たるものは『創造主ブラーマ』、『保全の神ヴイシユーヌ』、及び『破壞と生殖の神シイーヴア』の三位一體神である。

此の三神は希臘及び羅馬の『運命（パーカイ）の三女神』及びスカンデイナヴイアの『ノルンの三神合體』と夫々相應ずるものがある。

パアカイ神は全人類の凡ての運命を掌つたと信ぜられた。即ちクロート神（過去の神で同時に紡績の神）は生誕を司つて人生の繰り糸を紡（つむ）ぎ、ラケシス神（現在の神で同時に織業の神）は人生の工場で花（花輪）、橄欖（月桂冠）及び茨（刑罰）を織り出し、アトロポス神（未來の神で同時に不可抗の神）は人生の一とくぎりが終つた時に生命の綱を裁斷するものと信ぜられてゐた。

（第十一圖參照）

埃及に於ても三人一體となつた神々を信ずる習慣はあつた。そしてその中には男ばかりの組もあつたが、多くは父、母及び子供と云ふ三人組であつた。例へばオシリス、アイシス及びハルボクラツトの如きその一例である。そして埃及の象形文字で父、母、子を書くには第十二圖のやうな文字を使用した。

第二世紀の始め頃まではキリスト教は猶太教のそれと同樣單一神教であつた。然し乍ら第二世紀の中頃に至つてアレクサンドリアの大僧正が始めて（父なる神）（子なる神）の二神を崇拜することを發明し、そして次には埃及の改宗勸誘に便利ならしむる爲めに『父なる神』『子なる神』の外に『聖靈』なる神を發明し、所謂三位一體教が完成されたものである。第五世紀の終りに至つては三位一體神の法則は埃及以前の各教會に於ても漸次認めらるゝに至つたのである。

玆に揭げた挿繪（第十三圖）はサレルの僧侶たちが初めて弘めた三位一體の神人同形論的觀念を如實に示すものである。之は第八世紀に印度から歸つた牧師たちがヒンヅウの三位一體神を眞似て創つたものと考へられてゐる。

此圖と全然同じ三位一體神の像は、アメリカがスペインからフイリツピンを獲た時にも、其處の或る寺院の祭壇から發見された。

一一、リンガムに關する珍風習（其二）

古代のヘラスに於ては耕作物、家禽、家族等の增殖增產等の咒ひとして、實りの神パン（或はプリアパス神とも稱す）のシムボルを畑地に立てた。このシムボルは一般に柱狀物であるが、多くは男根が頂端について居たり、又は柱の前面に男根の圖が刻んであつたりした。第十四圖は愛の結晶を欲しい若い夫婦が、パンの男神に花環を献じてゐる處である。一物をピンと立てたプリアパス神の像は多くの寺院に安置せられ、其處へは未來のある花嫁たちが參詣する。そして尼僧に案內されて、男の生殖器に關する講話を聞くのである。でその花嫁たちは普通裸形の神像の膝の上に座つたのであるが、座はる時に神像の一物を自分の陰門の中にきつぱりと篏めこむのである。彼うして神に對する奉献として、彼女たちの處女膜を破るのである。プリアパス神の男根の永遠的剛直から、我々は今やプリヤピズムと云ふ醫學語を得たのである。

埃及の寺院に於ては、壁の下部の方が上部よりも厚く造られてゐる。扉や入口の兩側は從つて歪形(ひずみ)になつてゐて、多少に拘らず必らず梯形となつてゐる。で側面は一番の頂上に行くと極端に狹くなつてしまひ、底にゆく程擴がつてゐる。寺院の入口の兩側は重々しい彫刻で一面に飾られるのが普通であつて、その面は二つ以上の羽目にしきられてゐたのである。

我々は此處にセチ神に對して奠酒(おみき)を捧げてゐるフアラオ・メネフタをあらはした繪を見ることが出來るが、之はカルナツクの一寺院の入口の羽目に彫られてあつたものである。(セチ神は埃及の『生命を與へる神』である。第十五圖參照)

此神は此處に最も寫實的にあらはされ、崇拜の目的物――卽ち男根が最も大膽に示されてゐる同じ入口の反對側の羽目には之と同樣の彫刻があるが、前の圖で實性を寫した男根は『ウアスの杖』で置き換へられてある。この『ウアス杖』は男根の象徵物であつて、睾丸の部分は矢の根の形をしてゐる。第十六圖を見ていたゞきたい。

一二、男性の三角形

埃及のピラミッドは造物主セチの巨大なるシムボルである。私は既にこのシンボルについては説明を試みた積りである。卽ち之は男性の陰阜を蔽ふ陰毛の三角形の形を基礎とする所謂『神聖なる男性の三角形』なのである。

ピラミッドは之をこしらへた歴代のファラオ（埃及古代の王朝の王稱）の墓場として造られたものとのみ考へるのは當つてゐない。このピラミッドを造つたカイオプス王は紀元前三千五十年頃に生存した人である。ピラミッドの高さは四百八十呎で基礎に於ては七百六十四呎の平方となつてゐる。或る學者たちは之は最初アピスの牡牛の爲めの墓標として造られたものであるとの憶測を下だしてゐる。

ラスキンは中世紀のキリスト教々會から發見した繪（第十七圖參照）に就て批評を試みてゐる彼曰く、ゴシックの美術作品は非常に荒側りである。此繪は愛の男神の像を畫いたものであるが輕卒にも口を畫き忘れて、眼と鼻ばかりの顏を畫いてゐる、と。是に依つて之を觀るに、ラスキンは、此繪が『男性の神聖な三角形』をゑがいたものであると云ふことを知らなかつたらしい。そして實際は『リンガムと睪丸』とを畫いたのであるのに、それこそ輕卒に、『目と鼻』であると誤認してゐる。若しもラスキンが此繪の眞實を知つてゐたとすれば、彼はその眞實を述べることを欲しなかつたものに相違ない。

『ウヰルト・ゲメールルデ・ガルレリ』（註、獨逸版の『世界名畫集』）の中に、我々は一枚の銅版のカツトを發見する。それは燦然と耀いてゐる藪の中に、モーゼの祈りに答へて現はれ給ふたところの神をゑがいたものである。（第十八圖參照）此繪に見える神のシムボル即ち男性の三角形は、男性の神エホバをあらはすものである。我々は之と同じ樣な繪を此畫集の中に、更に數枚發見することが出來るのである。

『クルフユーエルステン・ビベル』はルーテルが選帝侯の爲めに古い聖書から飜譯した繪入のバイブルである。この本が『クルフユールステン・ビベル』と呼ばれるのは、此本の扉に、ルーテルの宗教改革を援助した選定侯たちの似顏畫が描かれてあるからである。此本はとても大きな本で重量約三四十封度あり、數多くの珍らしい畫が、銅版の挿繪となつて載せられてゐるので有名である。（千七百六十八年出版）

第十九圖はその大バイブルの第一頁の圖である。ビブリア（Biblia 聖書）と書かれた文字の直

ぐ上の、直上せる三角形即ちピラミツド形に注意していたゞきたい。此三角形の上の軒蛇腹に天使の顔が見える。之は聖マツシユウをあらはしたもの、次のライオンの頭は聖マコ、牡牛の頭は聖ルカ、最後の鷲の頭は聖ジヨンをあらはしたものである。

向つて左手に見える人はモーゼで、左手に二枚の石版を持ち、右手でイエス・キリストを指してゐる。之は舊約聖書が、同書中の豫言、神の掟、神の豫言等の應驗であるところのキリストの先驅であつたことを象徴してゐる。

キリストは素裸でゑがかれてゐる。之は彼が『罪なき人』であつたことをあらはしてゐる。着物は時として罪のしるしであるから、之を纏はずに表現されたのである。

此繪に見える二つの建物の土臺のうち、左手の方はアグナス・ダイ即ち『神の小羊』であつて、小羊は虐殺に處せられ犧牲となる爲めに、嚴重に手肢を縛されてゐる。之は人類の諸々の罪を贖はんとしてゐるイエス・キリストを諷出したものである。右の方には聖餐用のカツプと皿とが畫かれてゐるが、之は云ふまでもなく、新約聖書中にある最後の晩餐に於けるキリストの神約的犧牲を象徴するものである。そして是等多くのシムボルは、その源に遡つて探究すれば、何れもその起源を男性生殖器に持つてゐることを知ることが出來るのである。

第二十圖は、ネボ山上でモーゼに現はれ給ふた神を畫ける圖であつて、神がモーゼに對して、例の十誡を記した小板を授け給ふ場面である。此繪に於て、男性の神聖なる三角形がエホバ神をあらはしてゐること、前の圖と同樣である。古代の猶太人の間に於ては崇拜の目的物として、像を用ひることが嚴禁されてゐた。

『汝等は崇拜せんとして如何なる像をも彫むべからず。高き天界、低き地上、更に地よりも低き水中に在る如何なるものについても、その像を造りて拜跪すること勿れ、又之を崇拜すること勿れ……』（出埃及記第二十章第四節第五節）

此誡めは古代のイスラエル人に於ても守られてをり、モハメツト敎徒の間に於ては、更に嚴重に遵奉されてゐた。乃でモハメツト敎徒は上掲の第四節の詩句を取り來つて、斯る彫像禁止の掟とした事實がある。そして彼等は肖像畫であらうが美術的の彫刻であらうが、兎に角『像』を作つて拜跪することを絕對的に嚴禁したのである。從つて富裕なトルコ人は、大理石や鑄銅の女神像を造る代りに、ジエオージヤやサーカシヤの奴隸の美少女の像を造つて、自家の裝飾としたのである。

斯くの如く神は單なる象徴物によつてあらはされ、像としては表現せられなかつた時代があつたのである。そして第十八圖、第二十圖等の三角形は、神をあらはす爲めには、實にもつて來いの面白い思ひつきであつたと云ふことが出來る。

前述の『クルフューエルステン・ビベル』の中には、第二十一圖に示した挿繪がある。(同書の聖ジョン使徒行傳第五章中)、正面の神像の頭上に耀く三角形の背光は、云ふまでもなく男性の三角形である。

同樣に、此の同じ三角形は第二十二圖に示した繪に於ても、神の背光として用ひられてゐる。此の繪は死せる人々の靈魂の昇天を祈る爲めに行はれた彌撒(みさ)(舊教の祈禱)に對して、靈驗立ち所にあらはれ、煉獄の闇から一死人の靈魂が釋放されて昇天するさまをゑがいた近代書の一つである。

一三、男女三角形の混同

中世紀のキリスト教會的美術に於ては三角形の變化したものが、三位一體をあらはすために用ひられてゐた。(第二十三圖參照) 男性及び女性の三角形の區別は、其時代に於ては幾分曖昧であつて、女性の三角形が往々にして男性の三角形と混同して用ひられてゐる、第二十三圖を解說するならば "Est" は英語の "is" 即ち『……である』、"Non est" は英語の "is not" 即ち『……に非らず』、"Poten"(＝fathen) で父、"Filius" (＝Son) で子、"Sanctus Spiritus"(＝Holy God) で聖靈、"Deus"(＝Goad)で神である。之と殆ど同樣な三角形は今日に於ても教會の窓を飾るステーンドグラスに用ひられてゐる。セント・ルイスのエピスコーパル寺院の窓の如き即ち之である。

此三角形は又Y、M、C、A(基督教靑年會)の戰鬪的行動の象徵（シムボル）としても使用されてゐる。(第二十四圖) 之は第二十三圖と同樣女性の三角形であるが、最初に用ひ始めた人が男性と女性との區別を知らず、何でも三角形なら三位一體のしるしだ位に考へて用ひ始めたものらしい。圖に見る如く此三角形の三邊にはプラトーの箴言――人間の三位一體的性質をあらはした箴言――が記されてある。プラトーは、人間と云ふものは肉體 ((Body)、精神 (Mind) 及び靈魂 (Spirit) の三つから成り立つてゐると敎へてゐる。女性の三角形を用ひたことについて、立場を變へて見ると次の様なことも考へられぬことはない。即ち勇敢なる若人たちが、最も神聖なる目的物（即ち女性の純潔性）を犯さんとする敵（註、欲望を指す）の野獸的襲擊並に濫用に防禦せんが爲めに、特に女性の三角形を意識的に採り用ひて、之をY、M、C、Aの戰鬪的旗幟としたのである、と。Y、M、C、Aの戰鬪的旗幟の總てが、例外なく女性の三角形を用ひてゐる事實から推せば、或ひは此樣な見解が正しいことになるかも知れない。

一四、愛の神とバッカス神

第二十五圖はキューピッド（或はアーモア、エロスとも云ふ）がニンフ（水を司掌する美女神）に挑みかゝつてゐる畫であつて、『拒絕された愛』と題するものである。愛の神キューピッドは、普通には弓と矢とを持つた像、又は矢のいつぱい這入つた箙を持つた像であがかれる。此場合矢は、適法な愛即ち夫婦の愛（婚姻せる愛）によつて勃起したリンガムのシムボルとされてゐる。（第二十六圖をも參照されたし）之と同じ樣な考へ方をしたものが、印度の美術的作品の中にも發見される。第二十七圖はカーマ・デヴァ（即ち印度の愛の男神）が蓮の蕾で造つた矢を射てゐる

處をあらはしたもの、蓮の蕾と云ふのは既に說明した如く男性の道具卽ちリンガムをシムボライズするものである、弓は甘蔗の莖でつくつたものと考へられてゐる。此の神は屢々鳩の上に乘つたり又は燕の上に乘つたりしてゑがかれてゐるが、鳩と燕とは共に絕倫なる交接的精力のシムボルとして用ひられるものである。

デイオニソス神（又の名はバツカス、酒、泥醉、放蕩の神）は、古代のギリシヤ人やローマ人の間には、非常に信仰されたものである。そして同神の祭日の儀式には、言語同斷な性交的放縱がつきものであつた。

デイオニソス神の笏杖は、葡萄の房に似た彫物をその頂上に附けた杖であつた、（その葡萄の房のやうなものは植物學ではセルサスと呼ばれる。）そして此の杖は今日ではセルサス笏杖として知られてゐるのである。（第二十八圖參照）その彫物の形は必らずしも正確に一定してあらはされるわけではなくて、或時は松毬の形ともなり、又或る時はパイナツプルの形ともなつてゐる。此シムボルは義しからざる愛、激情、肉慾などに支配されて勃起した陰莖をあらはすものである。此の形はキリスト敎々會の屋根の裝飾などには極めて一般的なものであつて、例へばローマのセント・ピーター寺院に於けるが如き卽ち是である。

第二十九圖は近代になつてから畫かれた繪であるが、之は一少女が男性のリンガムと戯れてゐる態を諷刺的にゑがいたものである。(少女の手にしてゐるのはディオニソス神の棹であつて、頂端に松毬狀のものがついてゐる)

又第三十圖は人間の心の中で、義しき愛と義しからざる激情卽ち情慾とが葛籐する態を藝術的に表現した繪である。右腕につかまつてゐるエロス(愛の男神)の手にしてゐる矢は、義しき愛の衝動により勃起せるリンガムのシムボルであり、バツカンテ(卽ちバツカス神を信仰する尼僧)の左手にもてる握り太との杖は肉慾的發情の刺戟によつて勃起したリンガムのシムボルである。

希臘の愛の神『エロス』の名から、我々は今日『エロテイツク』(色情的)と云ふ言葉を得、又羅馬に於ける愛の神『アーモア』の名からは、『アーモラス』(情熱的)と云ふ言葉を得た。其他の多くの似通つた言葉も亦是等の言葉からだん〳〵分離變化したものである。

一五、聖アントニーの誘惑

『聖アントニーの誘惑』は近代美術家の採り用ひる題材としては、極めてポピユラーなものである。聖アントニーは當時稀に見る聖者であつて、獨身の隱者であつたが、彼の隱れ家には彼を慕ひ、彼の教へを乞はんとする信者が雲の如く集まり、彼はそれ等の群集に對して親切にキリスト教義に關する說教をするのが常であつた。彼の嚴格と制慾とは實に何人も一點の非難を加へる餘地のない程立派なものであつた。

偶々或異端的な人々は彼の名聲を嫉視し、此の聖者の教化力を覆滅せしめんと圖り、人をして彼を誘惑させ、その現場を捕へて一擧に彼の面皮を發ばき、その名聲を失墜せしめんと試みた。此計畫を實行する爲めに雇はれた或る美麗な高等淫賣婦が、彼に毒汁のやうに甘味な手練手管をかけて誘惑しやうとした時に、此聖人はその誘惑の魔手から遁れんが爲めに自分の舌の端を一と思ひに嚙み切り、そしてその苦痛の力によつて、眼の前にちらつく誘惑的幻影を追ひ拂はうとし、又彼女が彌が上にも刺戟するところの肉慾的情念を拂拭せんとしたのである。

元よりこの話は彼聖者の獨棲的修業中に夢寐の間に襲ひ來つた俗念的誘惑の『記念すべき寫像』を、單なる諷話として傳へたものと見るが至當であらうと考へる。そしてこの話はウヰリアム、テルと林檎の話、又ワシントンと櫻の木の話と云つたやうな歴史的揑造話と、其の軌を一にするものであると見るのが、蓋し正鵠を得た解釋であらうと考へる。

キリスト教以前の宗教であるノスチク教を信奉したメナンダーと云ふ人は次の様なことを云つてゐる。

『全世界の地上及び水中に棲息する野獸のうちで、最も偉大なものは女である』

早い頃の凡ての教會の教父たちも亦、之と同じ様な意見を持つてゐた。そして古代の聖人たちは、女は聖からざるもの、男を誘惑する爲めに造られたものであつて、凡ての男性は、凡ての罪惡と惡魔とを遠ざけると同じ意味を以て女を遠ざけねばならぬ。と云ふことを語つてゐる。聖ポーロでさへも。男は女に觸れざるを善しとする』(コリント書第七章第一節)と語つてゐるのである。要するに古代に於ては、性的の關係をつけることが、凡ゆる犯罪のうちで最大のものであると考へられたことがあつたのである。

詩人グラヴイーユは歌つた。

『アダムの昔から、男は女に迷はされる莫迦者、
イヴの昔から、女は悪魔の道具となつて働く者。
女無く、地獄の恐怖がなかつたならば、吾等の刑罰は一つ減つたものを！』
又ミルトンは『失樂園』の中で嘆じてゐる。
『おゝ、神は又何故に、最後に
此の珍奇なもの（女）を地上に創つたのであらう？
何故に此の『素晴らしい自然の缺陷』（女）を創つたのだらう？
そして何故に、女の居ない世界をつくつて、天使のやうな男を充滿せしめなかつたであらう
？』

キリスト教の生れた頃（そして事實に於てはキリスト教の生れる遙か以前の頃からも）、所謂難行苦行者たちは、最大の快樂を與へるものを征服することが、最大の徳であると考へてゐた。そして其等の難行苦業者たちの大多數は、女性と性的關係をつけることが、凡ての快樂の最上と考

へてゐたので、勢ひ女性との關係を極端に咒咀することゝなり、凡ての肉體的欲望を征服する爲めに、或は斷食し、或は種々雜多な自己抑制や難行苦行を行つたのである。（これと似た樣なことは、現代の或る宗教に於ても、獨身者の掟として行はれてゐる。）そして若しも是等の修養方法が女に對する欲望を抹殺し去ることに成功しなかつた時には、彼等は誘惑から遁れる爲めに斷然自ら去勢し去ることすら躊躇しなかつたのである。バイブルの中にある次の教へに從ふには、さうする外はないと考へたのである。

『然ど我なんぢらに告げん。凡そ婦を見て色情を起す者は、心のうちすでに姦淫したる也。もし右の眼なんぢを罪に陷さば、之を抉り出だして棄てよ。そは、五體の一つを失ふは、全身を地獄に投げ入れらるゝよりは勝ればなり。もし右の手なんぢを罪に陷さば、之を斷て棄てよ。蓋し五體の一つを失ふは、全身を地獄に投げ入れらるゝよりは勝れり。』（馬太傳第五章第二十八節――第三十節）

一六、二種の十字架（リンガムのシムボル）

所で聖アントニーは、斯くの如く自ら苦痛を求める難行苦行者、狂信者流とは異つて、肉體の普通の誘惑にも敗けるやうな人であつたと云ふことを示す爲めに、中世紀の藝術家たちは、この聖人の紋章として、リンガムのT字形のシムボルを彼に添加したのである。千五百二十五年にフオン・レイデンの描いた木版畫を見ると、T字形のシムボルが襟のところに書き出されてゐる（第三十二圖參照）

此挿繪に見える誘惑の女は、頭の上に二本の角があるのでわかる通り、悪魔の化けたものである。そして此女が操正しい純潔な人でないと云ふことは、彼女の姙娠して太鼓の樣にふくれあがつてゐるお腹で暗示されてゐる。中世紀の藝術品は、其の表現に於て往々にして、不快なほど露骨で、且つ粗暴である。けれどもその意味が明瞭にわかる樣に表現される點に於ては、一般に申し分の無い程成功してゐる。

同じ樣な考へは、ワイマールで發見された祭壇の一片にも表現されてゐた。それにはT字形の十字架でかこまれた棒が畵いてある。此T字形の十字架は、前述のやうな因緣から『聖アントニーの十字架』と呼ばれてゐる。

そして之は古代人が磔刑に用ひた十字架の形であつた。磔刑に處せられてゐるキリストの頭上に見える部分は、實は十字架の一部分では無くして、次の様な嘲弄の文句を書きつけた立て札であつたのである。

『Jesus Nazarenus, Rex Judaeorum』（猶太の王、ナザレのイエス）

初期のキリスト教の建築に於ては、之は又教會や寺院の地繪圖の形であつた。恰度現代に於ては四脚のものやラテン風の十字形が用ひられてゐるやうに。

ラテン風の十字架の起源は、圓い輪（ヨニ）に取りかこまれた棒（直立せるリンガム）の形から來てゐる。此の形は今日に於ては、トルコの菩提所にある墓石としてざらに見受けられる。卽ち第三十三圖は、其形を模寫したものである。

第三十四圖も亦、棒（リンガム）と圓輪（ヨニ）との同じやうな結合を示し、更に性交（二つの性の交合）を示すところの繪である。

これはラスキンが上記の二種の十字架に就いて語つてゐるこの意味を、よく說明してゐる。

ラスキンは何と言つてゐるか？　彼は、T字形の十字架は『苦惱の十字架』（女子によつて滿足させられない男子）であり、又ラテン風の十字架は『勝利の十字架』（女子との結合により滿足を得た男子）であると言つてゐるのである………。

餘り長くなるから今回は此程で止めて置く。

「狂言痴語抄」（其二）

「藐姑射秘言」（大本二冊）

黒澤翁滿著

はしがき（初編）

むぐらゐの露かたしきてうたゝねしたる袖をひかへてゆりさます人ありふとさめて見たれば玉のかんざしをゆらかしてにしきあやを身にまとひあかもながうひきはへたるいとあてはかなるをとめひとひらのふみを手にさゝげもちてなんたてりけるいとうるはしき聲していひけらくは我はやもろこしにては何がしのこきしと雲となりあめと成てちぎりをこめ此國にては山上のおくらのおみとまつら川にいどみしはこやの山のやま姫他つら〳〵人の世のあるかたちを見るに西にはなゝつよりとつぎそめてをのこのかずもゝちとねがふ國あり東には其めのかずはたちまりよたりをつどへてつねとする島ありこれらはきはことなれる物ともいふべけれどかしこき國ともてはやさ

るゝもろこしのならはしはたいといたう色めかしくて此おほやまとのくにばかりいろこのまざるはあめのしたにまたたぐひなんなかりけるそれはたよゝのかくろへごとのすき〴〵しさはなきにしもあらぬを倭人不好淫ともろこしのたゞしきふみにもしるせるごとくあだし國にくらべてはまことにすく〴〵しきくにぶり也けりさるを此國の事はいさゝかの事も目に見え耳に聞えやすく人の國の事はこは〴〵しきもじにつたへたるなればたはれくつがへれることをしもかへりてさもあらぬやうに物しらぬ人は思ふべかめりかつ此國のふみどもの中にいせぐゑんじの物語などばかりすき〴〵しきすぢをかけるものはまたなかりければこのふみどもをいとらうがはしうあるじきものゝやうにいふ人さへあめるはいよゝこのくにのきすくなる心ばへならずやしかはあれどもこれらのふみどもといへどもたゞをとこをみなのなからひをくさ〴〵をかしくかきなしたるのみにそあれ聞耳もいたくくちにもはびこるばかりのことはつゆばかりもなきをもろこしのふみどもにはえもいはずたはけてまほにはよみうかべがたきふし〴〵をもいさゝかもはゞかる事なくいとまめ〴〵しきふみにさへなんかきあらはしたる張文成が遊仙窟などこゑをたかうしてはよみがたきばかりの物なるをけざ〴〵と名をさへつゝまで世にもてはやさるゝはいかにすいたる國ぶりならず

やまいてそれよりしものふみどもはほに出すべくもあらぬものおほしさるをかのいせぐゑんじなどをしもらうがはしき物ぞといふ人のかへりてかの國ぶみといへばいとうるはしきものとのみなんおもひをるなるいかに物しらぬわざならずや今たはふれにもろこしぶりをこゝのみやび言葉もてかきなし見よさてなんいましおほやまとの張文成といはれんといとこまかにしめされてかうべかいなでつゝおのれもとよりふみはこのめどくちにもはびこるばかりのことをみやびかになだめてかきなさん事いと／＼かたきわざにもこそといへばすこしほゝゑみてしかたやすからぬわざなればこそいひこゝろみつれさらばこれを見よとてかの手にもたるふみをとうでゝこれは人のよにいまだかつてなきものなればゆめおぼろけの人に見することなかれひめよ／＼といふかとおもへばったゝねのゆめはさめてひとひらのふみなんのこりけるそのさまとくさのたはれごとをいとあやしうかいなしたりをとめがことばにたがはじとてはこやのひめごとゝうはがきしてはこのなかにひめおきつるをあわつけ人どもの見いだしてよにしらるゝことゝはなれるなりけり。

はしがき（後編）

はやうはこやのとじがひめごとゝてみそかにつたへいしひとまきはよにひろうゝつしもてつた

へなどしてことに江戸の心しりのたれかれなどがもとよりまたねの夢にこれがつぎをもとやうに
せうそこのたび〱いひおこせなどすれどさてのちはゆめにも入らずはこやの山には聞にいくべ
いやうもなければくめあづみなどいふらんやうの山人をだに得てしがなかのとじがりせうそこし
てましとおもへど猶たはやすうなしうまじかりければなんすげなうてとしりうごたれん物とはお
もふ〱いくらのはなもみぢをか見すぐしけんことしていほうのやとせといふむつきのついたち
の日より十日五日といふ日までのあはひよごと〱夢をなん見けるはるはことにとうそはくさん
など神のおほみきのおろしさへありてゐはぬ夜はまれなればとじはおふな〱をしへにけれどか
きひがめなどもやしにけんのち見ればいぶせうかたふかるゝがちなれどかのしりうごちびとども
に見すとて人にもうつさせつればなんいとゞおぼつかなうこそおなじうとくさばかりのたはれも
のがたりながらにこたみはいさゝかやうかはりてなんありける其おほむねならのみやこのふるき
手ぶりにゆげの道鏡がにひたまくらのゐやごとをさいさきとして兵衛のすけさだぶんの朝臣のを
みなのくそをなめしといふせちなるこひのならぬむくいに本院の侍従がふすまけがされしひとく
だりありつくもがみのおうなのひきいれ聲のたばかりごとは在五中將の色ごのみををこづりしと

いふゐなかうどのくちの石ぶみあればしら拍子のしづかのごのあづまくだりに梶原の景ときがよばひのかたたがへせし古きかまくらかどみのうつし言葉もありけり入道さうこく清盛のあそんと常盤のごはさゝめごとにらうありていはけなき子どもの命をいかしはう官よしつね御舟にまゐりて女院のおんはだへ見たてまつりてよりなんあらぬむほんもおこすべかめる將軍川邊のおみはいくさにまけてから國にとらはれたりしをいのちをしさに其妻をまいなひして我見るまへにてしらぎ人にをかされしかどやかしさのあとうがたり鼻もたけの僧都のよひ〳〵のむつごとはしぼちの若法師がかはつるみのたねとなりし宇治のさていのかたりのこしなどもあなり兼好法師が筆ずさひのえんなるせうそこぶみも小夜ごろものいましめを得やぶらで師直がおもひねの夢ごゝちをやなやましけんつくばやまのかどひのよは神のいさめぬざこねのちぎりにこだいのひたちうたを今やうにうたひかへなど例のあやしうしどろもどろなるすゞろごとども也けりこれを見てわらはん人もあめりにがまん人もあめりそはとまれかくまれたゞかのとじがいへりしやうはかうやうの物かゝんにたれもかきぬべしはやう著聞集などのごときいたづらにかくとのみ思ひて其さましらぬ成べし見んずる人の心をうごかしてたゞならずけしきばますなんたはやすからぬ物にはありけ

る此心をあぢはへてさてなんこのふみは見よとなんいひけるさはれさもあらざりけらし

跋

はやうおなしまなひのはらからかひそかはうつしもて傳へたるやう〳〵にかいそこなへるなともすぐなからねはかくさまには物しつる也けりかならすけゝしうよにもて出んとてのわさにはあらすなん安政六年といふとしの秋

四阿のまやのつまやのあまりにもすき〳〵しとや人はおもはん。

「閨の友月のしら玉」　江戸　女好庵戯作

「讀ワ」　半紙本春夏秋冬の四冊　五蝶亭貞升書

月の友乃序

古の語に曰貨悖て入ときは。亦悖て出といふ。夫をば知ら傳把さへすれば。器量ものだの氣強のと。他に賞らるゝが嬉しさに。飽事しらぬ慾の皮。否な男も金ゆへに、おまへに惚たの戀しいのと。心にもなき空念佛。彌陀も地獄も金次第。掠めとつたる黄金の。膚は底の冷たくて。熱奴も忽地さめれば。嗽手水も婢にとらせ。伊達な浴衣を抱へさせて。風呂へ入しもきのふのむかし。今日は手自味噌漉を。提てきらずを買にゆく。世の貧貴とはいひながら。富貴貧賤所を換るも掌を反さぬうちなり。されば人々不義にして。黄金を得るを慮ふ事なく。實を以て夫々に勤給へと巾のも。いらぬお世話も憎まれ口、是此草帋の大意也と。

女好庵の主まじめに云

「畫圖玉藻譚」　淫齊白水畫圖

大本五冊、色刷

叙

世にもてはやす玉ものかたりといへる册子すくる時代を推はかり考ふれはつゆはかりもあかしとすへきものならす正史實錄には猶あふことはあらされと人口に傳へ双紙に綴り婦幼の耳になるゝ事二百有年水脉火脉の溫泉を出し其氣亦こりて毒石を生せし殺生石をもてまこと也とあかしに

する人々は此たはふれをもつたいなしなといふべけれこは世をもて遊ふに侶たれど色をいましむるのはしとしるべし。

「青樓夜花王」

紫色菴鴈高誌

書淫欄主人著
千摺亭嘉キ畫
大本三卌、色刷

叙

生活の餘力の欲張所業。やほと杜撰書しまへと。其冠號のなきに困り。何と付たものならん。兎角今ては外題が肝心袋か看板。僞ならぬ大仕掛當世流行の畫工の妙手こゐつは一番よしこのと鼻唄交りの適に隣の茶屋の二階にて仇な聲してうとふを聞婆四五年以前の流行唄。さくら見よとて名を付たまづ朝櫻とうとふを聞く頃は彌生の初にて實によし原の櫻時彼是爰に附會して廓の夜櫻と題するは諸人の御見物を偏に願になむ。

花見月八日　　書淫欄主人述る

「賀禰能奈留氣」

吾妻雄兎子戯編

半紙本三冊、色刷

金の奈留氣。

人ひよつこりと穴より生れ。穴の匂ひの抜きる頃より。其穴をのみ戀慕ひ顔の面頬を潰す間も忘らりよものか忘られず。然うして稍身終れば。南無阿彌法蓮華經と。終に亦穴に入る。是を思へば人間は。穴といふ字の片時も。除ては置れぬ所から。心付たる此穴は。江南ならぬ江都にも。また無趣向と一指より。二本の指を捻くりて。毛ざはりじやり付禿筆に。漸と綴りし三冊物蜜男の懇膽は。いさゝか妄な様なれど。約まる所は已が田へ。引摺こんだ水性の。水で育た金の生木。その枝ぶりの悪しきを云ず。穴面しろと御褒詞あらば。作者は低い獅子鼻の穴をピクピクうごめかしオホン板元さん何様で御座へやすとまうす。

亂淫書屋に筆を捻くり

吾妻雄兎子述

「末久良姉武古」

英泉　畫作

半紙本、冊數不知、色刷

序

花月魁とは繾綣の謂なるべし陰陽和合の道は延年長壽のもとゐなれども世間に色情に逼り淫慾に溺れ不期にして一身をあやまつ者數多あり血氣の勇とやいはん是其行をしらざる故なり頃日開好の隱士來りて淫術手練の極意を誌しあたへよと乞こと頻なり嘗思ひもふけざる事なれば此辯論を述んことは一朝一夕の業にあらずと辭どもゆるさず遂に一夜の燈火を費して閨裏の深秘を集錄し號て枕文庫といふ幼輩春情發動の時に閲せば艶道の一助ともならんと云爾。

旹大陽午腹太皷　艶好市隱

撃年陸月吉日　淫亂齋誌

○凡例

此草帋は男女の面相にて陰門玉茎の美悪をしる事生質にて淫にふけると耽らざるとを見極めしる事男根女陰の異形あるを上中下品と委くして書圖の傍に諸の書を引發明せしむる辯女喜悦の具數品用ひかた善悪までを書上にしるし且交合の道に秘法あることを述るに明清の人の著すところの書を共まゝ國字をもて解わけもつぱら淫事の奥儀をうかゞひ書記し交合虚弱の人强淫になる事男女色情の心を探る傳新開を廣くし古開を縮る法總て阿蘭陀中華の喜悦の丸散丹圓の藥法數多をしるし出す原來數種のうちより用ひ試みたるうへにて誌せるものなり其効能の分明ならざるは悉はぶき野說なるは載せず己が管見を用ひず尙奇品珍說等は篇を續又足らざるを補ひ誤りを正すべし艶色の一道此巻中に盡せり。

附言畢

「假寐乃遊女物語」

半紙本一冊、色刷、國芳書

いつも珍らしからねとも天の岩戸のみとてふひらひておかしからぬ人はなし笑ふ門には福

を迎ふるとかいふ諺もいかに目出度思わるゝになん。
此ほと思ひあはすれは飛鳥川の淵瀬と替わりゆく世の中の流行は古きを戀てあたらしく思はる
ゝ淸女か枕の草帋にあらねとも珍らしきもの
芝居歸りの女中見物
また便舟の客を送る江戸船
宵は五町の見世すかゝき
人にしられた小僧と番頭
蛤貝を辻うらに買遊女

「江戸名所二十八景」

半紙本二冊、色刷、國芳書

二十八景叙
むかしはすべて武藏野と。廣く稱へて烏玉の。夜わたる月も雲ならで。岫より出て草に入ると。

古き哥にはみえたるも。今は屋根より屋根に入る。その賑ひにおのづから。風流めかす好男子。素顔自慢や雪の肌。意氣で俠氣の雲女さんも。見やう見眞似の茌土風俗。うかれありくや名勝舊跡。隅田の川浪淸くして。流るゝ水ともろともに。ゆきゝ途絶ぬ淺草寺。ふりさけ見れば峯高き東の比叡の山もとに。人をしのぶや忍が岡。ひつと蓮とさきの世かけて。契るもゆかし蓮見客坊あはねば戀もやまの手に。湯島神田の鄕すぎて。妻戀ふ社これもまた。むかしの戀の情の趾。粹な浮世と水道を。ちよつと三崎の堤のまへ。うそを築土や顏赤城。茶の木稲荷の茶にされても。深くはまつた溜池に。登り詰たる山王臺。女子たらしの氣休めも。なか／＼さうはとらの門。それではなんとしやうが市。きぬ／＼うらむ司馬の鐘。かぎりもしらぬ戀衣。芝のうらわに鹽たれて。ひき出す牛の夫ならで。長たらしくも江戸名所。並べし數も二十八。ホヽウ／＼と鶯の。ほうほけきやうも二十八。願以此功德自他平等。色の世界の色づくしを。書きて好者に觀するといふ。

女好山人戯述

「鳥襟十二双歌合序」（寫本一冊）

うたあはせてふ事おもふに世にはしまりて二人ぬる夜な／＼に絕すなんしけるこゝに此ころ世

すきひとたち一夜に十二番とて物せし一巻をある女房のそとひろけてみよとあるにうちもゝのうちも置すよねまんちう二たひ三たひくりかへしみるに横茶うすうしろとり〳〵に若後家のめつらしくつなきとる口つきのいとおかしきのみかはすちふとくたけ有てけふかく思ひ入たるさま世にも氣の行限りなるを判詞さへ水あせのいたくものせられたり是みて誰かはよからさらんさるから是名乎たゝに十二番といはんは心ゆかすとりたすき十二双なとせんはいかにそは十二番なといはんよりきゝのよろしきか上に烏襟とり出すきにもかよひ又よきあたりの人の此とり合せせん折は必す屛風をも引まわしてすへけれはかた〳〵によしありておかしからんとくときいへはさは其よし書つけよとあるに好心のとゝめかたくてなをもゝのまへぬらしなからこの勸進主とはいとこゝちなる加茂味成しるす。

「文のはやし」（中本一册）

序

文章の德高き居ながらにして思ひを遠ちに通はす心のまに〳〵さやかに述てこなたの風俗を見

るがごとくにものし亦あなたのふりなど目の前に見るがごとく書ておこさるなど皆是文の寶なりされはふかみといふべきなれど略してふみといひ文の出ると言心よりふみでといふことをやつしてふでといへるになん總て文章と唱ふなればおのこおふなに限らずおしなへて文といふべきにこそ今や世に珍らかなる文を集てさつしを編ぬ見る人能く味ひ給はゞならざるをなして歡びに飽くの幸福を積み給ふべしと爾言。

東 叩　　　　　　　　一隱亭爲山しるす

「逸題」柱に「ふみ」とあり（中本一冊）　　英 泉 書

序

しらぬ火のつくしのかぎり雲井路の奥ふかき末てもつくは山のこのも加のもにつけてゐなからに心のくさ〴〵をいたらしむるは筆のすさみの德ならすやされや心におもふとちのへたてゝあひ見るおもひをなすはいみしき文のさちにしてものかゝぬ人のうへにもまたさえ美しき手にもこれをもてかれをわきまふのはしともなれやとかくをのれあらましにかいつけはへりぬ。

陽起山人しるす

「木曾開道旅寐廼手枕」

妻戀淫士戲作

中本一冊、墨刷、　一妙開好人書

序

邯鄲旅亭の一睡に。五十年の淫樂を極めて。盧生が夢の妄想は。枕頭片時のちよんの間にして。懇丹盡す一冊に。六十九次の度數をとりしは。則ち作者が的書なり。そが道路の戯れたるや泊りとまりの旅舍に。假寐の夢のかけ流し。傀儡女の箸を採て餓たる時の腹を肥し。おしくらの醜女もひもじい折にまづい物なし、あるは相宿の女連に。夜這の先陣駈をあらそひ。四ツ目藥の効能には。宇治川の昔をしのび。野雲隱の立交に人目の關に鎖れて。武藏野の扉をあけよ。あな臭の屎もこもれり。戀もこもれり。とのへらず口實にや浮世は色の旅。妹脊へだつる山々には。艶書橋をわたし。の戀の重荷に意馬を勞め。そつと忍んであいの宿。更行鐘にまつ並木あれば、取持手引の立場あり君をおもへば歩渡りの。淺い川なら膝までまくり深くなる程帶を解色慾國の二筋道木曾の掛橋ならなくに。命をからむ蔦かづらは。男女の痴情をいひたるならん歟。嗚呼。

によつきりと辰の夏六　妻戀淫士　慕々山人題

「夫女快淫水好傳」

淫水亭主人戲作狂書

中本三冊、墨刷

快淫水好傳初編

書屋淫勢堂予に水滸の世界を會本に綴てよと乞此時心中忽然として昔を慕予が母方の爺八丁堀の根生にて性酒をたしみて放蕩の冠たり花街戲場に浮れ遊びて戲號を酒樂とよばれしが予おさなき頃はや年老てます〳〵酒氣のはなるゝ事なく會小說を好日々水滸傳を讀て予に聞するを樂とす是小說の聞はじめにしておさなき心にいとおもしろしと聞しより今に至て水滸の如き興ある書はあらしと思へり又予ひそかに父母にしのびて枕屏風といふ會本をかくし見たるがなま心の附初にて春心發動たる始なれば今年たけて古今の情册會本に頗わたるといへども彼枕びやうぶ程春

情動草紙はなしと思ふは水滸もろともに初事の故ぞかし是同時の事にして此二種に魂うばはれ
小說淫史心に混じ雜交におぼへしがさいはいなるかな今書屋の注文こそは思ふ壺となにがなしに
受込で幼心に覺えしまゝを片言交に記續ぬ看君そこらは見ゆるしありて又してもおとなげなし
と

作者の愚昧を笑事なかれ

安政六年ひつじのはる　　淫水亭

快淫水好傳二編序

智者は流行のもとを起し識者は流行にしたがつておくれずとかや實にや浮世の人ごゝろきのふ
は今日のひと昔移かはりの早き事流るゝ水の如くにて已前はやりし婦女の髪に水瓶覗と異名號
る者腰の丸髷癈てぼんのくぼへ尻餅搗た仰向島田の流行せりかゝる浮たる事にても結初るが智者
にしてはやくまねぶを識者といふ往古の小唄の松の葉うつろひ何某節と流義をたて是にしたがふ
識者たちいよゝ色増常盤木のみどりの葉唄世にひろごりしきりに通がる者多ければ元を起せし其

唄師は是をも智者と言べき而已さればはやりを追欠て葉唄の文句の心いきもて口説落して先一番とぼしき趣向の手續にはさしづめ戀のうた澤ぶし是究竟といふ所を其流行にしたがはぬは時行を知らぬにあらねどもいきまな事をさらりとはぶきそげたつもりで角張た陳文漢語の水滸をやはらげ手管ではめる夜軍談彼天狗連のひゐきはしらず御定連の看君方を此方へ招の夜講行燈に水好傳の二編目と先讀物を告申事しかり。

通俗堪箆軍談を説かけたる定席とかけもちに

巳未の秋　　淫水亭記

快淫水好傳三編

原本水滸傳の一書は彼施耐庵が絶倫の名作にして。洪信伏魔の殿をあばくより、天罡地煞一百八人の英傑世に生出。其なす所同からずして後悉梁山泊へ聚會しむるの奇々妙案は。實に稗史の魁首なるべし。されば古今に至りて是にもとづき作る者。擧てかぞへも盡されず斯まで世上に行るれば。かゝるたわれし艶史にも二種三くさ見し事あり。然といへども大概の只趣をそ爰と聊擬するのみにして皆悉取しを聞かねば今戯に筆を立水好傳と表題して一百回の末までを男女の道に綴替重巻全き會本と爲とす。既に初編二編を發布し今三編をあらはせど史進魯智深なんどにも豪傑のふるまいなく。淫蕩無頼の好色者流强弱智愚の作意はたがへど。他人の巾似どこやらが似たと云せる了簡にして頻に工夫を誠せども書とれがたきは暗文拙作無智短才の予が樂屋を。知らぬ書屋ははげしき催促是程につたなきゑせ草紙も一寸はゆかぬ淫水男。下手の横好精心入あげ大骨折て稿成しを。ぬからぬ顔で言譯半分。接場詰た一夜附。なぞと愚作を表繕ことしかり。

萬延元年まさる初はる　　淫水亭

「色想畵婦美」　　逆數亭陽輕述

判紙本三冊、讀ワ

色相畵文序

人は萬物の長たりと聞て。或好色人の曰。鳥こそ萬物の長ならむ。如何といふに。神代の昔。鶺鴒といふ鳥。尾を振て數ずば。伊弉諾尊。伊弉冊尊の。二神も可惜ものゝ持ぐさりならむ。予許して曰。左に非す。彼二神は。自然と生ぜし妹脊の御神なれば。誰が教受ず共。天婦婚は知り給ふ。然し。始より上手には至りがたく。鶺鴒の尾の動くをみて。腰遣ふ鹽梅の行を。悟たまふならむ。貨狄が池中の蜘によつて。船を造り。道風が蛙の根のよきを察て。筆道の妙を得。左官が。燕の巣を組を見て。壁塗事の利を考へし杯。これら鳥類虫類の。人に教しにあらず。其道々に秀。何れの振舞にも。目を付。その品々。上手に至るの意味を。後世に傳る所。誠に人間萬物の長と言べし。されば末世の色道の。本手横取茶うす。數品根本は。此二神の教に寄り。天地の五行假諦。産落ると、珍寶珍閉は。入筈の付もの。意味の奥義は。挑指。手摺も、抓に上りなるゝに覺へ。妙者になるもならざるも。命に替て。好といふに上なし。嫌といふたとて。誰か誠にするものないは。克々能い事の。本家樂の極意。是に止なり。爰に某の名畵は。陰陽の道を明に照し。閨中數品を筆勢に肉を持せ。彩色を生るか如く。心地よきさま。紙も痩なむと疑るゝ。則去主人の秘藏なる一卷。遊民の徒一兩輩。長夜のつれ〲。幸に一覽し。各涎を流す事。しぐれにひとし。是をおもふに。古今の序に言ふ。遍照が歌は。畫筆る女を見て。徒にこゝろ動かすがごとし。と古人の言葉を考すれば、千年の昔も繪に惚し。人の有し事。知りぬべし。いざや此類に。思ひより。見聞せしを。有のまゝに。筆をおやし。文を走らせて。餘所の樂を。又羨も。又樂の。言葉を出して。讀人の樂とは。なすものなるへし。

紀行成

色相書文跋

何れも精根まむぞくにして首尾好了ぬ且この文談は詞花言葉を味ふなどの子細らしき趣意にあらす閨中の有さま有躰の話口拍子に乘て筆もしどろの走がきみだりに硯の水ももらさず四海濤しづかにて劍げきをふるの時じらぬ萬民の幸鎧兜は淫樂の道具と而已おもを述て只交合の快氣をまさん事ねがふこゝろの奥義は先にこたゆる一物のながく鎧櫃に納る世の戯言なりと。

快々堂主人爾言

「春情美談千ぐさの花」　淫水亭開好

千種花二羽蝶々序　中本三冊、墨刷

花の夢小蝶に似たり辰之助とは水木が猫の所作事に其角が例のはづみん世の中は蝶々とまれか

くもあれとは宗因がてふ〳〵賣の讃にして何れ浮世は莊子が夢我が胡蝶か胡てふが我か誰もまよふは戀の道廓日記の人名に從君蜜那倍の趣向をかり二種合せたふたつ蝶々蝶はもとより妹脊の中だち女蝶男蝶の長柄くわへ閨の屛風にてふつがひの名さへ有れば逢て交合のが勸進相撲一番取二番取と顏ぶれはしたれども四十八手はさて置て元來手のなき下手作者魂膽もなく書出してもなにもかもなき腹やぐらかもの入首入智惠なればよし勝利得たりとも足がらに似て手柄にならず思へばよしなき事なりきと手に汗握る茶椀とちやわん碎てすへのまとまらぬは初手から知れた事ながら安請合に受あつて後悔すれども今更甲斐なく引にひかれぬひき窓の紐にも足らぬ才の短かき障子につけた車より口はまはらず氣はあせれど糸筋が引からまり先へもゆかず後へもゆかず倦じて机上に筆を置ときれいの書肆が催促にかの辰之助が鑓をどりそこでせいた口ふたけとまれかくまれ稿を送りぬ

于時月中の嫦娥の前にあるといふ玉戶に比したる

安政二年卯のはつ春　　淫水亭開好記

千種花二羽蝶々二編序

いと繁き野邊の千種の中よりも撰出せし七種のそのさま〴〵のはなごゝろ粋なきゝやうとふじばかま色香も深き、夕の露にしつぽり一夜濡髪は角力取草の名にたかき根本筋に放れ駒すがたもやさしき菜の葉に蝶吉草移りしてあれ是と花の露吸ふそのさまを書おろしたる戯ぐさ爰彼所にちら〳〵とほのめかしたは過し年外題もやはりそのまゝにふたつ蝶々てうど又初春毎に封切りの人情本を御覧の後初冬の頃に新板の合巻との其間へ一寸はさんだ小菊の紙数どうちつかずの五十葉帯にや短したすきには少しながめの庭面背へ生へ出るてう下草に御心うつりしこぼれ幸さはさりながら是とても貴君子の御贔屓目に開好の愚心をあはれみ給ひ千種の二へんとお尋は阿房草にあまる仕合に飛立ばかりの蝶の跡追そしりもいゝはず又そろ〳〵めぐむ千ぐさの二はんばへ彌生の野べにまだ丈もはつか斗りに稿を脱す

春心すでに滿て玉門玉莖のほてりは然ながら
ひのとのごとく巳うちもずき〳〵と卯月に近き
（安政四年）彌生る下旬

淫水亭開好記

千種花二羽蝶々三編序

過し春の花はうかれし小蝶の後を其まゝにしてむすびとゞめずかいこの蝶の甲斐なくて何くわの巣で思はずも四度のやすみの足かけ四年ひゞるの蝶の女男事ふたつ蝶々ハ其後はと例の好癖喜樂堂が二度るの後の催促に彼大ねぶりに寢ても居られず亦くり出すまゆの糸口漸にして織上し言葉の綾に艶はなけれど内のこがいの蝶吉を黄金鶴屋の養子としたれば其はれ小袖にもなれかしと辻褄あはぬ素人仕立不手際ながら織物のをりにおいたる仕合はまゆをうちこむ湯よりもおつき御めぐみの御取立猥御贔屓の年々に彌増やうにと精出してこんかきりに白紙へ産出したる趣向の戀種うはことならぬ浮氣の所行も實事にかへるこんたんの其腹稿を吐終りて目出度飛出すさんがの三編かいこをさしておこさまと云美賞もあれば是に比したるはしがきはアヽ我ながらおこかましとやいはん。

一物いさぎよきうまの初はる　淫水亭開好述

「風流玉の盃」

横本三冊、讀ワ、八文舎風、「三馬」の「玉の盃」は是を江戸言葉に直したものにて而も全部ならず。

叙

ならひかおかの法師はら玉の盃底無かことしとやかこてる筆の跡をしたひつまらぬ春の永き日は伊勢や源氏のむつこともかゆひ所へ手のとゞかずあたら打つけの腹つゞみ石部金吉金兜まじめの顔もやはらいで笑ふ門に福來るそのお笑にのりかきてついに深みへはまるなら又はさわいの門ならん善悪ふたつの探つりを三冊に物して若いおかたをいましめん徳用向の玉の盃底は丈夫に受合てもふす。

寶暦八年？つちのえとらの尾もなかき春の日

一大湯山人

「浮夜閨中膝磨毛」（初編一冊後編二冊、中本）

閨中膝磨毛序

乗掛の女は。おもはぬ前を濡して馬に氣をもたせ。山駕の女は内股をひろげて。後棒のつゝ。はりかへるを知らず。實旅は發動なるものと。好色人のいひけんも宜なり。されや名つくる膝磨毛とは。苧環の繰返したる婬言。五十三次の仕續に。長持唄の竹にさゐ。雀の昵話より酒手の譫言戀の宿屋の箱枕も。した八九次郎兵衛が。空尻の。下かゝり歌におつことし、文筆ヒン。ひんとして最手腹がよれる。此本の棒端に。序文の一丁とぼさんと。ほんの笑ひの問屋帳。陽勢の建場に。矢立おつとり。一寸筆せんずりを如斯と志かいふ。

干時文化九稔壬申陽春吉辰

吾妻男一丁識

浮夜閨中膝磨毛凡例

○此書は道中の戯日記なり。蓋精事は道中記に見ゆ。文章をいはゞ。長明阿佛等の。紀行を見るにしかず。旅の情は許六が旅の賦に讓り。此には只吾妻男の。京女臈を試んとて登るに。相撲女の味から。駿遠三にいたり。國土地によつて。陰門の味異あることを。悉く穿て吹聽。

○名所舊蹟に到ては。元來風流の男に非ず。陰戸士の闢る所ならねば。陰水と倶に是を漏す。

○總て左禮哥は。しもがゝりを專とし手爾波も合ず。俗言方言をいふ。しかし笑われるを以て作者の本意とす。近躰の狂歌のかしこき風調にはあらず。
○此書浮たる策子ながら。姑く勸善懲惡あり。始九次郎兵衛舌八女修行を思ひ立。國々を遊歴て。終に讃岐の金毘羅に參詣し。忽ち女色の迷ひを悟り。靈驗によつて本分人となり。めでたくお江戸へ歸るを以て首尾す。更に後のつまらぬことにはあらず。覽者笑ばわらへ。モシせんずりの書入したまふなと云々。

凡　例　終

「狂　蝶　新　語」　一名「邪正一如」

判紙本五冊、讀ワ、編者　巫山亭主人夢輔、畫工　鴛鴦亭和合子、淨書　股野馬造、文彌六年（文政）癸未陽春、金精堂藏板

序

蝶は菜種に。菜種は蝶に。てふは菜種の花しらず。菜種は蝶の味しらず。其味をしり。花をし

りても。亦と忘れぬ色の道。難し〳〵とのたまひながら。孔子も後かけ艸履を用ひ。内心如夜叉と誹つゝ。釋迦も鶏卵の精をかり車で通にかよひ。行とゆき。一杯限に盛代なき命にかへてもたのしむものは。實この道は思案の外にて。先達すら猶如斯。況我等。濁世の凡夫。迷ひを解んと。手を叉ば。其儘抱着ことをおもひ。悟らんとして。眼を閉れば。忽地あぢな意にうつる。吁乎いかにせん。〳〵と。歎息こゝに究て。却而一路の。大悟を發し。邪正一如と大〆して。仁義吾常を。丸逃しに。はづせし一部の。小說なれり。號て狂蝶新語といふ。夫狂蝶とは何の故ぞ。我にひどしき野良人の。花に憧れ色香に迷ひ。所定めす狂歩行が。さながら胡蝶に似たるをいへりさあれ。胡てふの類ならば。花も色香も一睡の。夢とみなしてよひ頃あひに。止るをもつて可也とせん。さらでもいはずや何やらに。翩翻たる狂蝶。菜の葉にとゞまると。破家といへども限を知て。止所で止まらずば。終灯に入飛蛾の。やけといはるゝ悔あるべし。長居はおそれ。こゝらあたりで。夫とうまつたと。しかいふものは。

ひつしの陽春　　巫山亭夢輔

「浪花家土産」

東都 猿猴月成著

半紙本一冊、讀ワ、色刷

いせくゐむしの物語にもいまたきこえぬ敷妙のふすまのうちの世語を手枕のすきまなきすき心より前の毛のくまなくも皮つるみかきあらはしゝはあはれ心をつくしつひよくあちはへる男なりけり。

ひなさきの

さね高誌

跋

ことさへぐから國には艶史情史をはじめとして肉蒲團如意君傳または韓渥か香奩體なといへるものありてをとこをみなの中をしもいとみやびに書なし詩につくりしものあれど敷島おほやまとにはかゝるすさひをいまた見もおよびきゝもおよばずなんこたびわがたまあへる友なる猿猴坊月成のぬし花鳥をあはれむいとまにをとこをみなの中をみやび言にかきなし繪もまた古代にものさ

しは小枝常盛ふたたびいで紫のおもと世にあるこゝちしてめづらしともめづらしき限りになむ
あはれうつせみの世に長くつたはりて、皇國の艶史情史ともよばれんものは此とぢふみにこそと
ぬきし左のかたひきておもへる心をありのまゝに書しるしつ

はつきなかは月すめる夜

月夜楼釜平ふんでをとる

「論御」　無三公子著

字本一冊、但し近世複製本あり。

維天保之皮春王正月。無三公子盛爲窮鬼之役拂。探篋中得論御一卷焉。是公子先年嫡子相共。元服之當坐。與千研同。搔始者也。全卷一篇。號郷洞焉。可惜聖人爲發仕方。而悟過惡戲譃落也。無勿躰亦可謂飛弩夷理焉也。夫子曰。後生可畏者。蓋謂之矣夫。

虎始交時。　無三公子書馬鹿南谷風涼軒。

「春窓秘辭」抄

大木折本一冊、十二戯作家の狂文を集む。

男莖形のなきいにしへは伊勢肉具の名のみ高かりけん陰戸形のなきそのかみは筑紫陰門の味ひのみ慕ひにけむ彼は野の宮の繪巻物袋法師の物語など世にもてはやせしころほひなれは眞玉手の玉手さしてとよめりしむかし〳〵にして抱つくと唱ふる今の代のさまとははるかにことふりたり相撲女に房州鍋とかいへる玉門の名たゝるものは猶後の世に出きぬされといづこもおなじ玉莖の味ひいまだあかしてふ名をさへきかずこゝにものせるたはれ繪のこゝろを探るにみやこはよろずの物おのづからやはらぎたれば殊にやは〳〵むく〳〵として名に流れたる京の水共潤ひちさこそとはおもひやられぬはた郭公はきく人も戀を催すよしいふなれは妻戀る音に心うかれてかの所を見る人の心の內やいかならんさが父に似てなかずともさが母に似てどこやらも卯月なかばのしのび音をわれにはゆるせといふなるべし春三ッすごし夏六は此月よりまさり秋ッ一ッむしかへして

のち無冬ゥの月會を用ゐず食ふて毒をしる時珍か物一産家にあらねは嘗て能をさとる神農の本草家にあらずこれを唐土の王昌齢は遥ニ望玉門關と賦し我が國の三條殿はあふさか山のそれならで京のおやまのさねかつらとなんよむべかりけるおのれはそれにひきかへて例のつたなきたはれうたをよめる。

その歌

なけきこう京の女郎の文彌ふしきゝにきた野のほとゝきす程

於江戸本町小棐　式亭三馬戯贊

◇

大江戸のすきやまちてふあたりにふしまらのめしよりといふ人ありいにしへぶりの歌の道にたへにして又色の道にもかしこきのみならずまら骨いと强うしていくはくのたゝかひをなすとも弱はること無きすき人なりければ不死陰莖とはいひけり此家の近きあたりにさせ子といふをとめ有は年十五ばかりなるが彼飯よりが許に來りて歌をよむことをならひけりある時めし賴がいふやう歌を能くよまんと思はゞ先おのれがいふことに隨ひて人たらん物のなすわざを覺えとて近くより

そひすゝいと淸らかなる手をとらへ細き目もとに色ふくめてたはれけるをさせ子は物いはぬ花のな色る顏してやなら手をふりはなちて

しきしまの道こそまなべをさな子のみとのまくはひ何ならはまし。

とよめりけるをめしより又袖をひきとゞめて、

うましことと何っき橋の神たにもとつぎをしへし鳥にならひき。

八つになれるをさな子の子をうみたるためしさへあるをとていだきよせてみたにの底へ手をさし入たるにぬら〳〵しとぬめりわたりてぬなはのあつものをさくるに似たりければさこそあらめとて飯より

あら海のあらならぬやはくじるにぞ鯨のうしほふきもふきあへぬ

女はじめの詞にも似なく吹上の濱に吹たつる風のやうに鼻息あらゝげつゝ飯よりをいたきしめて同し紀の海にはあれど。

わかの浦の道をたがへて鯨よる熊野の海になどさそひけん。

これをなれそめとして此後はしば〳〵通ひ來りて和歌の事はさし置て只むつことのみに思ひ亂

れつゝたらちねの親のめをしのひて夜ふかく通ひけり晝は人目のしげきまゝにくじり口吸ふなどにやありけらし。

たまく當座の歌もよみぬれど定れる題にはあらでいと興じたる題をかたみに作り出てぞよみける此うたあまたあれどそのうち只三題をこゝにしるす長からんことを欲する戀といふ題にてさせ子。

すがの根の長くもかなと思ふかな早くなやりそあくにあらなくに

又よがらする戀といふを飯賴

君がため右に左に上に下にふかき淺きの手を盡しつゝ。

又よかりにたへたる戀といふをこれも男しきたゝへの枕はずし亂髮なく聲高み死ぬといふ也。

又ある時かたみに氣をやりて後飯より。

玉の井に猶やり水の音そへてはらとくにつゝみうつ聲。

これを聞て女

皺うつこゑをしひとのとがめなばひきはなれつゝ狸寢にせん。

亦ある時こよひもしのびて通ひ來らんと契り置けるに共夜は父母の夜更る迄いねざりければ之ゆかさりけりつとめて男のかたより玉づさもて恨みいひおこしつ女の方よりもせうそこしてたがひに文のはしに歌よみてやれりける。

よべ君にへだてらるればあてがきの皮つるみしてうさをしのびき

女の方よりはかくこそ思ひめれとて

水となりしちぎりはうしなみづうしのつのもて作る玉しきもがな。

夕つかた又かたみに此歌の返しを

わが玉のかどにもいれずよきことをしぎの羽根がきかきもすてしか。

といひおこせり男も又恨をふくみて

みづ牛の角もて作るうつはあらばわが玉じきも君はたのまじ。

かくひそかにしも深くかたらふことを親も聞つけてさせ子を飯頼が妻に贈らんと云やりければめしよりなゝめならずよろこびさせ子はいふも更にうしろやすくいもとせのかたらひをして榮けりとなん。

文化のこゝのとせみづのえさるの神無月

七十まり八つになれる

手がらのなか持しるす

世界珍書案内（二）

ミラボオ伯爵の「エロテカ・ビブリオン」その他

序

ミラボオ伯爵の公生活や私生活は餘りよく知られてゐるから之に就ては問題は無いであらう。唯オノレ・ガブリエル・リケツテイ即ちミラボオ伯爵は一七四九年三月九日に、今日ではモンタルジ郡のビニヨンミラボオとなつてゐる、ガテイネイのビニヨンの城で生れ、一七九一年四月二日の土曜日に死んだと云へば充分であらう。

此の偉大なる護民官とモンニエ公爵夫人リユツフェイのソフイーとの戀愛に就ては、多くの優れた歴史家達が記述をして居り處で、此の二人の愛人の消息には極めて廣い部分が與へられてゐる。

モンニエ夫人の手紙に就ては細々した事はまだ公けにされてゐないが、ミラボオの手紙に就ては可成り細々した事が描かれてある。

ソフイーの愛人は一七七七年五月十四日に捕へられ、一七七七年六月八日にヴアンサンヌに幽閉され、一七八〇年の十一月十七日に漸く自由の身となつた。

サド公爵はその年の一月十四日から、城の天主閣に居たがミラボオは此の時はそれを知らなかつた様で、夫は一七七八年一月一日にルノアールに宛てた次の手紙が證據立てゝゐる。

『……どうしても私の親達の一人を召出さなければならないのか。恐しい罪を犯したといふ理由をつけられ、而も永久の幽閉が王者の慈悲が彼等の家族に對して示した恩惠だとは云ひながら彼等を誑はせる事は出來ない。自分達の總ての富を縱まゝにし、非常に住み心地のよい社會を持ち幽閉の生活と切り離つことのできない不如意や倦怠に對してあらゆる扱ひの手を持つてゐる强者の中にこそかうした多くの惡德漢がゐる。

どうしても私の親達の一人を召出さなければならないのか。何故召出さなければいけないのか此の恥辱は私一個人のものではないか。

サド公爵は二度刑に處せられ、闕席判決の執行を受け、彼の從犯人は車裂きの刑で殺された位で、彼の大罪は此の上なく立派な惡德漢さへ驚かした位だ。サド公爵は世に出でゝは大佐であり何か新しい不埒な行爲さへしねければ自由を回復したのだ。

君は私がライリやサド公爵と自分を比較する迄に身を落したならば私を批難するかも知れない。併し私をして次の問を發せしめよ、何が故に私は罪を得たのであるか。勿論多くの缺點はある、とは云へ敢へて私の名譽を汚し得るものは誰かあらうぞ……。そは唯私が反抗したり、不名譽を蔽ひ隱したりする事のできない父上のみだ。

私は父に對して出來事を知らせて呉れる樣に隨分頼んだけれ共遂に彼はそれをして呉れなかつた。けれ共私が引き合ひに出した怪物共の地位は私自分のそれとは何と云ふ違ひを持つてゐるのであらうか。私は王國の最も陰慘で最も慘酷な牢獄の中に居る、私は其處で窮乏の極に在り、取りつく島もない孤獨の中に在つて私は心から君が私を救ひに來て呉れる樣に御願ひする。』

併しサド公爵は自分の居ることを彼に告げた、と見えてミラボオは一七八〇年六月二十八日に警視總監のブーシエにサドの救ひの手を求めてゐると書き送つてゐる。

「サド公爵は昨日天主閣を大騒ぎさせた、そして自分の名を名乘り、聞くも汚はしい罵詈讒謗の言葉を私に浴せたが、それに對して私は些も心を動かしはしなかつた、それは君もよく信じて呉れるだらう。私はルーヂュモン（ヴアンサン城の知事）の寄人であると彼は口汚く私に云つた。彼の目的は私に散歩を與へろ爲めであつた。最後に彼は私の耳を切り落して樂まんが爲めに私の名を問いた。

私は遂に堪忍袋の緒を切らして彼にかう云つてやつた。私の名前と云ふものは決して婦女子を切り賁んだり、毒殺したりなどはしない名譽ある人間の名前である、私は汝が嘗て車裂さの刑に處せられた事はなかつたかと背に書いてやらう、そして汝の爲めに砂濱の上に屍を曝さうとも決して恐れるものではない、と。彼は默つて了つて、それから二度と口を開かうとはしなかつた。君はつまらない事をしたと云つて私を責めるかも知れないが、ずつと前から我慢をする事は易しかつたが、彼の如き怪物と同じ家に住んでゐると云ふことは何と悲しい事であらう」

此の二人の囚人はお互ひに見下げ合つて、一方が他を寄人の取扱ひをすれば、片方は相手を怪物と考へてゐたが、此の二人は人類の社會的、道徳的解放史の中で立派な役目を演じてゐるに相違ない。

二人とも牢獄で特に淫猥な作品を書いて世を送つてゐた。

ミラボォはヴアンサンヌで次の様な大部の著作をした。

「印章の文字と國家の牢獄」、一卷、一七八二年ハンブルグで發行。

「神話、歴史、哲學に關する研究を伴ふテイビユルの挽歌、附りジヤンセコンドの接吻」之はミラボォによつてヴアンサンヌの天主閣からソフイーリユツフエイに宛てられた新しい飜譯である。ツールではルトウールミイ商會から發行、パリでは革命暦三年にエス、ニケーズ街のベリーから發行、二冊。

更に次の題名を持つた册數の記入の無い第三の著者がある。「ミラボォによつてヴアンサンヌの天主閣よりリフイーリユツフエイに宛てたユントと小說」。ツールではルトウールミイ商會發行。パリでは革命暦四年にシムテイエールアンドレ街十五番地のドロア書店から發行。――附り題銘。

ミラボォと共に育つたミツショーの「傳記」は「シヤボーシエール」が此の飜譯の草稿に恩惠を與へて居り、ミラボォは之を我が物とし、附たりを多くし、スタイルを作り變へてゐるといつてゐる。

ポールコツタン氏は「シヤボーシエール」を以つて此のテイビユールの新飜譯の親であるとするのは不當の樣であると云つてゐる。

ガブリエルハノトウ氏はヴアンサンヌに於て書かれ、ソフイーによつて書き直されたミラボオの著作即ち詩、「オヴイードのメタモルフオーズ」の飜譯、古代人と近代人の自由に關する論文等の貴重な草稿を持つてゐる樣である。

ミラボォは又ヴアンサンヌでモンニエ、夫人を敎育する目的を以つて種痘論、文法、神話を書いた。

彼は又ボツカチオのコントも飜譯した。彼の考へてゐた事は一七八〇年七月二十八日のソフイーに宛てた次の手紙に表はれてゐる。「私は大體に於てボツカチオは餘りに買ひ被られてゐると思ふ。しかし彼は自然であり、喜劇味を帶びてゐる。けれ共此のハミルトン體に書かれたもの、即ち彼のコントにせよ、グラモンの追憶にせよを讀んだ人は他の作者を愛する氣にはならないであらう」

最後に彼は「エロテイカビブリオン」及びピエールルイ氏が「アフロデイート」の緒言の中でミラボオの小說と呼んでゐる奇拔な作品即ち「リベルタンドカリテ」及び一七八三年に出版された「ヒツクエヘツク」「余の悔改め」を書いた。

此の著作は全く新しい種類のものであつた爲めに忽に世の注目を惹いた。之は疑ひもなく、女を喰物にして生活してゐる男を小說的人物とした最初のものであつた。此の小說は生々として居り、可なりありふれてゐるが、ブルラン（かるた遊びの一種）と居酒屋の特別の暗語からとつた文句がは入つてゐる。どの頁にも淫猥さが誇り氣に振舞つてゐる。ドンフアンはタンドルの國で租稅を取り立て、文學の中に今も尙新しい現實的な自由さを以つて冒瀆を行つてゐる。「秘密の備忘錄」は一つの怪しからぬ書物と著名にして了つた。此の本に澤山ある木版畫に就いて書かれた記事が、一寸かい摘む事の出來ない此の本の概念を充分與へて吳れる。

「余の悔改め」一七八五年一月五日、ミラボオ伯爵リケツテイ著、

之が此の書の名前である、そして此の書は一七八三年に印刷されてあつたが、翌年の終りに漸く世に出されたに過ぎなかつた。此の書が世間に擴まるのがをそく、而もそれも隱密の間に行はれたといふことは實際當然の事である。此の書の前には「サタンに獻げる書翰」が付けられてある。人はかうした書き出しから此の本の眞骨頂が何んなものであるか判斷する事が出來る。扉繪も亦同じ様にそれを現はしてゐる。それは書齋に於ける著者を模したもので、三人の裸體の賣春婦に姿を變へた三人の神々とキユーピツトを描き、著者がそつちの方を向いてペンを突きつけ様としてゐる繪である。人は惡魔が前の方で此の著作の進呈を受け取らうと待ち構えて居り、そしてマーキユリーがそれを發表し様としてゐると云つてゐた。

上部には「余の悔改め」と記されたメダルがあり、下には註釋として「アウリ サツクラ ファームス」と書かれてある。此の外に五枚の木版書が主題を潤飾し、敷衍してゐる。

最初のは主人公の初舞臺を描いたものである。

そして下の方には「彼の尻を見よ、何とそれは彈むことよ！」と云ふ句が讀まれる。

二番目のは「信心する女」と云ふ題があり、それに「あゝみ懐しのキリスト様よ！」といふ咏嘆の詞がついてゐる。快樂は信女をキリストから引き離して了ふと云ふ事は女が愛人と居る時の物腰でも判る事だ。信心深い女の特性は彼女の前に十字礫の像やマリアの像を置いた時に發揮される。

第三の木版畵は乙女で「私は雲を裂く」と云ふ言葉がある。夫は淫蕩が放埒といふ修道院へ入れた新發意だ。彼女は音樂の講義をしながら涙に濡れて彼の腕の中に飛び込んで行き、抱かれる。

第四番目のは昔噺にある「彼女は田舍暮しをしてゐる」だ。彼が薫陶したのは田舍の男爵夫人で彼は彼女にあらゆる態度や手段を教へたのである。

最後の繪は恐しい大饗宴の場を描いたもので、饗宴場は「道樂者」が半ば開いた垂幕で蔽はれてゐる。下の方には人をして同性愛に陷つた婦人を想はしめる樣な、可なり人の混み合つてゐる大饗宴が描かれてある。そして夫は次の樣な言葉で終つてゐる「垂幕は素行をかくす……」

此の作品が實際に最初の手紙が示す人のものであるか否かは知らないが、不幸にもさう信じ度くなる樣な理由があるのである。」

グリム、デイドロー、レイナール、メイステル等の文學、哲學批評に關する消息は余の「悔改」に就てミラボォに與へられた割前に對して疑を生ぜしめる。

書像のは入つた「余の悔改め」の第一版はサタンに獻げられた。吾人が敢てこゝに此の穢はしい書物の題名を謄書し樣とするのは唯我が讀者諸君に假令「印章の文字」と「國家の牢獄」の作者がミラボォ公爵の息子であるにせよ我々は夫を信ずる事が出來ないと云ひたいからである。夫は嫌らしい放埒の經典で何等の詩想も空想も無い。

「文學消息」の一本を與へたトウールヌー氏は次の樣に付け加へて云つてゐる。

「版の一つに現はされ、メイステルが再び作つた首文字はミラボォ伯爵リケツテイを意味してゐる。が併し此の偉大な雄辯家は彼が書いたと云はれてゐる。他の淫本と違つて「余の悔改」は書かなかつたかも知れない」と。

けれ共ミラボオが「エロテイカビブリオン」も亦「余の悔改」も書いた事は疑ふ余地が無いのである。一七八〇年二月二十一日と三月五日と二十六日の三通の手紙は充分にその事を物語つてゐる。

二月二十一日にミラボォはソフイーに次の樣に書いてゐる。『私は自分が書いて「余の悔改」と題をつけた世にも愚かな小說をお前に上げる事は出來ない。最初の節はお前に此の作品の考へを與へると同時にお前は私がどんなに實を盡してゐるかと云ふことが判つて吳れるだらう。

お前は此の作品がどの位性格描寫や面白い對照を持つてゐるか信ずる事が出來ないだらう。その中ではあらゆる種類の女やいろんな情景が代る〴〵出て來る。その考へは馬鹿氣たものかも知れないがそのデイテイルは魅惑に富んでゐる。そして私は何日か眼を剔り取られる樣な危險があらうともお前に夫を讀んで上げ樣と思ふ。私は今迄にごたまぜ料理だとか貞女ぶる女だとかさては信心する女や女の校長や、女商人、宮仕への女、老女等に就いて調べたことがある。』

三月五日にミラボォは又彼の小說について次の樣に語つてゐる。「懷しい我が友よ、私達はすつかり拂ひを滯らして了つた。が私は金持にならうと思つて働いてゐる。「テイビユール」は引渡して了ひ、「コント」や「ベイゼ」も同じ樣に本屋に渡して了つたし、「ボツカチオ」は今私の手中に在るし「余の悔改」では前借して了つた。私は絕對に新しくて、私が本屋であつたなら私を金持にして吳れるに違ひない此の小說の爲めに、他に比類の無い樣な非常に面白い版畫の題材を作つてをいた。私の好意を勘定に入れて置いて下さい、私は何時でもお前の爲めに好い機會を取つて置かう、そして私は金儲けに夢中になつて居ても、私の魂の爲めにも何か仕て遣らうと思ふ。若しお前がしつかりした文章や、我々の風習だとか頽敗、放埓の極めて自由だけれ共本當の繪を見たいと思ふなら私は此の小説を送つて上げよう。それは世人がたつた一瞥の下に考へる程下らないものではない。その始めは宮廷の婦人達で信女と劇場の女達で終りを告げてゐる。或る時は修道院に居るかと思へば、次ぎに結婚をし、更に懺悔の言葉を聽かうと思つて地獄を一廻りするであらう（私はプロセルピヌと一緒に馳け出すだらうが）。私がお前に向つて云へる事は此の小説が此上もなく新しい處の氣狂ひ沙汰で、笑ひなしには讀み返へすことが出來ないと云ふこと丈だ。」

最後に、三月二十六日にミラボォはソフイーに「余の悔改」を送らうと云つてゐる。「お前が讀みたかつた原稿を送るから目を通して貰ひたい。私は夫に續きも又、一枚の原稿をも付け加へることは出來ない。

あゝ、監獄に居る時でもなければ横腹をお互に撲り合つたりして強いて陽氣になつたりする必要はありやしない。そんな事でもしなけりや元氣を失くして了ふか死ぬか、それとも氣狂ひになつて了ふだらう。少く共「余の悔改」は「パラピラ」よりもずつと／＼面白いものだ。夫は外見は卑猥な樣であるが、我々の風習だとかあらゆる國々の風俗習慣の生きた、そしてかなり道徳的でもある描寫である。宮廷の婦人達や信女や修道院の女達はその中では特に思ふが儘の取扱ひを受けてゐる。」

P、マニユエルは「ミラボォの書翰集」の緒言の中でソフイーの情人はアレタンの繪具を溶かなければならない樣にされたと云つてゐる。そして共の後に出たのが「リベルタンドカリテ」である。「余の悔改」はカプリ島の放埒の映像である。

「エロテイカビブリオン」はまあ許してやらなければなるまい、と云ふのは夫はあらゆる學術協會の樣な博識さを以つて我々の近代のサルダナパールの恥づ可き部分を古代の神聖な例で蔽ひかくしてゐるからである」

「余の悔改」の出版された同じ年に「エロテイカビブリオン」が發行された。ミラボオが夫れを書き終へたのは一七八〇年であつた。此の年の十一月二十一日に彼はソフイーに次の樣に書き送つてゐる「私は今日非常に奇しい新しい原稿をお前に送る積りであつたがまだM・B書店に送る寫しを終つてゐないのだ。併し近い内には送つてきつとお前を喜ばせて上げ樣と思ふ。此の題材は相當に面白いもので、可なりグロデスクではあるが、非常にきちんとした眞面目さを以つて取扱はれてゐる。お前は聖書や古代史の中で手淫や婦人の同性愛や更に詭辯家が取扱つた最も猥はしい事柄に就て研究をし、更に之を皆讀める樣に書く事が出來るものと思ひますか」

ミラボオの自筆の原稿はソラー氏のものであつたが百五十法(フラン)で賣られた。

「エロテイカビブリオン」は極めて一風變つた背教の記念物で、ミラボオの牢獄内に於ける讀書の成果である。彼は牢獄内で神聖なる博識だとかバイブルの解釋をした書籍を好奇心を以つて而も愉快に讀んだ。或る傳記作者は「彼はドンカルメの記錄の斷片を以つて「エロテイカビブリオン」即ち古代のいろいろな人間の間の、殊に猶太人の間の肉の愛の違ひを指摘した卑猥な言葉の寄せ集めを作つた、第一版はニューシャテルで出版され次いでパリでも出版された。第一版は四十部しか捌(は)けなかつたと云はれてゐるが殆んど全部警察の手で沒收されて了つたからである。一七九二年版も同樣に沒收された樣に思はれるが、或る部數は外國に渡つて、ローマでも賣られたそして此の本は一七九四年七月二日に讀むことを禁じられた。」と云つてゐる。

レモンニエーは「エロテイカビブリオン」に就て當時の一新聞紙の次の樣な一條を引例してゐる「八月二日、「エロテイカビブリオン」といふ恐ろしい表題の新しい本が一七八三年ローマのヴアテイカンの印刷所から發行された。本書の目的とする所は我々の風俗は頽廢してゐるが、古代の夫は更に更に腐敗してゐた事を示さうとするに在つて、著者は夫を立派に果してゐる。

本書は極めて珍しいもので、パリに於ては僅か四十部を賣つたのみで殘部は警察に沒收されて了つたと云はれてゐる」と。レモンニエーは又他の條をも引例してゐる、「一七八三年十一月二十八日、「エロテイカビブリオン」は僅か十八枚位に過ぎないもので、一般の讀者には余り合點の行かないたつた一つの言葉の十の題に更に別けられてゐる。夫は聯絡を見付け出すのに困難なばらばらの章から成り立つてゐるが、その共通の目的は風俗の頽廢といふ點にかけては古代人が際限も無く我々より勝つてゐると云ふことを示さうと云ふ事にある。夫は簡潔の中にも、造詣が深くて此の上もなく珍しい研究に滿ちてゐる。

著者は古代語を完全に我が物にしてゐる才能を別にしても、極めて立派に自國語を書き、笑談を云ひ、ヴォルテールの眞似をする事が上手だ。彼は時々見せてゐる猥がはしい描寫の中でいつもよく當てはまつた言葉遣ひをしてゐる。

發行者達は「廣告」の中で其等の本が同じ様な眞價を持ち、人を興奮させる様な興味のある他の作品と同じ著者の手になることを告げて居り、絶えず之等の作品を公刊すると述べてゐる。

一八三三年版所謂ピエリユーグ版の緒言は此の作品の立派な摘要を含んでゐる。註釋の形で書かれた此の摘要が文學的事實及び文學通の興味を惹くことは疑ひないであらう。

夫は次の様な文句である。

「ミラボオはその不朽の名著の書き出しとなつてゐるその章に於て、魂の美しさと、嘆賞すべき觀察の才能とを以つてシヤツカレーの足跡を踏んで行きながら哲學者モーペルデイスの如くに、或る距離を距てゝ地球を取り卷いてゐる固くて光りを放つ圓形の一團か又は一六一〇年にガリレオの發見した赤道面にある土星の環の如きものは以前は海であつて、此の海が凝固して土地又は岩石となり、以前は二つの中心に向つて引き付けられてゐたが今日では唯一つの中心にだけ向つて引きつけられてゐるのだと主張してゐるあらゆる信奉者の荒唐無稽の説を嘲笑してゐる。

彼はかうして爭ふことの出來ない眞理として吾人の前に現はれてゐるが、而も實際の處は人間の頭腦の途方もない夢想に過ぎない處の、自然の法則に對する人間の空しい理窟を根底から覆して居る。

彼は短い梗概に於て天地創造の驚くべき歴史を彼一流の正確さを以つて駁撃した後、「アネリトロイド」の章に筆を進めて、一切の事物に就て推理することが出來る以上は一切を釋き明かすことが出來ると主張する神學者達をやつつけ、そして何時の時代の寺院法學者の樣に人類の繁殖を容易ならしめるのに適した方法が萬事正しくて立派であると主張する事が如何に滑稽であるかといふ事を示してゐる。

「イツシヤ」は壯麗を傑作を見せて呉れるが、それによつて宇宙の建築師はその崇い著作を終つてゐる。女は器官が纖弱な爲めに力に於ては男に敗けてゐるが、今日の女達に與へられてゐる淺薄な教育の代りに、男に與へる樣な自由な教育を與へたならば將來は彼女等を男と同化させて市民生活の享受に就て完全な平等權を分け與へるであらう。と述べてゐる。

「トロポイド」の中ではミラボォの眞似の出來ない才能は更に力強く又雄辯に新しい飛躍を遂げてゐる。我々の時代の宮廷の頽廢は哲學者の瞑想に喩へ樣もない墮落の飛び切り、ひどい光景を提供してゐるが彼は我々の時代よりも更に更に頽廢を極めた他の時代の人民の墮落に就て穿鑿の炬火をつきつけてゐる。そして彼は此の二つの時代の墮落を比較しながら、道徳的の性能が非常に肉體的機能と關聯を持つてゐる人種といふものは觀察と經驗の光りを受けて進んで行く完全性を受け容れ易く、文明の進歩と共に絶えず擴大して行くことを示してゐる。彼は若し地球上のあらゆる民族に多少でも他と異つたニユアンスがつけられるとするならば、夫は彼等の住んでゐる土地と彼等の受けた政治的の制度假令夫が專制政治であると征服者の政治であるとを問はず。と氣候の影響に歸せなければならないことを證據立てゝゐる。

「タラバ」はあらゆる亂倫の生活を送る男を見せて吳れる。

「アナンドリース」は「タラバ」の幸福な情景と脈絡を持つてゐて、彼が男に就て批難した物凄い惡行の限りを女の中に示現してゐる。

彼は男又は女が愼の垣を飛び越した時にどの位迄に身を墮すものであるかと云ふことを我々に告げてゐる。

ミラボォは我々の種の繁殖の力が一般の男といふあらゆる男の上にその力を擴げてゐることとい

つも燃えてる様な氣候の下の戀愛の力が北方の諸國のとは同じでないこと、自然が各々に獨特で固有な方法に依つて繁殖を行ふことを嘆賞すべき書き振りで述べた後に、「アクロポデイー」の中で、人間の頭腦が之迄に考へついた事が無かつた程こよなく怪奇で不思議な制度の一つを批難してゐる。彼は東洋諸國民の間に於てその制度を打ち建てる事になつた動機を研究して道徳と自然との法則を根底に持つてゐない宗教の遵奉は何れにしろ其を守る民族を常に墮落の淵に陷れる許りだと述べてゐる。

「カデシヤ」はかうした考察を包含し、人が一旦その縱な欲望やパツションに心を奪はれると廉恥の感情だとか持つて生れた威嚴なんか全く構はない樣になる位まで墮落すると云ふ事を證據立てゝゐる。彼は「ベヘマ」の中では人間と云ふものは理性には耳を藉さずに最も甚い氣狂ひの樣な行ひに迄その馬鹿げた行ひを押し進め、極惡人以下にまでも墮落することを少しも怛れないで美を傷つて自然の姿をくらますと云ふかうした悲しい事實をさらけ出してゐる。

「アースコピイ」の章の中でミラボオは我々に人間と云ふものが幼兒の搖籃の頃からいつも人間の輕信を濫用し、彼が痛感はしてゐるが持つてゐない超自然的性質の力を藉りて將來の秘密の假面を剝ぎ、そして過去がその奧深く秘めて居る秘密を知らせると主張する上手な手品師の弄物となつてゐることを白日の下に曝露してゐる。そして彼は民衆の目が無智と迷信の目隱しでふさがれてゐる間はかうした手品師から騙れるであらうと結んでゐる。

最後に彼はその不朽の著作を飾るに全古代の風俗を摸したひどい繪を以てし、夫を我々の時代のものと比較してゐる。彼は今日に於て道德が如何に著しい發達を遂げてゐるかと云ふことを次の簡單な理由によつて證據立てゝゐる、卽ち人間の墮落は彼等の智的性能の進步の缺けてゐることに因るものであり、又人が自已自身の存在の權威あることや自分の性質の優れてゐることを自覺すればする程、人は結局は不幸を產み出す處の忌はしいパッションに身を奪はれることは無いであらう。

假に「ヒツクエヘツク」が本當にミラボォの手になつたものだとしても、彼が此の書を書肆の手に渡した後で之を公けにすることを禁じたといふ事は信じなければならない。彼はも早や生きんが爲めにペンに賴る必要がなかつたのだ。書肆は原稿の一本を取つてをいてミラボォの死後に夫を刊行した。

此の面白い著作は「エロテイカビブリオン」や「余の悔改」の著者の名に値しないものではない。之は一家離散の後にある富裕で待遇のいゝ中産階級の家庭に教師としては入つた一人のアヴイエヨンのジエスウイツトの弟子の事件を取扱つたものである。その人物は宗教界と貴族の人達である。此の小さい小説は稀にしか見られない優しさと精神とを以つて書かれたものでこれよりも先に出た「ミロードアルスウイユ」の著者によつて剽竊されたけれ共「ヒツクエヘツク」の皮本は、いゝ鹽梅に、シーモア卿（ミロードアルスウイユはその綽名である）の享樂の平凡な物語りを公刊した余り用心のよくない小冊子屋の手中に在つた。

「揚げられた垂幕」又は「ロールの教育」は同嬢を取扱つた「エミール」の一種である。ミラボオはサンテイリイ公爵と稱せられるバスノルマンドの紳士に依つて書かれた此の著述の様な類の著者とは違ふ。著者の始めの考へが不倫の辯明をするに在つた事は疑ふ余地はないが、或る考へから夫を差し控えた。ロールは道德的教育も性的教育も父から受けたものであるが、彼女は自分が「お父さん」と呼んでゐる人が實際は自分と少しも親子の關係はないと云ふことを知るのである。之は如何にも恥づべき事である。著者はよく夫を諒辧してゐたから兄弟と姉妹の間の不倫を後の方に書き入れることをも躊躇しなかつた。「揚げられた垂幕」は評判以上の作物である。

「坊主に從ふ犬」は一つの諷詩であるが、取り立てゝ云ふ程の事は無い。一八六九年の再版の卷頭にある注意書には次の樣な文句がある、「彼の慈悲深い性質を讚美する爲めにギマールに宛てた手紙ではミラボォ伯爵とははつきり斷じ難い樣な首文字(かしら)を使つてゐる。我々はメルシエか又はテヴノー・ド・モランドで此の匿名の士を搜すことを躊躇しないであらう。」

「快樂の年齡の程度」は幾つかの逸話じみた話しを含んでゐる。併しその題名は更に淫蕩的な或る物を想ひ起させる。こんな變挺な苦しい作の中ではミラボォの眞價は少しも現はれてゐない。

ギヨーム・アポリネール

「エロティカ　ビブリオン」

發行者の緒言

此の著作の標題は如何んな讀者にも……合點が行かないかも知れず、又多くの讀者は標題と主題との間に何の關係も見出せないかも知れない。けれ共他の標題では之に適しない惧れがある爲めに、若し吾人が標題をギリシヤ語の儘にして置いたとしても讀者は容易くその理由を想像して呉れるであらう。

著者の該博にして限りもなく好奇的な研究は此の著作をして博學のものであると同時に又面白いものとしてゐる、そして吾人は此の書が世の人に大いにもてはやされるであらうと云ふことを信じて疑はない。

吾人は同じ著者の之と價値も同じければ，面白い事も同じ位の他の二つの原稿を持つてゐる。夫は二ケ月以内に印刷を終る豫定であるから印刷完了の時には華客先に通知する積りである。印刷に際しては本書に於けると同じ様に校正と風雅さとを持たせる考へである。その標題は出版間際にならなければお知らせする事は出來ない。

解説

我々はヘルキユラノムの古代民族の數多い發見の中で藝術家や學者達が書き物の爲めに忍耐だとか智慧をすつかり枯らして了つたことを知つてゐる、ヴエスヴイアスの熔岩の爲めに二千年來半ば朽ち果てゝ了つてゐる書物を卷き展げる事が困難なので、書物は手を觸れるまゝに皆塵となつて落ちこぼれて了ふのである。

しかし伊太利人よりもより辛棒强くて土地の臟腑が與へてくれる作品を處理する事に巧みな葡萄牙の鑛物學者達がネープルの女王の時代に現はれた。此の女王はあらゆる藝術に親しんで居つて、之等の技術家達を厚くもてなしたので彼等は此の大事業を引き受けるに至つた。

彼等は先づ卷物の一つの上に奇麗な麻布を糊で貼りつけ、麻布が乾燥した時共を懸ける、それと同時に回轉が始まるに從つて極めて徐々に夫を降ろす樣に動く框の上に卷物を載せる。その作業を容易にする爲めには筆の先で卷物の上に小量のゴム液を塗る、かうして卷物は痲布にくつついて一部分づゝ剝がれて行く。

此の厄介な仕事は非常に時日を要するもので、一年かゝつても僅かな俗數しか擴げる事が出來ない。どうしても書き物を判じ讀む事が出來ない不愉快さから此の困難で退窟な仕事を斷念して了ふ事がよくあるが、遂にかうした多くの努力は伊太利の百五十のアカデミイの天才達の光りを輝かせた一つの著述の發見によつて酬はれた。之はモザラヴ人の書き物で、それはフイリツプがカンダースの宦官と肩を並べて出世したとか、さてはハバクがダニエルの處へ五百里の長途を馬に依つて晩餐を冷たくしないで運んだとか云ふずつと古い時代に作られたものだ。ジエレミイシヤツカレイなる人は此の書き物に就て述べ、之をうまく利用してゐる。

彼は航海をして歩いたが、世界で最も古い家族の一つである此の家族の中では何物も失はれては居なかつた、と云ふのは此の家族は象が露西亞の最も寒冷な地方に棲んで居たり、スピツツベルゲンで美事なオレンヂが採れたり、獨乙が佛蘭西から分離して居なかつたり、西班牙が未だアトランテイードと呼ばれてゐる大きな土地によつて加奈陀と陸つゞきになつてゐたりした時代の怪し氣の無い言ひ傳へを持つてゐたからである。

シャツカレイは我々の太陽系に形づくつてゐる最せ離れた遊星の一つに身を運ばれたいと望んでゐたけれ共遊星へ行かれる處か土星の輪の中に入れられて了つた。此の天球は未だ靜かになつては居なかつた。下の方の部分には、深くてどろ／＼した泥水や、流れの速い潮流や水の渦卷があり、地震は巖窟の陷沒や火山のひつきりなしの噴火で殆んど絶え間もなく惹き起されてゐる。水蒸氣や煙の渦卷、土地の震動によつて絶えず捲き起されてゐる暴風雨、海の水に對する恐しい嵐の衝突、氾濫、洪水、大雨、熔岩や瀝靑や硫黃の大きな流れが山々を荒し、平原の中に沈澱して行つた。水氣を含んだ雲や、灰の塊や、火山が噴き出す火炎の如き石の射出等の爲めに光りはかき曇らされてゐる。かう云つたのが未だ形の定らない此の遊星の有樣で、環だけが人の住み得る場所であつた。非常に空氣が稀薄で既にもう冷え切つてゐたので環はずつと以前から完備した自然の長所を持つてゐた。けれ共其處では土星を舞臺にして演じられる物恐しい光景が見られるのであつた。

此の環の形や構造はシャツカレイには非常に奇しく感じられたので彼は宇宙間に之程變つたも

のは無いと迄考へた。先づ此の國の太陽でもある我々の太陽はやつと我々の眼から見える大きさの三十分の一にしか此の國の人には見えない。水星や金星や地球や火星は其處からはよく見わける事が出來なくて、夫等の星の存在さへ疑はれてゐる。木星丈は認められてゐ、土星の衞星も存在を認められてゐた。そしてかうした樣々なもの丶集つた結果として珍しくて有益な現象を生じてゐる。珍しいといふのは木星とその四個の小さな月が段々大きくなつて行くかと思へば反對に段々缺けて行くことや、或者が右手にあつて他の殘りのものは遊星自身と一緒になつて了ふ事で有益だと云ふのは木星が時々行列をすつかり揃へて太陽の前を通る事である。これは無數の接觸點、沒入點浮出し點を生ずる爲めに望むが儘の觀察の正確さを與へては吳れない。それで視差の差し引きが嚴密に計算されてある。と云ふのはジエレ・ミイ・シヤツカレイに從へば環や土星や太陽からの距離は三億一千三百萬里を下らないにも不拘、ずつと大昔から天文學では地球より遙かに進步を遂げてゐたからである。

太陽の光りは弱かつたし、太陽の熱が無い代りにまだ冷却してゐない土星の熱が之を補つてゐる。此の環は我々よりも最も多い光りと熱とを土星から受けてゐる。と云ふ譯は此の環は地球よりも九百倍大きい土星を中心に持つてゐるからである、そして此の距離は月より地球への距離の四分の三に當る五千五百萬里である。

此の環の周圍には大きな距離を距てゝ時々は全く同じ方向に上る五個の月が見られる。シヤツカレイは此の光景にいくら壯大な觀念を與へたも充分ではないと主張してゐる。

がうした位置にをかれた環の形はと云へば丁度架けられた橋が、圓を描く弓の様なものであるシヤツカレイは此の輪周圍をすつかり廻つたのでそれによつて遠くの方から土星のぐるりを廻つた譯だ。

此の環の幅は我々の大空の厚さよりも狹くはないが同時に地球から見る時には余り薄く見える爲めに此の厚さと云ふものは見えない。それは丁度小刀を横に置いた時の刄形に似てゐる。シヤツカレイは地球から見る事の出來る様な様々の現象を知らなかつたが、少く共此の環の板の上に跨る事が出來るものと考へてゐた。此の厚みがパリからストラスブルグ迄の距離と同じ位しか無い程薄いものだと發見した時に彼は如何ばかり驚いた事か、かうした例をひくのは夫がシヤツカレイの旅程——夫は二折四頁本で數千頁を要するが——よりももつとよくそして正確に此の大きさの概念を與へるからである。彼は此の內部の凹んだ緣の上に小さい王國を建てる事が出來る。我々が環の背面の對蹠人と呼んでも差支へのない此の內部の部分の住民の頭の上には土星がぶらさがつてゐる。環は此の星の上を再び通過し、五つの月を引力で引きつけてゐる。

又內部の部分の住民は我々が地球上で見る如くに自分の右方と左方とを見る事ができるけれ共地平線は前方のも後ろのも我々が地球上で見てゐるものとは可なり違つてゐる。我々は十里離れゝば、地球の彎曲によつて視野を失つて了ふが、土星の環の中では此の彎曲は反對の意味を持つてゐる、其は低くならないで高まつてゐる。併し環は五萬里の距離を以つて土星をとり卷いてゐるので、子供の頭巾の形をした此の環は少く共五十萬里の圓周を持つてゐる事になる。それ故その彎曲の高まりはあるか無しかのものである。地球上で低くなつてゐる地平線は數里の空間の間は肉眼に平面と見え、それから地平線は少し高まつて居て、物體は小さくなり、始めははつきりしてゐたものも遂にはごつちやになつて了ふ。唯眼に入るものは塊積がある許りであるが、此の土地は非常な距離の遠方では結局高くなつてゐる。視力の錯覺の爲めに空中に慫つてゐるかと思はれる此の環は我々の月位の幅に見え、そして觀察者の頭上にある部分丈が辛じて見える。といふのは夫は月から地球への距離があるからである。私は之等の天體がその各々の蝕によつて生ずる處の様々な現象は省略する。シヤツカレイは地球上でそれを認め、よく夫を判別してゐた。

大空は我々のと同じ様なものであるが土星と夫に最も近いと想像される星との間にある廣大で限りも知らぬ空間には數限りない彗星(すいせい)がある。

土星の引力は環のそれと相均衡してゐるので、重量は非常に減少してゐる。歩くのには少しも努力は要らず、物體を動かすにもほんの一寸の力丈で充分である。

こんな有様であるから物體をくつつけ様としても唯觸れ合ふ許りで、少しの壓力もなく接近し合つて、萬事は殆んど空氣の如きものである。最も纖細な感覺でも少しも官能を鈍らせることもなく永續する。此の遊星の弓即ち環の住民の道徳が之迄述べた様な狀態の影響を受けてゐるとは認められる事である。そして最もシヤツカレイを驚かせた不思議な事の一つは此の環の中にある物體の完全性といふことである。それ等の物體は我々には知る事の出來ない多くの意味を持つてゐる。自然は之等の大きな物體の壯麗さの中で余りにも大きな進みをしてゐるので、かうした光景を見る様に運命づけられた人達の組織は五感丈では不足であつた。

玆に於てシヤツカレイの困憊は甚くなつた。彼は此の種々の空中にぶら下つてゐる物體の印象を捕へ之を描寫するに充分の知識があつたが此の活氣の盛んな物を描き出さうと思つた時には失敗した。同じ様にモザラヴの書き物の中には明瞭さとか詳しい事は少しも見出されなかつた。少く共參考に供されたボローヌのアバンドナツテイ、ヂエーヌのレスヴエグリアツテイ、ギユビオのアドルメンタツテイ、ヴエニスのデイジングヌツテイ、リミニのアカヂアテイ、フローレンスのフルフラテイ、ネープルのルナテイシ、アンコナのカリジノシ、ペルーズのインシビデイ、ローマのメランユリシ、カンデイーのエキストラヴアガレテイ、シラキユーズのエブリイ等々は飜譯をはつきりさせるには役立たなかつた。さうした困難については宗教裁判が恐らく幾分與つてゐたであらうといふ事は事實である。

我々にとつて奇異に感ぜられる一つの感覺を說明する事は何よりも難かしい事である。我々は生れ乍らの盲人が殘された他の感覺の力を藉りて盲目の奇蹟的行爲を行ふ例を知つてゐるが實際は彼等の中の或者が化學者にせよ音樂家にせよ、自分の息子に讀書を敎へる際に、鏡について次の様な異つた定義を見つけ出すことは出來ないものだ「之は物を夫自體を離れて浮彫にする處の一つの器具である」と。けれ共之に就て深く研究をした哲學者達が聰明で意想外であるとさへ見つけ出した此の定義は馬鹿らしいものである。私は人間が奪はれた感覺を說明することが不可能であると云ふことを云ひ現すのに之以上適切な例を知らない、而も感情や道德的の長所は感覺に由來するものである。我々が我々の種と著しく違つた種類の生物の道德に就いて云ひ得る事を理由づけ得るのは彼等に關する觀察の結果に因るものである。

その上我々の航海者や歷史家達が風俗、法律、慣習等に關係のある事許りを無視し、省略さへしてゐる習慣に從つて我が讀者がシヤツカレイに對して寬大ならんことを希望したい、彼は彼の云つた事を一言でも信ぜしめる事の出來るといふずつと古代の旅行免狀を持つてゐる。

シヤツカレイはそくばくの觀察を爲したが、それは次に記す樣に極めて不可思議なものである。

彼は土星の生物の中では記憶が決して消滅しないことを認めてゐる。彼等の間では思想は言葉も合圖もなしに傳へられる。だから方言もなく、證書も書類も不用で、僞や間違ひといふものは少しもない。我々を閉口させて了ふかうした澤山の不思議な事も彼等にとつては未知のものである。彼等は自分達の思想を他に傳へ、之が實行を敏速に行ひ、智識の進步を促進する爲めにはあらゆる能力を持つてゐる。此の世界に於ては一切の事が直感に依り、而も迅速に行はれてゐる樣に見える。記憶があらゆる事物に就いて殘つてゐるので、言ひ傳へは我々が蒐集して來た複雜した數限りの無い方法によるよりも更に正確に、精密に永く傳へられてゐる。

物體は夫々放射物を持つてゐる、夫は地球上では消散して了ふものであるが、環の中では可なりの距離に達する迄常に殖えてゐる一つの雰圍氣を作つてゐる。シヤツカレイは、暗室の中に導き入れられた太陽の光線を藉りる事によつて識別し得る之等の原子と放射物とを比較することに於てのみ放射物を一つの觀念を與へることが出來たが、此の放射物は人間の感覺のあらゆる神經網に反應を與へる。感情が一致した場合には之等の放射物は植物の雄蕋(をしべ)や化學の化合力の如くに他人の放射物の中に絡(から)みついて行く。夫は丁度人がた易く認める事ができる樣に、我々が極めて不正確な想像しか持つ事の出來ない樣な感情を限りなくつくるのである。夫れは例へば、二人の愛人の享樂を、ダイアヌが泉に姿を變へさせたアレチユーズを弄ばうとして、彼女ともつとしつかり結びつく爲めに波に姿を變へ自分の波を彼女の波と一緒に入り混らせるアルフエーの享樂に似たものである。

かくの如く多くの知覺し得る原子の活き〳〵とした殆んど無限の凝聚力は之等の生物の中にシヤツカレイが一つのモガラヴの言葉によつて言ひ現はしてゐる生命の力を必ず生ずる、それをイナモラテイのアカデミイでは大昔で電氣の現象は知られてゐなかつだにも不拘「エレクトリツク」と云ふ言葉で飜譯してゐる。

かうした國々ではあらゆるものが豊富なので財產といふものは役に立たぬ許りでなく負擔にさへなつてゐる。其處には財產も無く、爭ひや怨みの原因も少く、そして最も完全なる政治的平等があることが判る。私は彼等の要求と云ふものは滿足されるといふよりも寧ろ既に飽和されてゐる爲めに彼等を困らせるといふものを知らない。

土星の環の中では、智識は七分間で我々の處に達すると云はれてゐる太陽の光線が通るのと同じ路を通つて可なりの距離迄空中に傳はる。一つの思想を傳へる爲めには一つの靈感が、すつかり修飾された吹息(いぶき)で充分である。その結果として多くの住民の間には驚く可き協力一致が生れて彼等は聰明さと、環全體に廣く擴がつた融和とによつて決して他の何人の幸福とも相反する事のない共通の幸福のみを念頭に置くのである。

此の様な人をして驚かしめる生物はかうして永遠の平和と不變の安寧とを享受してゐる。幸福と種の維持とを目的とする藝術も想像と希望とが許す限り迄改良されてゐる。そして戰爭が生み出した破壞的な藝術に就ては少しも考へてゐない。かう云ふ風に環の住民が世を渡るについては我々の社會を幸福と不幸とでごつちやにしてゐる理性と狂亂との交錯には災されないで、不幸を作る忌はしい科學の偉大な才能はまだ知られてさへゐなかつた。徒らな又は不自然な快樂は僞の名譽よりも力を持つてゐず、そして此の幸運な生物の本能は多くの世紀の悲しい經驗が徒に我々に敎へる處の事を少しの努力もしないで彼等に告げる。私は智識のある人間の眞の榮譽は科學で、平和こそその本當の幸福であると云ひたい。私は至急の讀み物の爲めにシヤツカレイの航海を記すのを止めなければならない。

此の貴重な文獻を讀みほごし、之を飜譯し終つたならば私はアンケテイル氏がガンジの岸から持つて來たブラームの聖なる書物にも劣らず眞正眞銘な版を物識りの歐羅巴に送らうと考へてゐる。といふ譯は私はアンケテイル氏が古代ペルシヤ語を知つてゐると殆んど同じ位に私がモザラヴ語を知つてゐると思つてゐるからである。

蚤十夜物話（第四夜）

先にお話した樣な出來事があつてから、凡そ三日計りたつた後のことでした。ベラーさんは、叔父さんの部屋にヒヨツコリその姿を現しました。いや今までにない美しい薔薇の花の樣な顔で。私ですか？　勿論彼女と共にその居所を移動しましたネ。なぜつておさつしの惡い、私だとて少なからず肉感をそゝられて居るのですもの。それにまた、いつも新奇な事件が突發して、私の安靜を辛辣に刺戟するので、實のところを申しますと、一つ所にジツとして居られないのです。まあかうして、私は、エラクびつくりするやうな會話を偷み聞くことが出來ると云ものです。然も、それあ、その事件が直接私のしやべつて居ることに關係して居ることなんですから、それをすつぱ抜くことなんぞはお茶の子ですヨ。

私はこんなやうな譯で遂々彼等の秘密の奥妙を極めることが出來たのでした。そして拔目なく師父アムブローズの性質を知ることが出來たと、マア言つたやうなわけです。

私は今一度こゝで私の要害の地から見聞した事柄を繰返しお話しやうたあ思つて居りません、なぜつて、そんなことよりも、それに關聯した主要の目的を説明し、その應用を語つた方がよからうと思ひますから。

兎も角、アムブローズは、先頃一人でコツソリ堪能しやうとして居た敗得を、不意に横合から出て來た同僚の粗暴の振舞にすつかり臺無しにされたのを閉口し煩悶しました。彼はベラーさんを大層寵愛して居たものですから、なんとかしてあの惡魔畜生のやうな輩の干渉の手から免れて、自分のやつたことが清淨潔白であるといふあかしを立てやうと思ひました。

まあ、かういつた意味で、アムブローズは、直接ベラーさんの叔父さんの住居へ出掛ましたそして、その女姪が若い戀人と二人でいちやついて居たのを如何にして發見したかを語り、尚ほ言葉を繼いでキツト彼女は戀人の情慾に絡まる最後の記念物を頂戴して居るだらうと談しました。

こんなことを話して居るうちにも、狡猾な僧侶は、その腹の中に他の目的を持つて居つたのでした。彼はベラーさんの叔父さんの性質をよくわきまへて居るのです。そしてどうしたら容易に籠絡することが出來るかといふことをも充分に知り切つて居たのでした。

なほ彼は、自分の生涯のすべてを此男に隱す必要もないといふことを知つて居たのでした。實際のことを申しますと、彼等兩人は、お互ひにその意志が疏通して居つたのです。といふのは、アムブローズは、此の上もない猛烈な情慾の所有者でした。そしてたとへやうもない特別の耽淫者なのでした。――ベラーさんの叔父さんなるものも御多分に漏れぬ人物だつたのです。

ベラーさんの叔父さんはしよつちうアムブローズに懺悔をいたしました。そして、その懺悔の內容と申しますのは、必ずさう云つた方面の不自然的な情慾の證跡がまざまざと描き出され、それによつていつも相手をその渦中へまきぞへを喰はすに充分なものばかりでした。

ヴェルブツク氏（ベラーさんの叔父さんの名です）は女姪ベラーさんの容姿に心を動かし、いつかその蕾の花を摘まんで見たいと永い間秘かに機會をねらつて居たのでした。そんなことを彼は懺悔したこともありました。思ひも掛けぬ時アムブローズが突然このやうなニユースをもたらしたので、彼の眼は異樣にかゞやき出しました。そしていつの間にか巳れ以外の異性からそのやうな歡待を受けたとは、もつての外のことだと齒ぎしりしました。

アムブローズの性質は彼にしつくり合つて居ます。彼はアムブローズの精神的懺悔者であつたのでした。そこで彼はアムブローズに助言を求めました。

そこで聖者は、彼の永らく期待して居つた好機が到來したことを話し、獲物を兩人で分配することの有利であることをも云ひ聞かせました。

この言葉はアムブローズの豫想通り少なからずヴエルブツク氏の心を感動させました。ヴエルブツク氏は彼の情慾をより多く滿足せしめやうと思ふとき、又は激烈に肉樂の耽溺を試みやうと考へて居る時は、先づ他人に性交さした後で、その同一の女の腹の上に乘ることを無上の樂しみとして居るのでしたからです。

まもなくこの結合は成立いたしました。そして遂々秘密の演技は實行されることになりました。まがよい事にはベラーさんの叔母さんは病身だつたので、その部屋に引こもつて居たのです。アムブローズはベラーさんにいよいよ取組が始まることを話し、その準備に取掛るやうにとうながしました。

ベラーさんが準備にとりかゝらうとする前に、アムブローズは彼女を一寸片影へ呼んで、曾て兩人がやつた事柄を口走らぬやうに豫め口止めをした上、兎もあれ彼女の肉親の叔父がベラーさんの秘密をかぎつけたらしいと告げ、まんまとたくらんで置いたワナに彼女をおびきよせました。

アムブローズは言葉を續けて、彼女の叔父さんが、彼女にぞつこん惚れて居ることを話し、その憤りから免かれるには、時非とも、叔父さんの言ふことなら、なんでもその望むとほりになつて、いふことを聞いた方がよからうと口を極めて說き聞かせました。

ヴェルブック氏といふのは、强壯な勢力の滿ち〳〵た體をした人物でした。年齡は、サアいくつでせうか、一寸見には凡そ五十位の樣子です。ベラーさんは叔父さんを常日頃尊敬して居りました。それは人物や權威に畏れて居るわけばかりでなく、今一つ外に意味があつたのです。他でもありません、ベラーさんのお父さんがなくなると間もなく、ベラーさんは彼の手元に引取られ種々と手厚い世話に預り、その持前の性質にも似氣なく、大層面倒を見て吳れたからでありました。

それ故まさか目前にせまつたヒヨンな出來事に遭遇しやうとは夢にも想像して居りませんことでしたし、それかといつて怒れる肉親の膝下から逃れやうといふ心地もありませんでした。

やゝ半時余りベラーさんはシク〳〵と涙を流して居りました。然も彼女はヤサシイ叔父の抱擁を取けて、こぞなき嬉しさをその身に感じました。それと同時に叔父の叱責に、自分の不仕末に對してすまないことをしたと心にわびました。

興味ある喜劇は漸次開演されて參ります。遂にヴェルブツク氏は可憐な女姪をその膝間にはさんで、大膽にも彼自らベラーさんと肉交しやうといふ様子を濃厚に示しました。

『決して反抗するやうな馬鹿なまねをしてはなりませんぞ、ベラー』

と叔父さんはいひました。そして一寸唾を呑んでから又續けました。

『私は少しも躊躇しない、いやに愼み深く、いやに氣取りやせん。この善良な師父さんが、お前を淸めて下さつたは何よりものこつちや、そこで私はお前の體を、お前の不都合な愛人がいたづらしたやうに、抱いて可愛がつてやらうと思ふのだよ』

ベラーさんは言葉も出ない程困却しました。既にお話したやうに、彼女は頗るの淫亂です、とても彼女と同年輩の娘さん達に見られない位いのすけべいさであります。だが、さすがの彼女もその肉親の叔父の口からこの言葉を聞かうとは思つて居なかつたので、その當惑の度が知れません。彼女の目前には今戰慄すべき犯罪が横はつて居ります。現在師父アムブローズの裁を受けたばかりなのにもかゝはらず、こゝにも彼女をおびやかす戰慄すべき提案が巧んであらうとは思ひも及ばなかつたことでした。

ベラーさんはあんまりの不意打に慄えヲノノキ、その犯罪に對する恐怖の念にかられてほとんど昏倒せんばかりでした。この新事實は彼女に激しいショックを與へました。平常のヤサシイ氣性はいつかガラリとかはつて、忽ち苛刻の態度を示した叔父、彼の憤りにはベラーさんはいつも恐れをなして、それから免かれんことを祈つて居つたのです。それと同時にその教訓には、衷心から提敬して居たのでした、そして、燃るごとき嘆美を捧げ、今まで與へられた恩惠に對して渴望置くあたはざるものでしたから、今の叔父の要求は、驚愕と嫌惡のために彼女をして啞のやうにしてしまいました。

彼此する中に、ヴエルブツク氏は、後先の考へもなく、もつて生れた病はいやが上にもつのつて來て、若い女姪の體をやにはに腕の中に抱きしめ、彼女が嫌がるにも拘はらず、その花のやうな顔や頸根ツこにしきりもなく、忌はしい情慾的なシツツコイ接吻を與へました。

アムブローズは、ベラーさんがこの焦眉の急から救を求めて居るのを、よそ目に見て、慰めやうとはせず、かへつてその反對に、スゴイ笑をその片頰に浮べながら、相手に目交して、最後の手段を執つて、彼の情慾を遂げよと勵まして居ります。

かゝる際の反抗はなかなか滿足に出來得るものぢやありません。

わけてもベラーさんは年若し、叔父さんの强いはかい締めにさからうことは思ひも及ばぬことでした。彼女は叔父さんのみだらな接觸に會つて、狂氣のやうになつて居ります、一方ヴェルブツク氏は一倍力を込めて、彼の女娃の體を自由にし、その目的を達しやうとあせつて居ります。

彼の節くれだつた指端は既に美くしい繻子のやうな彼女の股間をおそつて居ります。そして一しきり手先に力をこめて奥深くさぐり掛けんとすれば、ベラーさんは股をすぼめてそれを防がうとする、しかもその努力は水泡に歸して、とう〳〵その指端は薔薇色の下脣を覆ひました。そして打震へる指頭でそろそろと滋やかな、引締つた玉門の緣を左右に開きました。

此時まで、この興奮し切つた爭闘をヂツと傍觀して居りましたアムブローズは、やをら身を進め、頑丈な左手を差しのべて、やさしいベラーさんの腰を押へつけ、小さい兩手をしつかと其右手で摑み、うごきの取れぬやうにして、彼女の淫亂な叔父さんの接近を自由にしてやりました。

『どうぞゆるして下さいよッ！』

とベラーさんはこの場を遁れやうと身をもがきながら呻き聲を立てます。

『どうぞそこをはなして、あんまり恐ろしう御座います——あんまりけしかりません——あなたはほんとに非道です！　妾は、妾は殺されます！』

『いや女姪よ、私のかわいゝお前を、なんで殺すものか』

と彼女の叔父さんは答へました。

『たゞ戀の女神さまの信心家が、そのおなさけを蒙つて樂しまうといふまでのこつちやよ、そして戀の甘酒をたらふくたんと二人で呑まうといふわけサ』

かういふ叔父さんの言葉をきいていくらか氣をおちつけたベラーさんは
『妾は、もうほんとに瞞されたのです』

と口を切りました。そして
『よくわかりましたわ、でも妾、マア、恥かしい！　そんなこと出來ません。アレ、いやです！

姿言ふこときかれません。聖母さま！おたすけ下さい。叔父さん、アレ！　アレ！』

　とこばみます。

『まあ靜かにせい――ベラー。お前はいやでもおうでも、この私のいふことだけには從がはねばならないのだ。どうでも嫌だといへば是非がない、私は無理にもお前をとほさにやならぬ。手込めにしても。サア、この足を開けなさい、足を、そして、この美くしいふくら脛をさはらせなさい。いやもうむつちりとしたうまさうな股倉ぢやわへ、サ、サ、私にすべすべとした小さいお腹をさすらせなさい――否ぢやと、この馬鹿娘が、チツトしとれ。それごらん、とう〳〵私のいふとほりになつたぢやないか、どんなに私はこれを待ちこらへて居たことか、これベラー』

　と叔父さんは滿足氣に目を細くしました。

　ベラーさんはまだいくらか反抗の態度を改めませんでした。それはかへつて攻撃者の不自然的な肉慾をそゝるのみでした。一方アムブローズは彼女をしつかりと抑まへ付けて居ります。

『おゝ、美くしいお尻だ！』

　とヴエルブツク氏は感嘆の聲を洩しました。彼のむくつけない手先が、可憐なベラーさんのどロードのやうな股間にすべり込んで居ります。そしてまんまるとした可愛らしいおいどを撫でまわして居ります。

『うん、ほんとにムツチリしたお尻だ、これあみんな私のものなのだ！　いよ〳〵御饗應にあづかりませうかナ』

とつぶやきながら、ヴェルブック氏は小さいお膳に不釣合に箸をつけやうといたしました。

『ハナシテ下さい』

とベラーさんは叫びます。そして

『アレ！　アレ！』

といふ聲が可憐な小娘の口から――最後に――洩された時でした。二人の男は、ベラーさんをその間にはさんだまゝ、無理無體に彼女を程近くにあつた寢臺の上へおしこかしてしまひました。おしたほされた瞬間に、彼女はアムブローズの大きな體の上にその身を凭れました。一方ヴェルブック氏は、彼女の衣服の裾を捲り上げ、絹布に包まれたやうな兩足を打開き、一寸身をしりぞけ、これから已れの享樂しやうとする目的物に眺め入りました。

『叔父さん、あなたは氣が狂つたのですか？』

とベラーさんはもう一度叫びました。そして身をもがいて、まる出しになつて居る腰から下を隠さうと無駄な骨折をして居ります。

『どうぞお放し下さいョ――』

『さうだ、ベラー、私は氣が狂つたのだ――私はお前を思ひ込で氣狂になつたのだ――お前を自由にしやうと思つて狂つたのだ、お前をとぼさうと思つて、お前のお腹の上で飽がくるまで樂しまうとナ。反抗したとてそれあ駄目ぢや。私はやるところまでやらにや氣がすまぬ、そうれ、こゝな美くしいおちよこでたつぷり酒盛をせにやならぬ。この張り切つた、小さな鞘をの』

かう言ひながら、ヴエルブツク氏は、近親相姦狂言の最後の演技に取りかゝらうとしました。彼は下服のボタンをはづしました。すべての恥耻感情を沒却して、そして女姪の目前にピン〳〵と威勢よくあばれ廻つて居る彼の一物をまる出しにして見せました。それははち切れさうに腫れ上つて、下腹かけてしやつきりといきりたつて居ります。そして恰かも彼女を征服せんとしつゝあるものゝやうに見えます。

暫時の後ヴェルブック氏は獲物の上へのしかゝりました、それはしつかりと身動きもならぬ樣に横になつた僧侶に抑へられて居ります。彼はおえしこつた一物をやうしやもなく小さい穴へ抑し込まうとします。彼は一度にヌツと女姪の開中へその武器の全體を突込まうと企てゝ居ります。然し嫌惡と恐怖の爲めに絶えずベラーさんはその若々しい體を踠いて居りますのと、未だ充分に成熟し切れない彼女の禁斷の果實は、さう容易く彼の目的を達しさせませんでした。

こんな時が必ず來るに違ひない、その節はなんとかベラーさんに貢獻せねばならぬと、いつもその事を心に思つて居つた私（蚤）はなんでじつとして居りませう、ベラーさんが苦痛に耐えず身を踠いた刹那、私は胡蜂（くまんばち）になつた心地で、いきなり跳び出して彼女を救はうとしました。

私はヴェルブック氏の敏感な睾丸へ跳付くと同時にその皮面へ私の鼻を突込みました。豫期したごとく、それは效果がありました。鋭いウヅクやうな痛痒は彼の行動を一時に中止して仕舞ひました。

この中入りは不幸のものでした。次の瞬間に若いベラーさんの股倉やおへそは、淫亂無謀の叔父さんが不覺に漏したおびたゞしい精液にビッショリ濡されてしまつたのでした。

呪罵の聲はいまいましさうに叔父さんの口から吐いて出ました——それは大くはありませんでした、が彼は如何にも口惜しさうに思ひ掛けぬ故障に業を煮しました。凌辱者はその要害から引上げました。そして再び戰鬪を續けることに自信を失つた彼は、澁々その敗殘の兵を收めました。

ヴエルブツク氏が殘念さうに女姪を放すや否や、まつてましたとばかりに、師父アムブローズが彼に代つてその情慾の猛烈に高潮して來たことを顯はしました。それは今までの春的場面を受け身になつて見せつけられて居たからでした。彼は力一ぱいベラーさんを抱き締めて居ります。そしてその觸感に云ひ知れぬ心よさを味つて居ります。彼の衣服の前は腫れ上つて、御用とならばいつでも御役に立ちませうといふやうな樣子を示して居ります。彼の恐ろしい武器は、彼の衣服の拘束を賤しむで居るやうに見えます。それはいつしか幽所からその首を突き出して居ります、大きな圓い頭は旣に包皮から露出され、早く情海に浴さうと烈しく動氣をうつて居ります。

『アヽ！』

とベラーさんの叔父さんは嘆聲を洩しました。彼の情慾に兩限は、彼の懺悔聽聞者の脹れ上つた輝く武器の上にそゝがれました。

『こゝに闘士が居つた、これなら敗北するやうなことはあるまい、私は保證する』

さう言ひながら彼は落着いた態度で、一物をその手中に握りました、それから偉大な莖々滿足氣にスコ〳〵とこすり立てました。

『何んて恐ツそろしい逸物なんだらう！　この强さうな恰好――イヤゐらくおいやかついたものだ！』

と彼はつぶやいて居ります。

師父アムブローズは身を起しました。その朱をそゝだやうな顏色は彼の慾望の激烈さを雄辯に語つて居ります。驚懼して居るベラーさんを都合の良い置位に寢かして、張り脹がつた眞赤な龜頭を濕つた孔へ押つけました。そして死物狂ひの勢でそれを閉中深く押込まうと努力しました。疼痛、激動、そして熱望はこも〴〵と起り來つて、若い犧牲者の神經をなやまし、且つその淫情をそゝりました。

今こゝに於て師父アムブローズが襲擊を試みて居る苔むす外堡は、始めて出會つたものではありませんでした。けれども、此度の取組は彼女の叔父さんの目前で演ぜられる最初のものでしたので、すべての場面は如何にも無作法に取行はれます、そして天賦の自信を發揮して、彼はおもむろに彼女の上に戰端を開きました。小細工な、利已主義の聖者は、已れの體を彼女の體に結合して、これまで猛烈に發露されて居つた極端な肉慾的感覺を撃退しやうと思ひました。

然しアムブローズの行動はベラーさんに拗苓の隙も與へませんでした、何故なら、そのデリケートな、ふかし立てのお饅頭のやうな鞘にやんわりと底力のある彼の大きな武器の壓迫を受けたからでした。彼はそれを觸覺するや否や、急いで結合を完了せうとあせりました。そして一寸巧みにくツと強い一腰をくれると、彼女の體中に睾丸の際まで、その一物を突込んでしまひました。

それから烈しい享樂の急速な間隙が續きました――ものすごい拔き差し、しつかりと抱き合つて、――やがて、低い絕え入るやうな呻き聲がベラーさんの口から洩れて、自然が彼女を淩駕したことを發表しました。そして彼女は今や戀の爭鬪の非常な危機に陷つたといふ樣子を明かに見せました。

言語に絕した快感は痙攣的に電のやうに走つて、彼女の全身の神經を逸樂的にかけめぐります。

彼女は頭をのけぞりました。口唇はかすかに開かれました。その十指はヒキツケた時のやうにふるへおのゝいて居ります。と彼女の全身は忽ち死人のやうに硬ばつて、泉の仙女は青春の甘露を降し、彼女の愛人の一物から迸出する情の水にそれを合致させやうとしました。(續く)

狂蝶新語（巻之三）

一名邪正一如

巫山亭主人夢輔戯述

第二回

浪速之巻

一刀を投出す壯夫の懺悔
意馬を狂蕩す淫婦の酒癖

春も漸景色とゝのふ梅柳、長閑に垂れて自然、人のこゝろも色に香に和らぎそむる東風南、澤水ぬるむ彼岸空（一字不明）即菩提の種、うゐて久しき攝津國の四天王寺の梵（一字不明）の聲、黄食調の響さへ、けふを最中の西門條、石の華門の扁額の文字、あふぐも尊き活佛場、貴賤老若とり〴〵に袖をすりぬる其中に年齢は二十八九、三十歳にはまだ、なるかならざる頴と思しき中等已下の渾家風こぼるる愛に藍植田の、うつり榮ある茶儒子の裾裏、後れながらも專齋の下着は目だつ、縮緬小紋結び、居たる黑儒子の廣巾帶の端々に韓僂と金糸の繡のみへたるは、昔懷仰き風俗姿容中肉より少し肥めにて腰の居やう歩行ぶり艶にして且趣あり、傍邊に引副ふ老婆一人面貌の姿髴たるは、問ねどしるき母親と兩個連、新清水より勝曼坂にさしかゝる、地方は倭き家つゞき葭簾立たる軒端々々の掛行燈をさし覗き、かし坐敷播豊と書しをやう〳〵看着てや些おゆるしなされてと音なふ内には兼てより、先に來りて臺處に待合せたる一個の男、原是船場邊に住居して素人淨瑠璃を語りつゝ聲よく曲節の精細もて、人にも知られし者なるが、時々旅戲場に雇はれつ、卷太夫と潛號を着て過半は淨瑠璃をうとて活業とするがゆへ、皆人彼が名をいはず、卷太〳〵と呼びなせり、彼今兩個が案內して暖簾を揚げ覗きたるを見るよりも吸かけたる煙管打はたき、是は〳〵阿掉さん速ひ下向、令慈も壯健なこと、いざまづ是へと頻待ばほんとに此頃中は何事と、おまへさまの厚ひ御世話とやらかうやら元の鞘に收まりそふな身の僥倖、御禮のまうしやうもなひと母親共々手を突て、のぶる一禮半もいはさず、ナンノ〳〵兄弟同前、他ならぬ榮三が事、世話は朋友の好みがひ、決して御禮におよばぬ筋、夫につきて阿掉さんの、榮三が許に戻らさせぬ已前、密に耳へ收て置ねばならぬ事あり、幸けふは天王寺へ、彼岸參りと聞しゆへ、歸路に此處へ御立寄と、まうしてやりしによふこそ〳〵、サア〳〵是へ御上りと、いふに母親會釋して、否わたくしは、此程も申しました、松屋町の妹の處に、けふは去がたき用の事あれば其方へ意焦、阿掉そなたは此間から、段々の御禮も、ゆる〳〵と談話まうし、承はることも聽ておじや、眞に勝手がましけれど、わたくしは御先へ歸りますと、老の意のせはしなさに、夫なら母さん、松屋町の方で待合して下さんせ、說話の(一字不明)次第、わたしも其處へ參じませう、苛つて御怪我の無やうにと、見送る言辭に母親は、卷太に辭別を告げあへず、帶ゆり上て繼分の桔梗袋を引揚つゝ、外方にこそ出行けれ、主の花車は戸棚より、盃臺杯など取出し、こゝはあまり、端近なれば立入人の邪魔もあり、汚穢けれどこなたへと、小座敷に案內するにこゝは些に四疊計、壁床かけて一色に、靑土佐紙の腰張し、有馬籠の花器に、いつの春より活捨けん、からびきつたる梅の一枝、凋々として意寒し、庭前はやう〳〵一坪に過ず、手水鉢と南天の立こぞりてほのぐらく、踏なば抜んとおもほゆる、小氣味のわろき竹椽あり、くるしき戀の出會茶屋一日貸の座舗の容、書記さんもうるさかるべし、花車はさる筋とこゝろえて、はや銚子など提來るを巻太抑へて手を打振イヤ〳〵けふは、さる陽氣なる筋ならず、些とあの女中と密々の話合、眞實の相談事、貴様も用が有ならば、手を拍て呼ふほどに、まづ〳〵暫時厨下へと、除れば花車さしこゝろへ、さる眞劒の御談なら、傍邊に人の無もよからん幸ひわたしは對門の裁屋に、張物の助手を頼まれて居ますれば、用が有るならつひ御手を、拍らしてお召下されませと、粹をきかせて折障子、閉て外面に出行かと、阿掉は疊に手を突重、ほんに〳〵何から謝言を申そうやら、思ひもよらぬ舊冬からの惱事と人に頼母しい尊前のお世話で、榮三どのの意も晴、妾が汚名も消滅やうす、近々にはいよ〳〵、喚戻さるゝ積に極つたと、此間のおしらせ、夫に附ては日外から、あなたの預つて下さりました休書には、あなたから直に榮三どのに、戻てなりと、また引裂て仕廻ひなりとも、よひやうになされて下さいませ、モウあのやうな穢らはしい物には、わたしが手には取とむなふ思ひますと、婦人ごゝろの後前なく、一日なりとも元〳〵に、速ふ戻りたがる形容は這婦女巨細おりて、暫く親の家に戻されて居るものなるべし、巻太はほと〳〵打點頭なるほど足下の意焦はいふまでもなく、至極の道理、ふとした事の悪名から、百日斗も親里へ戻つて居らる事なれば、待遠にあらふけれど斯受合ふからは、連中にもいい合せこゝ四五日の中には元の女夫にする合點落着て居なされじやがなふ爰へかやうに御喚ヤ話て置といふと、かの休書の事につひて故、夫れあの休書を榮三の手へ戻さぬ中に一條物語べき分説あつてといひかけながら坐を正め壁際にさし置たる、銅金入の旅腰刀をうしろさまに引寄つ、すらりと拔て柄の方を阿棹が前に投出し、いざ一通り說話さぬ前、此腰刀で和君の存分、この卷太をば刺なりと、斬なりと仕てもらふた上吾身の懺悔とほろりと落す涙一滴、阿棹はむつくり打驚きコレイナア卷太さん、おまへは氣ばし狂ひはせぬか、段々の御世話になつた、御禮こそいふべきに、這腰刀で刺よ斬とは、いかなる事の間違にや妾はとんと合點がゆかぬと打膽る顏、卷太夫はじろりと看つゝ吐息を吻、さればく＼是には段々深ひ容子が有らうへの物語懺悔には重罪も滅すとやら羞を捨ての吾身の悪事一通り聞てたべ、原來去年の冬よりして和君に悪名を被らせつゝ、三味線彈の駒造と情由があると言出した根元の大悪人といふは、この卷太夫サアく＼びつくりは其筈のこと、これには種々の謂因縁ありその粗略はこなさんが、島の內の和泉館に中居奉公して居た時から、アヽ可愛らしい女じやと、意の底に思ふ中ふとした緣で榮三の處へ嫁入して來さんしたゆへ、是はといへど榮三と吾とは兄弟同前の相三弦、色にも出されぬ壯夫同士みだりな言辭ひとつかけて、道に脊けば日頃から口利男が立ぬ道理と、喰しばつて立行月日、原來晝夜入込めば着る度每に煩惱の𤇆ゝ羨しいなア、榮三は病身者のくせにむつちりとした甘美そうな女房持て居ることゝ思ふ意を誰かしるべき、去年の冬の十月、御命講の晩なりし榮三は堂島邊の座敷淨瑠璃へ往く留主の內、連中の若者皆打寄て例の酒事、御命講の晩といふ緣から、後は雜談、高なしの惡洒落話、誰が强ひの弱ひのと、陽物の評判、上町の鴈太がいふには、斯寄て居る中にも、忩太が巨陽は首といふて次のない塵柄霜前には后室達の藥喰一廉の金になるべしと、皆々寄て惡おだて和君も共中へ這入て、とも〳〵の漫話一杯過たる炬燵のうたゝ寢、共中に皆の者は中橋の新肆へ溫飩喰にゆくといふて殘らず起きた跡の炬燵の向ふの方には前髮の十三郎が手枕して眠て居る、そしたこちらにこなさんは西の方に足はさゝねど、あたつてなり、よも忘れはさんすまい、當下何と思ふてにや、意の程はしらねどもほんに今の樣に、皆の御方が評判してじやは忩太さん眞の事かいな、常にそのやうな顏もせず妾等も今が聞はじめ、たしなみなされと言てじやゆへ、何を仰山な事ばかり、あれは皆戯言なるをと、いへどふたゝび押返して夫でも皆あのやうに評判して居てじやことの、おまへの正室になつた御方は僥倖な事じやとて、笑はんしたゆへ、さあその僥倖ながおまへの氣にかゝるか、そんな世話よりこの寒さに、足さいて炬燵へあたつたがよいといひさまに、和君の手を取引寄て、それ今いふたが、虚は實の誠なされと炬燵の中でしつかりと握りした陽幹をどういふ意の手も引ば櫓の角へさしうつむき顔を陰さんした、其時は、のう日頃の壯夫づくも義理も恥辱も打忘れて魂は眞暗闇おまへの腰の處を取て引寄たるに十三が方へ指ざしをさんしたも巨細構はず、其儘に股間へ手をさし入ると表る戸が鳴が一時、連中が戻つて來た、手持ちわるさにそら寢入、終にはや〳〵引起され意殘れど戻つたは、はや三更時なるべきか、かくて其翌日から一しほ想ひが、増まいことか、おのれ何とかせばなる戀であらうものと左さま右さま思へども、榮三が手まへ間夫などゝ言れては畜生の名を取て互に濟ぬ男づくと、堪忍べばいよ〳〵猶忘れしかねたる惡因緣ふつと浮んだ惡性根巧出せし和君の惡名駒藏と情由があると流言、榮三の意を疑はせ一旦榮三の手を絕て三日なりとも去れて來てならば、他人と云ふ名に着込んで偸夫などいわさぬ道理と、我身勝手に了簡つけしに、果は不意大駭驚、上町の母御の所へ去んしたは、余り巧が行過て、いひ出すべき鹽もなく、よく〳〵思へば恐しや喩がたなき大悪人、さはあれかくまで仕込しことゝやいはん、明日やしらさんと思へども、吾身で吾が心を恥ふこゝち一番世話やいて、元の夫婦に取結ぶが、せめてことの罪ほろぼし、はてそれまでに折を得て思ひの丈を打明てと隱秘した今月今日言ねば此身の念も屆かず、悪を巧むも和君ゆへ露ほどなりと意根を不便と思ふて下さるなら、情らしい一言を再度とはいはぬたゞ一會夢ばかりなる手枕あらば年月の情願もはれ生々些も忘れぬ情とかくいふ中此休書が榮三へ戻れば元の夫婦、この有うちは他人むき后家同然の和君の身上深ふは罪にもならぬ道理、天王寺へ彼岸參りの路で釣物にあふたと思ひ身を汚して下さらば太子さまも照覧あれ、重てみじんも未練はなし、斯言出すうへからは、ことしだや右と應承なされば、ふたゝび面は對されず、直に此腰刀で肚切か髮切るか休書も戻さず此場から對面なし、さはれば、和君も今暫は元の鞘にも戻られぬといふ身の上、酢も甘もわかつた和君助けふと殺さうと、只一言の答次第と流石淨瑠璃の名人とて三段目の氣取に憂を交、さも切なりし長物語、阿掉は額に手をさし加へ面を垂て首尾、言葉もなくて跼居たりしが、あゝ卷太さん誤つた、なる程聞ば一通り覺へなき悪名を立てられて、山々恨もある筈なれど、全くその恨はといへば、主一人の咎でもなし、妾も過失あることの故、忘れも得ぬ冬としの炬燵の中の洒落々々に一杯過した酒の機嫌奕、ふつとおかしい氣になつて、かふいへば惡性者と、おさげしみかはしらねども、種々の說話の後、不意も手にふれたおまへの陽物ても珍らしいと、ためして見れば妾がこの中指に握つた處へ左りの指二本そへたらヲゝ恥かし原皆酒の咎じやもの、うつうつと呆れて居る所を引寄られたは夢寤い何を陰さん、其時に妾が、こゝろの操の弦は斷絕てあつた、ことの其内に皆の御方が戾つてゞありしゆへ、はつと思ふて立別れ、その翌る日はちら／＼と目前にはなれぬゆふべのしだい、主の來てじやも恥かしく、うつむいて縫物仕て居ればおまへは、權輿もない顏附扨は前夜の洒落々々は皆酒機嫌であつたもの、けふは忘れて、其氣もなし、ほんに婦女は罪の深ひことう／＼ふつつり酒は吞まひと、吾身を吾が敬戒て月日をおくる折ふしにも、事につけ物に比べて其夜の事を思ひ出さぬでも無ひことの故なれば全此度の煩惱もおまへ斗の罪ならずとはいへ言事收まつて、元へ戾れば兄弟同然、おまへなり、わたしなり、然とてこの儘無情いへば忽地おまへの身の上にかゝわるときき氣のどくさ、是は何としてよからんと、情と操をわけかねて、女ごゝろの胸せまり、あゝ煩惱やと笄に鬢の後を搔居けり、折しもあれ殺屋より歸るお豐は幸ひと、漬合せたる柿鮓駿河細工の硯蓋に、三つ鉢と取合せ、間更めて、兩人が間にならべすえ、何かはしらず、深々と余程長ひ御話で、定て御氣も盡ませうに、粗略にして御酒ひとつ、失禮ながら、妾がちよと御間を試て、女中さまへ献まする、一杯受てと斟酒に卷太は手速く腰刀を後邊に隱して鞘に收め、夫れよくこそ氣が附たり、意晴しに先ひとつと、すゝめられつゝ取盃の底の意は澄ねども下地がなる口つとほして此盃を花車さんへ、返杯といふを傍邊より卷太は取て打頂き、今日といふけふかふした處で、君の杯を頂けば、何はともあれ且ざつと、日頃の戀を叶ふた同前、阿豐坊一杯つひで爲はれと、息なしにさつと傾けつゝ、いざ阿掉さん固の盃最ひとつ丁度と押着業、惡洒落取なす此場の時宜、花車の手前に素氣なふも、言破られぬ盃を、再取上れば、阿豐が傍から、面白う可笑う綾なして、間の押への御手元のと、いつしか酒になりすまし阿掉が顏もてら〳〵と、ほころびかゝる薄紅梅、粹のゆかりは、何處やらに、面白うなる坐のもやう、口に袖掩ヲ、婦さん、又鰻を挾かひなあ、粹のやうにもなひ、妾舊冬から百日斗、獨寢をした身ぢやわひナ、このうへに精が着いたらすかんやのと、昔し殘りし言辭附、憎からぬものわ、美しき婦人の薄醉たると、忍ぶが岡の洒落法師が、言しも實と卷太は見とれ、サア是からは雪姫に、閨を見せうと手を取てと、駒太夫を語出せば、阿豊はこゝろへ盃收め、ほんにそれよ、御兩個とも醉さまし、二階は、とうから、あじようしてあるほどに、些上つて御休と、おだてる言葉に乘つた容、妾はどうやらふら〳〵と、醉が廻つて、ヲヽ疱勞と、酒に被ける段梯子、上る二階は天窓うつ、低い天井ほのぐらく、名びろめの摺物と、錦畵大津畫張まぜし、二枚屏風の殺風景處がらとて戯場の幟を、洗剝せし大形蒲團、木枕兩個に煙盤折敷に双ぶ暦手の茶碗もけふを最上吉日、ほんに緣にして奇妙なことの、日頃の念願成就と、卷太は阿掉をいだき寄、忝ないとすふ口も、こゝろより舌を出し、互ひにじつと抱きしめ、ほんに〳〵去年から、幾瀬の想思をさせくさつた、積念の山の谷間を、ちと窺ひとさし入る、阿掉が股間ぬら〳〵と、酒が言せる徒々眼、ヲヽ摸索イナ、手が汚れうぞへ、おまへ汚穢はないカイナ、なんの〳〵勿體ない、日頃の戀の叶ふ嬉しさ、何か何やら夢中も同前、さいはへ舊年の冬已來、上町に居る間、惡性せぬに違ひはないかと、念押言葉につこりと、有るか無いかはこちや寐てしらそ、「コリヤ有難ひからのうへじや「ヲヽ恥し、おまへの巧に乘たとて、笑ふてじや有ふけれど、おまへの念も恐しく妾も去年の炬燵から、ふつと迷ふた想ひの雲、晴してもらふも他人と他人、「わしとても日頃の情願、おまへも冬からのたしなみを、春の彼岸の眞最中、「まだ日脚も八つ半そこら、「今から晩まで二時あまり「互の念の晴るほど「サア寐て語とほてくろしう、浮氣盛の初戀ならで術者と巧者が相模の開手、男は先へ丸裸、木枕とつて寢轉べば、阿掉も解く巾廣帶、下締解てすつぽりと、下着重ねしまゝながら、脫バ緋纐纈の長汗衫、ぐるりに掛し紫は山縁殘りし山蠶入、濱縮緬の青綵内衣是もともにと解捨れば、羽二重肌のむつくりと、雪を欺く太肉ヲヽ恥しやこれいナア、世帶染だ女房じやと、笑ふておくれナ、何の〳〵、その素肌こそ有難山速ふこゝへ這入なへ、おゝ褊急なと其儘に褊袢ひとつで横になり、取て被たる蒲團の中、開く股間割込腰、いきりし玉莖指着ば、持上るなり這入るなり、さしも巨劈な陽物も、十分の潤に、ぬる〳〵と六七分、激切たる開中に頰張やうで喰しめる、道理なるかな最前より、こたれ〳〵し互の魂、玉莖と寶貝に集りて、言含さねど意は一齊、千代を一回の快樂と、本手掛に組合て凝たる屏風の中、やゝ半時が程は靜つて、言辭さへなき床の海、且聞鼻息と呼吸のみ、ハア〳〵スウ〳〵、ピッチャ〳〵次第に滿來る浪の音、うねるがごとに抽這に、意をとむれば一しほに、龜頭ふくれて上下左右へ中る味ひ痒ひとも、快よひとも、身神にこたへ、阿掉は眼を閉口を開、卷太に緊と抱着、臀を摺寄はりつけて、渾身の膩浮上り、香えならぬ可愛らしさ、双方激し事なれば、初の一去はいつ去たやら、吾もおぼへず涌出る津髄、いまは十分根元まで、毛を浸つゝ滑々と、絡込抜出す勢ひもいよ〳〵烈しく、ハア〳〵、エヽ〳〵、囊々ツヽトモウ沒妙心肝と泣出す文彌、ぞれが命で此年頃、存分泣してみたかつた、おしまず聲を發上てと、男もおなじ譫語、それ〳〵こゝはどうあらう、アヽ〳〵其處は窘急じや褻ふ非道に突てひナア、アヽ〳〵〳〵あれ去々、といふ時は枕迦れてつたぴつしやりひしげた儘に息ヒイ〳〵、男もたまらせ諸共に、双方の水銃、開中いつそ亂騒き、欲ばる兩個がおとらぬ强幹、ゆかふがやらふが放さばこそ、拭ひもやらぬ再戰、津髄牝唇を吐出しあぶれ流る亙の太股臀から布團へわたらひ、葛煮の鍋を返せし如く、不意兩個が聲を齊へモウ〳〵どうも、あゝ死るいつそ殺して〳〵と唸つ泣つ二階中を倒打廻れば主の花車あまりの事に肝を消、授梯子からさし覗くも絶てしらざる夢中同志、好兵衛阿助の寄會にて根を限際の續取、去もやつたり、男は七回、女は九回、春の日おしの未より、暮六の鐘撞出すまで、休もやらぬ長戰、窓にさし込夕月に、兩個がびつくり起上り、名殘は盡ぬ帶引締、再ならぬ親嘴とすつぱり吸し亙の辭別、路もあぶなしとて、ことのことに護道てあげう阿掉さまと、早更る言辭つき、花車にも一禮そこそこに百日余りの溜淫を、くつつり脱た腰輕々ヱ、絕妙臀形じやナア。

次回は

都の卷

續淺草裏譚（三）

石角春之助

第五章　淺草の歌劇女優

（一）歌劇の流行時代

我が國にオペラが流行し始めたのは、何んでも明治四十年頃であつた。殊に同年の夏頃神田の青年會館で、パンドマン一座の喜歌劇が、上演されたことによつて、大衆の心は急に、オペラに目覺めたのであつた。それから超へて、四十四年には、帝國劇場に、歌劇部が出來、殊に淺草は其の頃から、歌劇全盛の兆を示してゐた。ローヤル館、日本館、金龍館、觀音劇場と持つて廻り大正五六年頃には、恣な全盛を極めたものであつた。

とりわけ日本館と、金龍館とが競爭的な立場にあつた時代が、其の中でも最も白熱的な歡迎を受けつゝあつた。即ち曾我廼家五九郎が、自己獨特の喜劇中のあい間に、オペラを挿んでゐた當時がそれで、これから四五年の間が、オペラ萬能時代であつた。

それは恰度今日、活動寫眞がもて囃されてゐるのと、同じ勢ひであり、同じ程度の流行であつた。そして、其の結果は、一もオペラ、二も歌劇と言つたように、時の大衆共の心に深く食ひ入り、オペラ萬歳を叫ばしめたものであつた。

就中、ベロゴロなる不良少年少女が、歌劇全盛の副産物として、ひどく増加しペラ女優のでかいお尻を睨つてゐたものであつた。

何年の世でもゴロなる者が、附纏ふ者ではあるが、オペラには、それが一層烈しく、其全盛時代には、驚くべき者があつた。殊に學生間に、それが最も多く、毎日艶文を書く事が學科の練習よりも大事な事であり、重なる仕事の一つであつた。だから一定した男を持つてゐないペラ女優の如きは、馬の足に等しいコーラスに至るまで、日に何本かの艶文を受けとつたものであつた。

無論、コーラスと稱する馬の足は、艶文を受けとることが、無情の快樂であり、誇りであつたが、しかし、幹部級になると、又かと言つたように、開披さへもせず無慘にも、紙屑籠に投げ込まれたものであつた。

それも其の筈であつた。其の艶文たるや、常に內容實質が同一である許りでなく、時には不快な文字が使はれたり、ひどく同情に訴へ、而かも、其の同情によつて、近づかうとする不良分子の手段であり、策戰狀であつた。今それ等の內容を公開する要はないが、例へば、

「梅花當に綻びんとする頃、一面識もなき僕が手箋を出すなんつて失禮かも知れませんが、どうか許して下さい。僕は不良少年ではありません。眞面目な何々學校の學生です。僕が此の手紙を出す譯けは、僕が貴女に戀してゐるの、僕の戀を入れて吳れのと言ふのではありません。そんな戀愛的な浮いた沙汰ではありません。其の證據には此の手紙を誰れに見せても辱とは思ひません。故に僕は僞名を用ひず住所を匿すやうな女々しいことはしません。僕は歌劇其のものを讃美する一人です。」

云々と言つたやうな、文句のものが、每日幾本となく舞ひ込むのであつた。以上の手紙の一部は、現に大正八年三月六日の發信にかゝる日本館出演中の白川啓子宛のもので、ほんの其の一部を紹介したに過ぎないが、兎に角、かうしたくど〳〵しいものが、舞ひ込むかと思ふと、

拝啓、随分暖くなりましたね、お變りは御座いませんか、近頃多忙で一寸とも出かけません故お姿を拜見しません故……。

さて先日の手紙御受納下さいましたか、僕は毎日々々起きると、直ぐ郵便函へ飛んで行つては見、一日に十五六回はポストへ行つたりして居りますがは入つてないのですつかり悲觀しましたよ。とう〳〵我慢が出來ない爲め又々お手紙を出す理由けです。是非過日の御返事下さい。首を長くして待つて居ます。

これも矢張り大正八年三月二十四日發信にかゝるもので、當時日本館に出演中の二見秀子宛のものであつた。しかし、これ等はまだ上等の方である。殊に甚だしいものになると、手紙の上に男の涙が、ほろ〳〵と落ちてゐる。「若し貴女が御返事を下さらなければ、私は死んで了ひます、憫れな青年を救ふと思つて、一度だけで好いから御返事を下さい。御返事を」と言つたような見るに忍びない、脅迫を含む同情的な手紙も少なくなかつた。

いや、それよりも驚くことは、細つそりとした赤や、青や浅黄色や、セピヤのようななまめかしい封筒に、上手ではないが、どこかしら男の心を魅惑するような如何にも、女性的な、餘りに女らしい手附きで「何々樣御許へ」と示された手紙が、人氣役者の手許へ配達されることであつた。

發信人は無論、虫も殺さぬような、うい〱しい如何にもいたいけな、海老茶袴の「何々御令孃」と言ふ處であつた。こんな場合に、若し男が返事でも出そうものなら「何々御令孃」が、心持ち羞恥を含み「會ひに來たのに何故出て會はぬ」と籠の鳥の一節を唄つたものであつた。しかし、これ等のことは、本書の目的外に屬するので、省略するが、何れにするも美しい全盛の半面には、事程左樣に意外な事實な事實が、ぽつ發し、而かも、それが人知れず秘密の裡に、固く秘められてゐるのである。

（二）　歌劇女優の生活

淺草を華かに彩る女としてペラ女優は、其の中でも最も有力な地位を占めるものである。と言ふのは、過去十幾年の間、彼女等によつて、淺草の興行街を獨占して居た感があるからだ。少くとも其の全盛時代に於て、彼女等が淺草を華かにし、淺草を繁昌させたことは、動かすことの出來ない事實である。

そう思ふと、大正時代の淺草が、懷かしく、當時の活躍的な淺草が、慕はしくなつて來る。全く大正時代の淺草は、活躍其のものであり、繁昌其のものでもあつた。

オペラ女優の活躍、魔窟女の繁昌、色氣のない八木節の流行。そうだ、それ等の女性を絡む男の群れ。雜然、混然とした淺草。それは美しいことでもあり、嬉しいことでもあつた。

しかし、これは表面上のことで、其の內幕、其の生活を見たものではない、とりわけオペラ女優の內幕は、思ひなかばに過ぎるものがあつた。が、しかし、それ等のことは、「樂屋裏譚」を出す時の材料に殘して置きたいのである。と言ふのは、旣に或る書店との間に、出版契約が成立し、其の計畫を立てゝあるので、成るべく其の方面の記事を避けたいのである。

兎に角、彼女等の生活が、普通人のそれと異なるのは、言ふまでもないが、他の女優達とも亦同一ではなかつた。殊にオペラ其のものが、心の高鳴りを感ずる血の頃の少青年、少女達の愛好物であり、獨專物であるかの如き性質のものであるから、從つてそこには、不良少年少女が嚙ぢりついて居たことは、言ふまでもない。そして、彼女等の中には、札附きの不良兒もあつた。

本當を言へば、そうした不良兒の方が、却つてオペラ女優として、ふさわしいものであり、而かも亦、其の體質が、新派女優のように、すんなりとした弱々しい者は、不適當である。足はずんぐりと太く、鼻はあぐらをかき、眼は電神の如く輝き、お尻はでか〳〵と大きく、それで居て、總ての均衡を保ち、緊張味のあることを主眼としてゐたので、此の形はどうしても不良少女でなければならなかつた。殊に性格に於て、不良少女式の者を求めてゐたので、多くはそうした者であつた。と言ふと叱られるか知れないが、事實はそうであつた。現にそうした女が、多く成功してゐるではないか。少くとも周圍の事情が、不良を餘儀なくしたことも動かすことの出來ない事實だが、それにしても彼女等の素質が、多くはそうした方面に傾き易く出來てゐる。それは兎に角として、オペラが旺んな當時、彼女達が一番苦痛としてゐたことは、晝夜二回の興行に、朝の十時頃から夜の十時過ぎまで、體をしばられてゐたことであつた。

口喧しい女は、二言目には「あたし筋肉勞働者(きんにく)よ、本當に辛いたらあらしないわ」と小言を言ふのが常であつた。そして、

「あたし達のことを書くなら此のことを書いて頁戴」、と甘つたるいことを言つてゐた。最も此

のことは、今日でも女優達の致命傷であり、常に口走る小言であるが、全くそう言はれると、同情せざるを得なくなる。と言ふのは、三百六十五日公休日と定められた日もなく、彼女等が言ふが如く朝の十時過ぎから、夜の十時過ぎまで、殆ど氣を休めて遊ぶ時間もなく、狹苦しい、そして、白粉臭い樂屋に轉がつてゐなければならないのは、苦しいことに違いない。

殊にそれが日曜日とか、祭日とかになると、出席も早くなるし、演出も小刻みになるので、それこそ氣を休めて遊んでなど居た日には大變なことになる。しかし、日曜日などは、そば代が出るので、變つた樂みがあつたが、それよりも辛いのは、稽古のある時であつた、十日目々々に芝居が替る度毎、五日位ひ引き續いて、稽古をするのであるが、それが夜分であるから堪らない。時によると二時三時にもなることがある。しかし、夜が遲かつたからと言つて、其の翌日の開幕を遲らせることは、無論出來ないことである。どんなに苦しくても出場に間に合はせなければならない。それが何よりも苦しいと言ふのであつた。

しかし、此のことは獨りオペラに限つたことではない。却つてオペラ以外の女優の方が、より以上の苦痛がある。けれども、私は當時のペラ女優から、幾度か此のことを聞かされたので、序に書いた譯けであるが、これは寧ろ他の淺草女優に付いて書いた方が、ふさはしいことであつたかも知れない。

　私が始めて歌劇の樂屋には入つた時、一番異様に感じたのは、十五六から二十までのコーラス連中が、僅か六疊敷位ひな室に、一塊りになり、男の批評をしてゐることであつた。今其の話の詳細なことの記憶はないが、何んでも其の中の一人が、前夜男の處で泊つて來たらしかつた。そして、其の男と言ふのが、若い今業平かと思へば、どうして話の樣子では、五十過ぎの爺さんらしかつた。

　私は其の室の筋向ふの某君の部屋で、某君の歸りを待つてゐたのであるが、却々歸つて來そうにもなかつたが、彼女等の話が殊の外面白いので、ぢつと聞いてゐたのであつた。

　處がコーラス連中は、得々と語らい合つてゐた。と言ふよりは、五十男に對する批難攻擊であつた。

「M子さんは隨分物好きね」と甲が言ふと、「でもお爺さんは味が好いつて言ふざやないの」と乙が答へた。「そうよ、お爺さんと坊主は可愛いんですつて」と丙が相槌を打つた。

「何んとでも言ふが好い、あんた達だつて隨分變んなことがあるぢやないの」

これは慥かに當人であらう。

「だつてあたしお爺さんなんか知らないわ」

それは甲であつた。

「本當だわ、あたしあんなお爺さんなんか幾ら吳れたつて厭だわ」

「だけど、そんなこと言ふもんでないわ、とても容子が好いぢやないの」

「あら、厭だわホ、、」と言つたようなことを平氣で言つてゐた。いや、これ以上のことがあどけない唇をついて、殆ど自然であるかのように、語られてゐたのであつた。それも共の筈である
これは共後聞いたことであるが、十五になつた許りの少女が、

「あたし何んだか變んだわ、ちよつと見て頂戴」と男の前に、お尻をまくつて見せたそうだが、共の男の話しによると、正に黴毒第二期であつたとのことである。

第六章　シキとパンタライ社

（一）明治時代のシキ

「シキ」なるものが、何時頃から始つたかと言ふに、これは銘酒屋の副産物とも見るべきものであるから、其の起源も亦、銘酒屋の開基と、殆ど同一時代である。が、しかし、嚴密に言ふと、銘酒屋よりも多少遲れて、發見されたものゝようである。言ひ換ふれば、銘酒屋なり、新聞雜誌縱覽所なりが、發見された結果、客の要求に應じ、女を連れ出させる方法として、發達せるものである。

要するに「シキ」とは、座敷の略語で、座敷の簡單なることを意味するのである。最も當時待合の如きものも「シキ」として契約が締結されてゐたことは事實だが、それは極く高等な方で、多くは公園近傍の碁會所とか、駄菓子屋とか、玩具屋とか、乃至は旅人宿とかと言つたものであつた。

極く遠い處としては、下谷方面とか、千住方面にも「シキ」の連絡があつたらしいが、多くは田原町近傍の旅人宿邊りが、それでつまり間貸しと言つた意味のものであつた。だから極く粗末なものは、人力車屋の二階とか、駄菓子屋の二階とかであつた。

しかし、此の種のものは、銘酒屋の中の間や、二階邊りとは、値段が高くなり、費用が重なつたものだ。假りに銘酒屋では、一時間五十錢のものなれば、「シキ」になると、どんなに粗末な家へ行つても其の倍額の一圓位ひはかゝつたものだ。しかし、粋を氣どる者とか、極く甘い者になると、「シキ」専門に遊んだものだ。

殊に旅人宿とか、待合の方は高級な方であつたから、どんなにケチに遊んでも、一圓五六十錢から二三圓程度の費用を要したものである。それは言ふ迄もなく席料を高く取れたからである。

「シキ」が最も盛んに行はれたのは、明治三十二三年頃から同四十二三年頃までの約十年間であつた。此の十年間は、全く「シキ」の全盛時代であつた。至る處に「シキ」屋があり、そこへ首筋の白い奴を連れ込むのであるが、當時の警察制度は、それを殆ど公然の秘密として、闇に許して居たのであつた。それだから此の種のものが、發展しはびこつたのも無理からぬことであつた

（二）明治初年の淺草の夜鷹

夜鷹が浮浪的の淫賣であり、乞食淫賣に近いものであつたことは、言ふまでもない。だからこゝで述べる性質のものではないが、序に其の大抵のことを書くことにする。淺草に限らず明治初年には、夜鷹が市中至る處に、ぽつこし散在してゐたことは、多くの文献書や、當時の新聞雜誌によつても明かなことであるが、殊に淺草には、田原町を始めとし、處々に散在し惡毒惡魔を流布してゐたものであつた。

と言ふのは、其の實質が、今日の乞食淫賣に少し毛をはやした位ひな程度で、往來に待ち伏せ、男と見たら、誰れ彼れの容赦なく、一切平等の歡待で、獅嚙み附くと言ふ。さても恐ろしい淫賣婦であつた。そして、極く簡單な奴になると、往來が仕事場であり、工場であり、閨房であつた。

しかし、今日の乞食淫賣のように、單に浮浪者や、乞食のみを相手にするものでなく、一般大衆共の甘黨を覗つてゐた點に於て、稍々高級であり、而かも、我が家へ伴ふ點に於て、大阪の今宮方面の浮浪的淫賣婦と、其の性質を同ふしてゐたのであつた。

これを淺草の浮浪的淫賣婦に就いて言へば、先づ池の端を彷徨つてゐる密娼と、稍々似通（かよ）つたものであつた。けれども、その取り締りの緩慢な當時にあつては、其の手段が、露骨であり、赤裸々であつた。例へば四辻邊りに、綱を張り繩を張つて居ると、そこへ何んとなく甘そうな眉尻の下がつた男が通るとする。これならばと言ふ暗示を得ると、バタ〳〵と駈け寄り、いきなり首つ玉に獅嚙みつく。そして、甘黨泣かせの猫撫で聲で、「よう、お前さん」「ちよいと旦那」「よう旦那てば」と男の好きそうな、溶ろけるような字句を列擧する。そして、香りの高い女の肉體をぴつたりくつ附けて、思ふ存分挑發する。そうなると男と言ふ奴は、案外脆いもので、まんまと女の意中に轉げ込んだものである。

假りにかう言ふ風に、公然往來で男を征伏してゐた。が、それは全く想像外の醜態を演じてゐたものである。

とりわけ滑稽なのは、夜鷹同士が、男のとり合ひで、時々とつ組み合ひの大騒動を演じ、其の醜態を遺憾なく發露し、吹き出すような滑稽を演じたものであつた。

物價の安い明治初年の頃は、夜鷹の料金も實に安價なものであつた。安直に往來などで片附けるものは、僅かに三錢五錢であつた。殊に甚だしいものになると、八文錢二個位ひで契約を締結するものも少なくなかつた。が、それでも自宅へ連れ込む場合は、五錢乃至十錢位ひが相場であつたらしい。

それからだん〳〵と、世の中が文明に趨くに從ひ、そうした方面の取締りが、厳重になつた爲め自然、其の姿を絶つに至つたが、其の代り公園内には、所謂、乞食淫賣なるものが現はれるに至つたのであつた。

殊に公園の名物男としての文公が、出現した當時、慥か明治十八九年頃からのことであらう。哲人乞食としての文公に、戀したと言ふ乞食お勝の如きは、慥かに乞食淫賣の祖先である。少くとも彼女が、乞食淫賣であつたことは、當時生存してゐた人の話によつても明かである。

お勝に付いての確かな說によると、彼女は元夜鷹をしてゐたもので、夜鷹のなり下りであるとのことだがしかし、それにしては年が餘りに若過ぎはせぬかと言ふ疑はないではない。と言ふのは、文公に惚れたと言ふ當時、まだ三十前であつたから、少くとも明治十四五年頃の密娼であつたらしい。

(二) パンタライ社の出現

人の噂と言ふものは、餘り當てにならないものである。それは噂に噂を產み、軈て其の噂が創作になつて了ふからである。現に淺草に何んの理解もない人達から、「此度これ〳〵のものが出來たそうだが、君知つてますか」と言はれる場合がある。

そう言ふ時、私は內々探偵することを怠らなかつたが、其の都度何んの根據もない噂話であるのに、何時でも落膽させられたものであつた。最もその中には、これ〳〵の物をつくつたら定めし面白いであらうと言ふ話はあつたらしい。が、しかし、それは單なる理想に過ぎないものであつた、處がパンタライ社なるものは、大正八九年頃、千束町二丁目の藝妓屋街に突然出現した。

私はパンタライ社が出來たと言ふ噂が立つと、同時に其の外見を見に行つた。が、それは全く詰らないものであつた。平家造りの小つぽけな長屋で、表にパンタライ社の看板がかゝつては居たが、人の出這入りする氣配も見えず、ひつそりかんとしてゐたので、其の儘歸つて了つたのであつた。が、パンタライ社の社目には、一般衆人の要求に應じ、宴會其の他個人の酒席の相手たる女を供給することを目的とするものなりが、社目第一條の規定であつた。そして、其の但書には、但し女は左に掲ぐる者の一人若くは二人を各自選擇するものなりとあつて、

一、女優若くは女藝人
二、仲居若くはカフエーの女給
三、自動車の女車掌
四、芝居若くは活動の女給
五、女事務員若くは姿其の他の職業婦人
六、其の他一般しもとやの娘。

と言ふのであるが、更らに第二條には、其の料金の規定があつた。それによると、客の求めに應じ女を酒席に侍らしたる時は、女の勞力に對する報酬、並に社の手數料六圓也を申込みと同時に、徵收するものなりと言ふのであつた。そして、其の時間の制限がないので、「はてさて安いものだな」と時の粹人達は、ひどく喜んだものであつた。

それに今一つ喜ばせたことは、料理店は言ふに及ばず旅人宿でも呼ぶことが出來ることだつた。

そこで鼻毛が、口元まで垂れさがつて居る連中は、此の機會逸すべからずと、先づ借金を質におき、大まい六圓の金を申込みと同時に提供する。そして、料理店邊りでちびくりやりながら待つてゐる。

其の場合すぐやつて來れば好いが、女が都合が悪いなどと言つて、一時間も二時間も待たされた日には、だん〳〵費用が重なつて來るので、貧的などは、氣が氣でない。幾度ともなく、懷中物を出しては、あれが幾らで、これが幾らでと、記憶の悪い頭を虐待しい〳〵、胸算にようたしなくては納りがつかなくなる。

いゝ加減焦らした時分、ひよつこりやつて來て、「あたし、あれが好きだの、これが好きだの」と眼の玉が飛び出る程高價な物許り注文する。それが度重つて來ると、頭の悪い男は、そろ盤でも置かなければ、懷中物との均等がとれなくなつて了ふ。

それだのに女は、いゝ加減食つたり、飲んだりした時分になると、「あなた、もう時間だわ」、と當初豫期だもしないことを言ひ出す。「そんなのか」と野暮臭いことを言つて見た處で、女はけろりとして「えゝ、そうよ、又新たに出して貰はなくちや」と來る。そう言はれて見ると、大抵の男が「えツ、儘よ」と自棄糞になる。そして、其の場合、胸算にようなどしてゐられなくなり言はれる儘に又出す。女はニツと笑つて、社の方へ電話をかけ引き續いて、親の時より子の時と許り、食ひ且つ飲む。そして、又一定の時が來ると、義務的に時計を見て「あら、もう時間だわ」と來る。男の方では、契約を更新したことによつて、當然お伽の方も含んでゐるものと思つてゐる。殊に慾の皮のつゝ張つた連中は、最初の六圓其のものゝ中に、それが當然含蓄されてゐるものと、誤解してゐたらしい。

兎に角、それ以上の藝當を演ずるには、それ相當の金を要した。

「ぢや、二十圓頂戴」とふつかける。

「そりや、高いよ、十圓にしろ」と夜店の積りで、値ぎり始めるが、大抵は「それぢや、中をとつて十五圓」と讓歩するのが、一般であつたが、男の甘い處を見拔くと、二十圓がベタ一文切れても厭ですと來る。そして、お負けに「あたしそんなぢやないことよ」とつんと來る。

そう來られると、男の弱點として、言ひなり放題に出すものだ。結局、一夜のおなぐさみが、片腕と來ては、如何に景氣の好い時分でも、大抵其の翌日は、靑くなつて飛び廻つたであらう。

これを要するに、パンタライ社の女は、關西方面に存する「やとな」の一種であつた。が、しかし、「やとな」は酒客の相手をすることが、專門であるが、パンタライ社の女は、他に職業を持つてゐると言ふことが、物好きの通人の好奇心をそゝつたものであつた。しかし、其の女優と稱する者に對し、例へば、「おい君、「ならく」つて何んだか知つてるか」と聞くと、

「知らないわ、英語でせう」と來る。全く飛んでもない女優があつたものだ。「ならく」が英語であつたり「交番」が交番所であつたり、「ふきぬき」が獨逸語であつたりするのだから、面白いではないか。いや、それよりもそうした女を女優と信じ、好奇心を滿足してゐた連中の方が、餘程滑稽であつた。更らに「鐘は上野か淺草か」を打つ時分になつて、すつかり醉ひが覺め、「あゝ失敗つた」と溜め息をつき、眞つ蒼になつて、慄えてゐる屈竟な男を見ることも面白いではないか。

嘗つて私の知友某が、斷髮の女を呼び、そうして目にあつて、散々女の惡口を言つてゐたことがあつたが、しかし、少しもそれに對し同情することが出來なかつた。

第七章　淺草藝妓の役者買ひ

（一）明治時代の公園藝妓

公園藝妓のことは、既に其の大體を述べた筈であるから、こゝでは特に俳優に關する事項に付いてのみ書くことにする。

昔から役者と、藝妓が密接な關係にあり、役者の人氣が、藝妓の人氣と關聯し、而かも、その反對に、藝妓の人氣が、役者の人氣と關聯し、離るべからざる關係にあつたことは、今更らしく言ふまでもないことである。そして又、昔から役者と藝妓とが、共に浮き名を流し、世間の業平共に燒き餅を燒かして來たことも亦、顯著な事實である。

が、しかし、そうした浮ひた沈んだの痴わ狂ひは、兎に角としても、相當な藝妓になると、厭でも應でも總見と言ふ頗る厄介なものが、しつこく附き纏つてゐたものである。今日でこそ總見なんつて、太平らでやれなくなつたが、明治から大正の中頃までは、藝妓と名の附く者は、猫も杓子も義務的に、總見をしなければならないことになつてゐた。

本當に血の出るような思ひをしても總見には身分相應のことをしなければならなかつた。殊に甚だしい者は、着物などを七つやへ叩き込んで出かけたものであつた。

何故そんなことをしなければならないかと言ふに、それは言ふまでもなく、自分が可愛いからである。役者にしても貰ひ放して、知らぬ顏はしてゐない。そう言ふことにかけると、役者でも藝妓でも案外義理がたいもので、餘り進まない場合でも、お交際にあつさり遊ぶと言ふように、時々出かけて行くので、先づ總見は海老で鯛を釣る譯けだが、其の海老が案外上等な方であるから、藝妓達が困つたのも無理からぬことであつた。

かう言ふ風に、役者と藝妓は、お互ひに義理の立て合ひをしてゐたものであるが、今日ではそれが法律的に禁じられてゐるので、藝妓の方では、嬉しいやら悲しいやらで、どつちにもつかぬことになつてゐるのである。

（二）　馬の脚を買ふ公園藝妓

明治四十年頃から誰れ言ふとなく、「公園藝妓と馬の脚」と言ふ至極新らしい言葉を使ふようになつた。そして、それが非常な勢ひで、東京市中に流布し、一般に知られるようになつた。

では本當に公園藝妓は、馬の脚を買つて居たかと言ふに、それは、事實であつたらしい。と言ふのは、當時公園の藝妓間に、役者買ひをすることが、大いに流行し、猫も杓子もと言つたように、役者と關係を持つてゐたので、其の中には本當に、馬の脚もあつた。假令馬の脚にしろ、役者と關係してゐることは、當時の藝妓として、嬉しいことであり、鼻の高いことであつたのだ。

それに今一つの原因は、宮戸座がひどく接近してゐる關係上、役者との接觸が簡單であつたことも大きな原因である。そして、又、役者の方から進んで、引つかける者もあつたに違いない。

何れにするも明治の末期に於ける公園藝妓が、多く役者の爲めに、入れあげてゐたことは、爭はれない事實であつた。そして、其の中には役者の爲めに、すつかり精魂を失ひ、自稱丹次郎から、涙でしぼりあげた金を惜し氣もなく、入れあげ馬の脚の懷中をぱつぱとほてらしてゐた連中も案外少なくなかつた。

殊に甚だしい女になると、客席に侍べるべき大切なる衣裳を例の十の字の縱の棒が、向つて右に曲つてゐる所へ、疊み込み北國の雷りで、全く北鳴りの哀れな女もあつたそうだ。

しかし、それでは仕事が出來ないので、親切な女將は、衣裳屋へ走り損料を幾何か出した着物を着せ、女を仕事に出したなどの哀話に近い話もある。

それから又、かう言ふ話もあつた。或る女が役者に入れあげる爲めに、死ぬの生きるのと、女將を散々脅迫し、借り出した金を役者にやると、其の役者は吉原の彼女へすつくり獻上したと言ふことであつた。

役者と藝妓との艶種は、澤山持ち合せがあるが、それは次のことにし、本章はこれで失禮しよう。

叢書エログロナンセンス第Ⅱ期

文藝市場／カーマシヤストラ　第4巻

2016年12月15日　印刷
2016年12月22日　第1版第1刷発行

[監修]　島村 輝（しまむら てる）

[発行者]　荒井秀夫

[発行所]　株式会社ゆまに書房
〒101-0047　東京都千代田区内神田2-7-6
tel. 03-5296-0491 / fax. 03-5296-0493
http://www.yumani.co.jp

[印刷]　株式会社平河工業社

[製本]　東和製本株式会社

落丁・乱丁本はお取り替えいたします。　Printed in Japan

定価：本体18,000円＋税　ISBN978-4-8433-4856-7 C3390